suhrkamp taschenbuch 1544

Thomas Bernhard wurde 1931 in Heerlen (Holland) geboren. Sein Werk im Suhrkamp Verlag ist auf S. 466 dieses Bandes verzeichnet. Der vorliegende Band versammelt jene Stücke Thomas Bernhards, deren Premieren zwischen 1979 und 1984 stattfanden. Mit ihnen wurde erneut der Rang dieses Autors deutlich. Warum faszinieren seine Stücke Darsteller, Regisseure und Publikum? Da ist einmal Bernhards Sprache, die mit insistierenden Wiederholungen operiert. Rhythmus und Tonart schaffen eine wunderbare Musikalität. Damit ist zugleich eine Voraussetzung für das Inhaltliche seiner Stücke genannt. Bernhards Sprache fördert, ja fordert den variationsreichen Monolog und damit die ungewöhnliche, fast monströse Persönlichkeit. Das Leben hat sie ins manische Reflektieren getrieben, über die Vergeblichkeit ihres Bemühens, über die Last der ständigen Krankheit, über die Nähe des Todes. Diesen Monomanien und Ausweglosigkeiten ihres Lebens setzt Thomas Bernhard die Perfektion der künstlerischen Form entgegen.

Thomas Bernhard
Stücke 3

Vor dem Ruhestand
Der Weltverbesserer
Über allen Gipfeln ist Ruh
Am Ziel
Der Schein trügt

Suhrkamp

suhrkamp taschenbuch 1544
Erste Auflage 1988

Satz: MZ, Memmingen
Druck: Nomos Verlagsgesellschaft, Baden-Baden
Printed in Germany
Umschlag nach Entwürfen von Willy Fleckhaus und Rolf Staudt

1 2 3 4 5 6 – 93 92 91 90 89 88

Inhalt

Vor dem Ruhestand 7

Der Weltverbesserer 115

Über allen Gipfeln ist Ruh 191

Am Ziel 285

Der Schein trügt 389

Vor dem Ruhestand

Was ist Charakter anderes als die Determinierung des Ereignisses, der Handlung?

Henry James

Personen

RUDOLF HÖLLER,
Gerichtspräsident und ehemaliger SS-Offizier
CLARA *und*
VERA, *seine Schwestern*

Im Haus des Gerichtspräsidenten Höller

Erster Akt

Großes Zimmer im ersten Stock
Zwei hohe Fenster im Hintergrund, auf den Seiten zwei Türen
Verschiedene Sitzmöbel, eine Kommode, ein Kasten, ein Bügelbrett am Fenster, ein Flügel
Ein Barometer, ein Spiegel an der Wand
Später Nachmittag des siebten Oktober
Himmlers Geburtstag

VERA *schließt die Tür links*
Sie ist weg

CLARA *im Rollstuhl, Strümpfe ihres Bruders Rudolf stopfend*
Bist du auch sicher

VERA
Sie fährt zu ihrer Großmutter
und bleibt bis morgen
Das arme Kind
mit seinem Hustenreiz
Wenn wir sie in eine Anstalt geben
verkommt sie
hier hat sie es gut
hier ist sie gut aufgehoben
fährt mit dem rechten Zeigefinger über eine der Fensterbänke
alles staubig
schmutzig
schaut auf das Barometer
Es fällt
schaut durchs Fenster hinaus
Ein bißchen Sonne hätte sie nötig
aber wenn sie zur Großmutter fährt
ist das auch egal
es ist auch für mich nicht leicht
mit einer Analphabetin
Es ist schon eine Kunst
mit einer Taubstummen umzugehn
in diesem Alter sind sie renitent
wenn sie noch dazu vom Land sind
und nichts wissen
zieht an einem Vorhang

sie hat bei uns eine ganz und gar
behutsame Behandlung
schaut durchs Fenster hinaus
An diesem Tag ist es immer trüb
Aber das gibt ihm doch eine gewisse Feierlichkeit
Ich habe schon drei Flaschen Sekt eingekühlt
Fürst Metternich den Rudolf so liebt
fängt an, den Richtertalar Rudolfs zu bügeln, der an der Wand hing die ganze Zeit
Er hat das Höchste erreicht
er hat Angst vor dem Ruhestand
Auch für ihn ist unsere Olga gut
er sieht es gern
schließlich ist sie lieb anzuschaun
Wenn du wüßtest
aus was ich sie herausgeholt habe
daß es solche ärmlichen und armseligen Verhältnisse
überhaupt noch gibt
Die Leute sind allerdings selbst schuld
an ihrem Elend
Armut ist nicht mehr notwendig
Wer arm ist
ist selbst daran schuld
nur den Armen nicht helfen
hat unser Vater immer gesagt
Man zieht sie aus ihrem Sumpf heraus
und es nützt nichts
Ich habe ihr zwei hübsche Kleidchen anmessen lassen
sie wollte ein lichtblaues
das konnte ich nicht gestatten
ein schwarzes und ein dunkelbraunes
sehr hübsch sehr hübsch
Ich habe ihr die Zöpfe genauso gebunden
wie ich sie gehabt habe
Erinnerst du dich
wie uns die Mutter die Zöpfe gebunden hat
sehr langsam
und immer mit guten Ratschlägen
Manchmal sehe ich mich
wenn ich das Kind beobachte
Wenn sie allein ist und sich unbeobachtet glaubt

sitzt sie auf dem Boden und spielt mit den Händen
abwechselnd mit den Händen und mit den Zöpfen

CLARA

Wir nützen sie nur aus
es ist ein Unglück für sie
daß sie hier ist
wir ruinieren das Kind nur
Eines Tages bricht sie dir zusammen
Du hast gewußt
warum du dir ein taubstummes Mädchen
ausgesucht hast
für deine Zwecke

VERA

Du denkst immer nur das Schlechteste
von mir
das ist deine Gewohnheit
das ist deine Waffe gegen mich
schaut hinaus
Eine Hörende und eine Redende
wäre natürlich besser einerseits
aber andererseits ist es gut
daß sie nicht hören
und nicht reden kann
darauf beruht ja alles
daß sie nicht hört
und nicht redet
stell dir vor sie redete
und sie hörte

CLARA

Aus Mitleid
sagst du immer
aber auch das ist eine Perversität

VERA

Vielleicht
vielleicht hast du recht
Sehr oft werde ich den Talar
nicht mehr bügeln
Dann fahren wir weg
ans Meer
alle drei

CLARA

Du hast alle ausgenützt
bis sie zusammengebrochen sind
weggeworfen
stumm und taub
das ideale Instrument
für deine Gefühls- und Geisteskälte

VERA

Wenn ich dich so ansehe
hast du ein Recht
so mit mir zu sprechen
jahrelang lasse ich mir alles was du sagst
gefallen

CLARA

Sie ist vor allem für d i c h da
d u beanspruchst sie täglich
sie weiß genau
würde sie plötzlich hören
und reden
du würdest sie sofort umbringen

VERA

Manchmal habe ich Lust
dich an die Mauer zu fahren
wo es sehr steil ist
und dich hinunterzustoßen
ins Wasser
mit deinem ganzen Jammer

CLARA

Du denkst beinahe ununterbrochen daran
du beherrschst dich nur
Beherrschung ist alles für dich
wie Vater
existierst du nur aus der
Beherrschung
du lebst gar nicht wirklich
du lügst dir alles nur vor

VERA

Wenn sie bei ihrer Großmutter ist
ist sie gut aufgehoben
ich habe keine Angst um sie
ich weiß

wenn sie bei ihrer Großmutter ist
ist alles in Ordnung

CLARA

Am liebsten würdest du hinter ihr her sein
sie beobachten
ob sie auch wirklich
bei ihrer Großmutter ist

VERA

Wo sollte es sonst hinfahren
das arme Kind

CLARA

Wenn sie einmal nicht
zu ihrer Großmutter fährt
und plötzlich reden kann

VERA

Deine Phantasie ist so bösartig

CLARA

Du hast immer Glück gehabt
mit deinen Mädchen
alle waren vom Land
armer Leute Kind wie gesagt wird

VERA

Was wärst du ohne sie
solange ich es will
und solange sie kann
ist sie zu unserer Verfügung
was vor allem heißt
zu d e i n e r Verfügung
Es ist nicht so schlimm mit ihrer Krankheit
ab und zu ein Anfall
psychische Ursachen
sie beruhigt sich ja immer mehr hier
wenn man sie richtig beschäftigt
wer arbeitet wird nicht krank
man muß ihr fortwährend
etwas zu arbeiten geben
sie ununterbrochen beschäftigen
dann wird sie gesund
und nicht krank

CLARA

Sie ist ganz verschreckt

VERA *lacht auf*
Verschreckt
was du nicht sagst
sie war ja gar kein Mensch
bevor sie hierher gekommen ist
nichts
ein Bündel Nichts
Dein Mitleid mit ihr ist mehr
eine Waffe gegen mich
Die Solidarität mit den Dienstboten
hat schon unser Vater als das durchschaut
was sie ist
eine Niederträchtigkeit
Ich will dein Bestes
Solange sie da ist
funktioniert der Haushalt
alles fiele auseinander
und du müßtest sofort in eine Anstalt
daß du da bist ist ja nur möglich
weil wir sie haben
vergiß das nicht
sie ist ja richtig aufgeblüht
seit sie da ist
Du hast immer verrückte Ideen gehabt
wie deine Mutter
die schließlich in ihren verrückten Ideen
erstickt ist
in ihren Komplexen
hebt den Talar auf und hält ihn gegen das Licht und legt ihn wieder auf das Bügelbrett
Dieses Grübeln immer
und Bohren in sich selbst hinein
das bringt den Menschen um
dann macht er Selbstmord
weil er keinen Ausweg mehr hat
du bohrst immer
in dir
und in den andern
eines Tages wirst du gänzlich verrückt sein
weil du dich immer mit deinem Unglück beschäftigst
Weit und breit ist niemand

der ihre Stelle einnehmen könnte
schließlich habe ich sie schon einiges gelehrt
Das Landkind
das ich aus den allerwidrigsten Verhältnissen
herausgerissen habe
weil ich einen Blick habe für Menschen
die herausgerissen gehören
Anstatt mir dankbar zu sein
peinigst du mich

CLARA

Du treibst dein Spiel
gegen uns
auch gegen Rudolf

VERA

Was wäre das Kind
wenn es nicht bei uns wäre
es existierte schon gar nicht mehr
ohne meine Gutmütigkeit
Ich bin seine Lehrerin
und ich bezahle es auch noch sehr gut
ich bezahle ihm mehr als es verdient
aber das ist es nicht
Hier hat es alles was es braucht
Zu Hause hat es nichts
Überall dieses sozialistische Gerede
und geändert hat sich nichts im Grunde
Eine primitive ordinäre Mutter
die in Lumpen herumrennt
und ein versoffener Vater
acht Geschwister die in ihrem eigenen Schmutz ersticken
weil sie zu faul sind sich zu reinigen
Wo soviel Körperschmutz ist
muß die Seele ersticken
wie Vater sagte
Ich habe das Kind aus dem Dreck herausgeholt
und es hat sich zu seinem Vorteil entwickelt
hineingeboren in den Proletenschmutz
wäre es darin erstickt
sehr früh sehr früh
kannst du mir glauben
wenn ich nicht aufgetaucht wäre

Die Eltern waren glücklich
daß ich sie mitgenommen habe
die Mutter hat mir im Hinausgehen
die Wange geküßt
es war abstoßend
Das Kind war glücklich
als es hier hereingekommen ist
in dieses Haus

CLARA
In dieses schreckliche Haus

VERA
Sie empfindet es nicht als schrecklich
sie ist dankbar
wo sie herkommt
ist es menschenunwürdig
Du mußt dich in einen solchen einfachen Menschen
hineindenken
Hier ist für einen solchen Menschen das Paradies

CLARA
In dieser schauerlichen Atmosphäre

VERA
Deine Menschenkenntnis
ist nicht die beste
Du hast ja alles nur aus den Büchern
und aus den Zeitungen
du hast im Grunde nichts erlebt
Das Kind ist hier gut aufgehoben
und es ist gut
daß es taubstumm ist unheilbar
damit bleibt ihm
und uns natürlich
viel erspart
Es hat schon viel gelernt hier

CLARA
G e s e h e n meinst du

VERA
Du bist wirklichkeitsfremd
zersetzend
undankbar
Taubstumm
was für ein Glück

Was sie sieht
ist mir gleichgültig
wenn sie nur nichts ausplaudert
und das kann sie nicht
Zwei Kleider für sie
und sehr teure Stoffe
gute haltbare Stoffe natürlich
und ich selbst habe mir seit acht Jahren
kein neues Kleid gekauft
Die Schwester des Gerichtspräsidenten Höller
läuft jahrlang in demselben Kleid herum
ich weiß was die Leute reden
Es ist klar daß sie mich beneiden
sie neiden Rudolf alles
sie neiden mir alles
und sie wünschen dir dein Unglück
heuchlerisch sprechen sie von dir
wie von einer Heiligen
es ist widerwärtig
Übrigens habe ich ihr für ihre Großmutter
den Schlafrock mitgegeben
den mit den roten Borten

CLARA

Meine Schwester die Wohltäterin

VERA

Sag was du willst
du darfst es
ich liebe und ich beschütze dich
aber es ist schwierig mit einem Menschen
der einen unnötig verachtet
und der glaubt
alles besser zu wissen
Unser Schicksal ist nicht das schlechteste
Was wäre wenn Rudolf im Krieg geblieben wäre
wenn sie ihm einen Prozeß gemacht hätten
wenn sie ihn
wie schön daß alles so gut gegangen ist
Wir sind doch angesehene Leute
und es geht uns gut
Wenn wir Wünsche haben
werden sie uns erfüllt

wo so viel Unheil ist in der Welt
wir haben es gut
wir brauchen keine Angst zu haben
nur du bist unzufrieden
und fortwährend von Komplexen geplagt
Ich könnte nicht für dich sorgen
dich jeden Tag dreimal ankleiden und auskleiden
wo denkst du hin
Rudolf spricht oft davon
ob es nicht besser wäre
du wärst in einem Sanatorium
Keine Angst
wir getrauen uns nicht
Wir sind ja eine Verschwörung
Du hast es hier am besten
es fehlt dir nichts
du hast alles was du brauchst
eine schöne Umgebung
hilfreiche Menschen
die dich lieben
äußerst du einen Wunsch
wird er dir erfüllt
das sind wir uns alle schuldig
daß wir uns gegenseitig alle Wünsche erfüllen
Im Grunde ist es ein idealer Mechanismus
du und ich und Rudolf
Wie schlimm könnte alles sein
hebt den Talar auf und hält ihn gegen das Licht
Wir sind voller Zuneigung füreinander
schaut hinaus
Es geht uns nicht schlechter
im Ruhestand
Wenn wir erst Reisen machen
Rudolf will nach Ägypten
wir werden schon einen Weg finden
daß du mitkommen kannst
alle vier fahren wir weg
die Olga ist ganz für dich da
Wer hat es schon leicht
zu Clara direkt
Neinnein das Kind ist hier gut aufgehoben

du darfst es nur nicht auseinanderbringen
du verstörst es richtig
laß sie in Ruhe
und sei glücklich daß es sie gibt
sie macht ihre Arbeit
das ist alles
Du zerbrichst dir immer über das Unwichtigste
den Kopf
Du hast dich nicht geändert
wie immer
wir brauchen keine Zeugin am siebten Oktober
nimmt den Talar und hängt ihn an die Wand und begutachtet ihn
Tagelang vor dem siebten
verändert er sich
alles in Rudolf ist auf den siebten konzentriert
sie nimmt den Talar wieder von der Wand und legt ihn auf das Bügelbrett und bügelt weiter
Er hat mit Himmler nur ein einziges Mal gesprochen
ein Mann der keinen Widerspruch duldete
solange er lebt hat Rudolf geschworen
wird er Himmlers Geburtstag feiern
Daß er allein geblieben ist
hängt auch damit zusammen
keiner von uns kann ausbrechen
plötzlich zu Clara direkt
Kurz vor dem siebten Oktober
hast du auch diese merkwürdigen Träume
fragend
Immer bevor er dich erdrückt
wachst du auf

CLARA

Zuerst dachte ich
ein Tier
aber dann war es doch ein Mann

VERA

Bedenke doch deine Lage mein Kind

CLARA

Ein großes Tier verstehst du
wild
vollkommen behaart

immer größer immer erdrückender
ich kann mich nicht wehren
ich habe Angst daß es mich erdrückt
In dem Augenblick in welchem er mich erdrückt
wache ich auf

VERA

Du träumst immer
daß dich ein Mann erdrückt
das ist deine Situation mein Kind
am schlimmsten ist es immer vor dem siebten Oktober
das ist ganz klar daß du Angst hast
daß dich der Mann erdrückt

CLARA

Ich werde ohnmächtig und dann wache ich auf

VERA

Du hast ihn wieder nicht gefragt
wie er heißt
das ist das wichtigste
daß du ihn fragst wie er heißt

CLARA

Nein

VERA

Du mußt fragen
du mußt ihn sofort fragen

CLARA

Ja

VERA

Du mußt fragen
ansprechen mußt du ihn
Dein Ungeheuer
bevor es dich erdrückt
Wenn es zum Mann geworden ist
wie er heißt

CLARA

Ja

VERA

Das schlimmste ist
daß du nicht fragst wie er heißt
Du mußt wissen wie er heißt
Wir sind ganz einfach in diese Situation hineingekommen
Du mußt deine Rolle spielen

im Rollstuhl verstehst du
Vor dem siebten Oktober ist es am schlimmsten
aber es ist auch sehr schön
findest du nicht
lacht
Die Natur kannst du nicht hintergehen
Wir machen immer wieder entscheidende Fehler
wir klügeln uns ein System aus
und machen immer wieder die gleichen Fehler
plötzlich
Soll ich dich hinausfahren
bevor Rudolf kommt
Nachher ist es zu spät du weißt
Der siebte Oktober
ist der Höhepunkt des Jahres
schaut hinaus
Es ist trüb
man sieht nichts
nicht einmal den Baum sehe ich
solange wir es hier warm haben
und zu essen haben
und die Olga haben
sollten wir zufrieden sein
Daß es schon wieder ein Jahr ist
seit acht Jahren kein neues Kleid
wenigstens am siebten Oktober
um Rudolf eine Freude zu machen
aber ich bin zu schwach dazu
schaut hinaus
Ein gefährlicher Nachmittag
Auf der Hut sein
sagte Vater immer
er hatte recht
er wäre stolz auf Rudolf
sie hängt den fertiggebügelten Talar an die Wand,
begutachtet ihn, dann
Und jetzt mache ich uns Kaffee
Du trinkst doch mit mir eine Tasse Kaffee

CLARA

Ja natürlich

VERA *im Hinausgehen*
Unser Vater hat uns das Mißtrauen gelehrt
wie gut
daß wir auf ihn gehört haben
CLARA *zu sich*
Das Mißtrauen niemals unterdrücken
dem Mißtrauen gehorchen
den Menschen immer nur mit Mißtrauen begegnen
der Natur alles ab horchen
VERA *von draußen*
Wie recht er gehabt hat
wir hätten in allem auf ihn hören sollen
möglicherweise lebte er heute noch
wie alt wäre Vater heute
CLARA *ruft*
Das hätte er nicht haben wollen
was nachher geschehen ist
VERA *ruft zurück*
Wie meinst du das
CLARA
Du und Rudolf
VERA
Das verstehst du nicht
Es hat sich so ergeben
Es vereinfacht so vieles
Du hast kein Recht
darüber zu urteilen
es ist alles zu deinem Glück
wenn es anders wäre
wenn Rudolf geheiratet hätte
so ist er bei uns
alles bleibt unter uns
CLARA
Dich hat er immer gelobt
mich hat er gehaßt
Dich hat er geliebt
mich hat er gehaßt
VERA
Wie gut
daß du nicht gehen kannst
du wärst schon im Gefängnis

mit deinen verrückten Ideen
du säßest in irgendeiner Haftanstalt
Der Rollstuhl bewahrt dich
vor dem Kerker
Der Vater hat schon immer gesagt
daß du gefährlich bist
als Familienmörderin hat er dich bezeichnet
es ist was Wahres dran
Unsere Sozialistin kann von Glück reden
daß sie sich nicht rühren kann
dich hätten sie längst verhaftet
eingesperrt abgeurteilt
du wärst verschwunden

CLARA

Von Natur aus
sei ich schlecht
hat Vater gesagt
Dich hat er immer geliebt

VERA

Draußen wärst du gefährlich
ich kenne dich
du hättest schon Bomben geworfen
und Leute umgebracht
alle die du haßt
du haßt sie alle
weil du verrückt bist
fanatisch
kommt mit Kaffee auf einem Tablett herein und setzt sich neben Clara
Dein Unglück hat dich gerettet mein Kind
du verdankst alles dem Bombenangriff
das sagt Rudolf auch
daß aus dir eine Terroristin geworden wäre

CLARA

Was versteht ihr davon

VERA

Von gleichen Eltern
so grundverschiedene Kinder
sei froh daß du hier bist
in Schutzhaft sozusagen
bei uns

es ist ein großes Glück
wenn sich auch alles auflehnt in dir immer
das liegt in der Natur der Sache
so bist du darauf beschränkt ab und zu
einen bösartigen Leserbrief zu schreiben
Die Welt ist in Wirklichkeit ganz anders mein Kind
schenkt Clara und sich selbst Kaffee ein
Das gefiel dem Vater
wenn wir in unseren weißen Kleidern
in den Park gegangen sind
er ließ uns spielen
und beobachtete uns
manchmal hat er ausgerufen M e i n e G e s c h ö p f e
Die Mutter wollte immer wieder nach Paris
das war ihre fixe Idee
er haßte diese Idee unserer Mutter
er hat ihr immer wieder versprochen
daß sie nach Paris fahren werden
aber er hatte nicht die Absicht nach Paris zu reisen
Glaubst du er hat sie geliebt
Euer Vater hat mich immer nur mißbraucht hat sie gesagt
Euer Vater ist ein Unmensch
ich schäme mich für ihn
schaut auf die linke Tür
Wie schmutzig die Türen sind
alles ist schmutzig
Wenn Olga morgen zurückkommt ist das erste
daß die Türen gewaschen werden
und die Fenster
soviel Staub liegt auf den Fensterbänken
Du kannst das alles nicht sehen
aber mich macht es verrückt
Wie es in der Küche aussieht
gerade heute
Im Grunde stößt auch mich alles ab hier
aber die Vorstellung
etwas ändern zu müssen
es gehörte ausgemalt
schaut umher
siehst du die Risse in der Decke
sie werden immer größer

es ist ein altes Haus
Die Vorhänge grau
alles grau und schmutzig
seit Jahren haben wir keinen Besuch
weil Rudolf es wünscht
Es schadete nicht
wenn ab und zu jemand zu Besuch käme
andererseits
auf wen legten wir Wert
Rudolf hat sich ganz und gar abgeschlossen
seiner Stellung wegen
und weil er im Grunde immer ein einsamer Mensch gewesen ist
er haßte Gesellschaften immer
obwohl er so charmant sein kann in Gesellschaft
die Leute sind ganz erstaunt
wenn sie sehen wie er eine ganze große Gesellschaft
die sonst in Langeweile ertrinken würde
völlig ungezwungen und leicht ganz allein unterhält
das hat er von Vater
der zu Hause vollkommen verschlossen und diktatorisch
gewesen ist
und in der Gesellschaft der charmanteste
darunter hatte die Mutter zu leiden
Außer es kommt der stellvertretende Ministerpräsident
oder der Professor Wackernagel
mir liegt nichts an dem langweiligen Menschen
der nur über seine Forschungen etwas zu sagen hat
das kein Mensch versteht und das sicher nichts wert ist
es gibt nichts Langweiligeres als solche Wissenschaftler
und mit dem Doktor Fromm hat er sich gestritten
das ist schade
der Doktor hat die Stimmung immer aufgelockert
Wenn der Doktor gekommen ist
war sofort eine gehobene Stimmung im Hause
aber das ist zwei Jahre her
daß der Doktor zum letztenmal da war
er hat sich ein schönes Haus gekauft
Die Ärzte schwimmen in Geld
wenn sie erst einmal Lunte gerochen haben
die einzigen die heute in Luxus leben sind die Ärzte
die wahren Heiligen wie unser Vater immer gesagt hat

vielleicht sollte ich mit Rudolf reden
daß er sich mit dem Doktor wieder versöhnt
findest du nicht daß es schade ist
daß der Doktor nicht mehr zu uns kommt
Rudolf war eifersüchtig das stimmt
aber jetzt hat er keinerlei Grund mehr dazu
und dir hat der Doktor doch auch sehr gefallen

CLARA
Vielleicht

VERA
Solche Leute können ein Haus bewohnbar machen
die Welt in der man lebt

CLARA
Aber auch diese Leute gehen ihren Weg
normalisieren sich sind abgedroschen

VERA
Du hättest den Doktor sehen sollen gestern vormittag
Ich bin ihm auf dem Hauptplatz begegnet
wie er aus dem Juweliergeschäft getreten ist
er erschien mir noch eleganter als früher

CLARA
Ich weiß was dir gefällt

VERA
Alles ziehst du in den Schmutz

CLARA
In den Schmutz den es verdient

VERA
Du bist zu bedauern mein Kind
Was hast du immer für verrückte Ansichten
wenn du doch nur einmal n o r m a l empfinden würdest
Dein Revolutionär hat dich ruiniert
Manchmal denke ich wie gut das ist
daß er aus deinem Leben verschwunden ist
Es ist immer entscheidend an wen man kommt
Du bist an den Teufel gekommen
manchmal denke ich es ist gut
daß er tot ist
er hat dich zerstört so ist es doch
er hat dich zuerst zersetzt und dann zerstört
er hat dich mit widerlicher Literatur überfüttert
und dich zerstört vollkommen zerstört

für immer
er hat es sich leicht gemacht
eine Kugel in den Kopf
und kein Gedanke an dich
Aber stell dir vor du wärst

CLARA

Nicht gelähmt willst du sagen

VERA

Natürlich
wie schrecklich wäre alles mit dir
Aber es ist eben so wie es ist
Inzwischen bist du auch alt geworden
es ist besser du läßt dich von mir an sein Grab fahren
als du wärst tot
Die Unmenschen ziehen die andern hinunter
hat Vater gesagt
Wie gut daß ich schon gestern
alles vorbereitet habe
wir können uns ruhig verplaudern
Der Gerichtsrat Rösch
kommt heuer nicht
er ist erkältet
Es ist auch besser Rudolf ist allein
ich mag diesen Menschen nicht
Die Kollegen sind immer gefährlich
Vielleicht ist es auch eine Ausrede
Vor einem Jahr ist er auf dem Weg zu uns
angesprochen worden
angerempelt stell dir vor
um ein Haar hätten ihn ein paar junge Männer
in ein Lokal gezerrt
die ihn erkannt haben
zum Glück hat er sich losreißen können
Wenn die ihm den Mantel vom Leib gerissen hätten
und er wäre in der SS-Uniform dagestanden
Möglicherweise ist es ihm heuer zu gefährlich
er hat angerufen und gesagt er sei erkältet
er fühle sich todkrank und könne nicht kommen
er werde Himmlers Geburtstag zu Hause und mit sich allein feiern
Ein widerlicher Mensch im Grunde nicht wahr
Aber ein treuer Freund Rudolfs

Keine undichte Stelle verstehst du
Ich weiß daß du mich haßt
wenn ich so mit dir rede
Aber ich bin ganz aufgeregt
wenn der siebte Oktober kommt
Es ist Rudolfs Wahn
den Tag zu feiern
Schließlich es war sein Höhepunkt
Es kommt die Zeit sagt Rudolf
wo er nicht mehr gezwungen ist Himmlers Geburtstag in seinem Hause versteckt feiern zu müssen
sondern offen ganz offen mein Kind offen
vor allen Leuten
Natürlich ist es eine Verrücktheit
daß er daran festhält
aber warum sollte ich ihm das Spiel verderben
Wir müssen zu ihm halten
wer weiß was noch kommt
Wir sind eine Verschwörung
Wenn es ihm so viel gibt
Ich bin dir ewig dankbar
daß du uns in Ruhe läßt
ich weiß was das bedeutet für dich
Andererseits
was bleibt dir übrig
Dafür lege ich dir morgen wieder
alle deine linken Bücher auf den Tisch
und alle Zeitungen die du dir wünschst

CLARA

Mich ekelt vor dir
aber ich höre dir zu
ich habe es versprochen
und du hast recht
was bleibt mir übrig
ich bin euch ausgeliefert
Es ist ganz klar
daß ihr auch an Himmlers Geburtstag
miteinander ins Bett geht
nach der zweiten Flasche Sekt
Ich schäme mich nicht einmal
Meiner armen Schwester bleibt gar nichts anderes übrig

als sich dem Wahnsinn des Gerichtspräsidenten
ihres Bruders zu fügen
Du bist ja noch viel ärmer als ich
und nur weil du so verlogen bist
hältst du es aus
noch perverser als dein Bruder
noch niederträchtiger als er
noch viel gemeiner
Vera steht auf und geht mit dem Kaffeegeschirr hinaus
Alles was du machst
ist bewundernswert
Ich bewundere dich
ich habe dich immer bewundert
ruft ihr nach
meine große Schwester
die ich immer bewundert habe
zu sich selbst
Wir sind zur Gemeinheit verurteilt
nimmt das Paar Strümpfe wieder in die Hände, stopft weiter und ruft hinaus
Wir verdienen alle nichts anderes
Aber die Perversität von dir ist viel größer
als die Rudolfs
Vera kommt herein und öffnet den Kasten
Ich bewundere dich
ich bewundere dich wirklich
aber ich verachte dich auch

VERA

Das muß so sein
Du hast dich nicht geändert
nimmt eine gerahmte Fotografie Himmlers aus dem Kasten heraus und geht damit zum Fenster und poliert sie

CLARA

Die Schuld liegt nicht an dir
es gibt überhaupt keine Schuld

VERA

Was redest du immer daher
hör endlich auf damit
ich weiß ja was du denkst
haucht auf das Bild
Die Menschen sind wie sie sind

und sie müssen miteinander auskommen
Das ist ja auch deine Erfahrung
schaut hinaus
Alles grau und schmutzig
so war es schon
wie wir Kinder gewesen sind
nichts hat sich verändert
Der Vater duldete nicht die geringste Veränderung
Wir sind eine richtige Juristenfamilie
mit allem Drum und Dran verstehst du
das ist nicht einfach
Die Juristenkinder haben die Leute gesagt
wenn wir durch die Stadt gegangen sind allein
haucht auf das Bild
Das Bild ist gemacht worden
wie Himmler das Lager besucht hat
Rudolf hat mit ihm allein gegessen
einen Tag nach seinem neunundreißigsten Geburtstag
Es hat nichts Schwierigeres gegeben
als Lagerkommandant zu sein
Kommandant das war etwas Furchtbares
Es hat Rudolf sehr imponiert
was Himmler gesagt hat
stellt das Bild auf die Fensterbank und schaut es an
Himmler war es ja schließlich auch
der ihm den falschen Paß gegeben hat
mit dem Rudolf untergetaucht ist
Rudolf verdankt ihm
daß er noch lebt
Und wir verdanken Rudolf
daß wir noch leben
Wenn sie ihn erwischt hätten
sie hätten ihn sofort umgebracht
so war er ungeschoren
Und dann
zehn Jahre später
fragte niemand mehr danach
So ist es
nimmt das Bild und geht damit hinaus und kommt ohne Bild wieder herein, geht zum Talar und begutachtet ihn
Rudolf ist ein anständiger Mensch

das weißt du
Wäre er das nicht
wir lebten nicht so wie wir leben
Die Leute applaudieren ihm
wenn er von Vaterlandsliebe spricht
so wie vorgestern im Juristenklub
jedesmal wenn er das Wort Vaterlandsliebe sagt
wird applaudiert
Sie wollen ihn gar nicht weglassen
aber der Ruhestand ist unaufschiebbar
schaut umher
Der Vater duldete nicht die geringste Veränderung
die Mutter fügte sich
die Frauen fügen sich eben
das ändert sich nicht
sie geben es nicht zu
aber sie fügen sich
und sie fügen sich gern
zuerst wehrte sich die Mutter das ist wahr
dann hat sie aufgegeben
plötzlich
von einem Augenblick auf den andern
sie hat früh aufgegeben findest du nicht
daß sie mit dreißig schon alt und grau gewesen war
und häßlich in Wahrheit
Dann ging es ganz schnell
Paris hat sie immer wieder gesagt
bis sie es nicht mehr gesagt hat
Zuerst hat der Vater es überhört
dann hat sie es nicht mehr gesagt
zieht an den Vorhängen
wie sie tot war hat er gesagt
ich hätte mit ihr nach Paris fahren sollen
was hätte es geändert
Ich finde Paris abscheulich
alle Welt will nach Paris
für mich war Paris immer die häßlichste Stadt die ich kenne
eine verstaubte Wüste
sie sehen alle ein Paris
das es gar nicht gibt
lieber sterben als in Paris leben

Die Heimat ist etwas Schönes
Aber alle wollen nach Paris
weil es seit zweihundert Jahren Mode ist

CLARA

Häßlich war sie nicht

VERA

Die Mutter

CLARA

Ja

VERA

Und wie
an ihrem dreißigsten Geburtstag
ein schrecklicher Anblick mein Kind
Du hast es gut
weil du dich nicht mehr daran erinnerst
häßlich und verbittert war sie
alt und verlassen
obwohl sie mitten unter uns gelebt hat
und unser Vater war niederträchtig und gemein zu ihr
ich schäme mich so über ihn zu sprechen
aber es ist die Wahrheit
hebt den Talar in die Höhe
Ein halbes Jahr noch
dann zieht er den Talar nicht mehr an
der Herr Gerichtspräsident
das wird ihm schwerfallen
je älter sie sind die Herren
desto eitler werden sie
er sagt zwar er freut sich auf den Augenblick
in welchem er den Talar zum letztenmal anzieht
aber es wird ihm schwerfallen
Der Herr Gerichtspräsident
ein mühseliger Aufstieg
Der schöne Gerichtsmensch
wie gesagt wird
geht mit dem Talar hinaus

CLARA

Ich habe mich heraufexistiert
hat der Vater gesagt
Und dabei habe ich mir die Hände
nicht schmutzig gemacht

zum Unterschied von den andern
Wenn wir ausgegangen sind
mußten wir vor ihm hergehen
dabei haben wir immer Angst gehabt
ruft hinaus
Es ist gut daß die Mutter
nicht mehr mitgemacht hat
Rudolf schämte sich
ihres Selbstmords
Was ist das für eine Juristenfamilie
wenn die Mutter sich umbringt
Bringst du mir die Zeitungen
zu sich
Wir erben die Unsicherheit
die unser Leben in die Länge zieht
Vom Vater gehaßt
weil nicht gewollt
und von der Mutter

VERA *kommt mit einer SS-Uniform und mit Zeitungen herein, die sie ihrer Schwester gibt*
Tagtäglich steckst du deinen Kopf
in diesen gedruckten Schmutz
sie geht mit der Uniform zum Bügelbrett und fängt an, die Hose zu bügeln, während sie den Rock am Fenster aufhängt
Wir alle haben die Mutter umgebracht
sie hatte nicht standgehalten
wie Vater gesagt hat
sie war aus dem zerbrechlichen Material
das nicht für die gemeine Welt ist
es brauchte nicht viel
um sie zu zerbrechen
zu Clara direkt
Dich hat er nicht haben wollen
und er hat dich auch nicht geliebt
er war mit Leib und Seele Jurist
und er wäre stolz wenn er Rudolf sehen könnte
Wenn er wüßte daß seine Kinder
allein geblieben sind
er hatte etwas übrig
für das Zeremoniell
er war gern Soldat Offizier

Die Mutter hat alles vorausgesehen
deshalb ist sie zerbrochen
Und unter welchen Umständen allein geblieben
jeder für sich
allein und alt geworden wir drei
keine Frage
es ist kein Zufall
Clara liest in den Zeitungen
Du bist ganz gierig
auf die Widerwärtigkeiten
du steckst deinen Kopf in den Zeitungsschmutz
und lebst auf
Es ist die einzige Leidenschaft die du hast
Du hast keine andere
Du lebst aus den Zeitungen
aus nichts sonst
du denkst aus den Zeitungen
du hast dein ganzes Urteilsvermögen aus den Zeitungen
Nichts ist niederträchtiger sagt Rudolf
als mit Zeitungen sein Geschäft zu machen
den Menschendreck an die Leute zu verkaufen
die ihn gierig an sich reißen
die Herausgeber der schmutzigsten Zeitungen
sind die Juden
Ich weiß daß du das nicht gerne hörst
aber es ist die Tatsache
Dein Vater war ein Judenhasser
wie achtundneunzig Prozent unseres Volkes
nur die wenigsten geben es zu
daß sie Antisemiten sind
die Deutschen hassen die Juden
auch in dem Augenblick in welchem sie das Gegenteil behaupten
so ist die deutsche Natur
die kann man nicht verfälschen
weil man die Natur nicht verfälschen kann
auch in tausend Jahren werden die Juden in Deutschland gehaßt
in Millionen Jahren
wenn es dann noch Deutsche und Juden gibt
das sagt Rudolf

nach einer Pause
Immer ist es ein Tier zuerst
dann ein großer gewalttätiger Mensch
der dich erdrückt
du hast genau die Träume
die deinem Zustand entsprechen
du kannst keine andern haben
Meine Lage ist nicht viel besser
schaut hinaus
Die Tage sind schon so kurz
dreht sich wieder nach Clara um
Oder denkst du meine Lage ist eine bessere
ich habe das große Los gezogen
du weißt genau das ist ein Irrtum
Wenn ich mit Rudolf ins Bett gehe
so ist das doch das Nächstliegende
ich empfinde es als das Natürlichste
Wir sind eine Verschwörung
Wir ziehen die Vorhänge zu wenn es Zeit ist
Kein Mensch weiß was wir tun
kein Mensch weiß was wir denken
kein Mensch weiß was wir sind
Wir haben kein Geheimnis vor uns nicht wahr
plötzlich forsch
Ich fahre dich hinaus wenn du willst
schaut hinaus
Aber es wäre unsinnig
es ist kalt und schon beinahe finster
So viele Jahre spielen wir unsere Rolle
wir können nicht mehr heraus
Die Eltern sind tot
wir können sie nicht mehr zur Verantwortung ziehen
vielleicht wenn sie lebten
erschlügen wir sie wer weiß
ich habe die Mutter oft umgebracht im Traum
erwürgt erschlagen erstochen
Du versteckst deinen Kopf in der Zeitung
aber ich weiß wie du aussiehst
ich kenne dein Gesicht
Du lebst ganz in deiner Zeitungswelt
du läßt dich nicht stören

nicht durch die größte Ungeheuerlichkeit
nicht einmal wenn ich dir sage
daß ich meine Mutter umbringen würde
wenn sie noch da wäre
Damit bestrafst du mich
so hat jeder von uns die Möglichkeit
den andern zu bestrafen
Wie ich die Zeitungen immer gehaßt habe
alle Schriften die ich dir besorgt habe
weil ich gesehen habe
wie sie dich nach und nach ruinieren
du bist ja schon ganz zersetzt von der Lektüre
Man sieht daß du deinen Kopf immer in den
Zeitungsschmutz steckst
Aber es geht darum
die Rolle die wir spielen
zu perfektionieren
manchmal verstehen wir das selbst nicht
dann ist es uns unheimlich
aber wir wissen ganz deutlich was wir zu tun haben
Du hast es mit dem Rollstuhl
das ist mindestens so grausam
wie ich es mit Rudolf habe
Wir können nicht anders
wir belügen uns
aber wie schön ist letzten Endes das
was wir tun
indem wir es spielen
und das was wir spielen
indem wir es tun
Gegen unsere Gesetze verstoßen
geht nicht mehr
geht vom Bügelbrett weg auf Clara zu und schlägt ihr
mit einem kräftigen Schlag die Zeitung vom Gesicht
Du hast schon ein ganz zerstörtes Gesicht
von den Zeitungen
Du bist noch viel häßlicher
als unsere Mutter
Es ist alles entschieden mein Kind
Clara versucht, die ihr vom Gesicht geschlagene Zeitung
zu glätten und wieder zu lesen

Vera geht zum Bügelbrett zurück
Die Kunst besteht darin
den Gehaßten
nicht g a n z zu töten
ihn immer wieder zu peinigen
aber nicht g a n z zu töten
bügelt die Hose
Ich weiß gar nicht
wie ich dazu gekommen bin
mich so zu vergessen
er hat sich nicht dagegen gewehrt
dein Bruder
es ist ganz natürlich mein Kind
Clara versteckt ihr Gesicht wieder hinter der Zeitung
Du hast geschworen
daß du die Namen Rosa Luxemburg und Clara Zetkin
nicht mehr erwähnst
du hat dich daran gehalten
Du bist schon eine von uns
und w i e von uns
schaut hinaus
Wir haben unser Theaterstück einstudiert
seit drei Jahrzehnten sind die Rollen verteilt
jeder hat seinen Part
abstoßend und gefährlich
jeder hat sein Kostüm
wehe wenn der eine in das Kostüm des andern schlüpft
Wann der Vorhang zugemacht wird
bestimmen wir drei zusammen
Keiner von uns hat das Recht
den Vorhang zuzuziehen wann es ihm paßt
das verstößt gegen das Gesetz
Zu gewissen Zeiten sehe ich mich tatsächlich
auf einer Bühne
und ich schäme mich nicht vor den Zuschauern
nicht wie du die sich schämt
die vor Scham schon beinahe verrückt ist
ich schäme mich nicht
Wir existieren nur
weil wir uns gegenseitig die Stichwörter geben
weiter

du und ich und Rudolf
solange es uns paßt
wir werden sehen
Es ist so künstlich und kalt manchmal
tagelang
dann löst es sich wieder
horcht
Ich dachte schon Rudolf kommt
Er wird plötzlich schweigsam dasitzen
und das heißt
er will
daß ich ihm das Fotoalbum bringe
ich muß es umblättern
und ich muß es mit ansehen
Bild für Bild
wie jedes Jahr
er hat alles so schön geordnet
der ordentliche Mensch
zu jedem Bild hat er etwas zu sagen
etwas Furchtbares
als ob seine Erinnerung
nur aus Haufen von Toten zusammengesetzt ist
Vor dem Fotoalbum fürchte ich mich
vor sonst nichts
Letztes Jahr hat er verlangt
daß ich dir die Haare schere
und dir die KZ-Jacke umhänge
Wir müssen tun was er verlangt
wir müssen alles tun was er verlangt
Natürlich er ist auch ein kranker Mensch
Oder glaubst du das nicht
Du steckst deinen Kopf in die Zeitung
weil du nicht davonlaufen kannst
schaut auf die Uhr
Willst du etwas essen
ich denke wir warten
sonst haben wir keinen Appetit auf das Geburtstagsessen
Ich habe gar nicht gewußt
daß Himmler nur vierzig Jahre alt geworden ist
ein junges Idol findest du nicht
Ich wäre gern in Hamlet gegangen

ich verstehe nicht daß du auf Shakespeare verzichten kannst
Hamlet
Unser Bruder der Gerichtspräsident
spendiert uns die Mittelloge
und du sagst n e i n
ein ganz neuer Hamlet
ein berühmter Schauspieler
der schon den Prinzen Homburg gespielt hat
mir hätte es gefallen
was hätten die Leute gesagt
wenn ich allein in der Loge gesessen wäre
ohne dich
Wo haben Sie denn Ihre arme Schwester gelassen
sagen sie dann
das hab ich schon einmal erlebt
das arme Kind
das von einem Deckenbalken erschlagen worden ist
von einer amerikanischen Luftmine
querschnittgelähmt entsetzlich
Die Leute sagen immer dasselbe
Ich weiß was jeder sagt
gehe ich allein fragt mich jeder nach dir
Die arme Schwester wo ist sie
die Bewegungslose
die Glücklose
die Ärmste
Im Grunde hänge ich ganz von dir ab
Gehst du nicht in den Hamlet
kann ich a u c h nicht hingehen
gehst du nicht in das Konzert
kann ich a u c h nicht gehen
wenn d u die Kunst nicht willst
habe ich a u c h keine
und du weißt wieviel mir am Kunstgenuß liegt
Wenigstens einmal im Monat
wenn schon nicht wöchentlich
ein Kunstgenuß
Die Theaterliebe habe ich von unserem Vater
die Musikliebe von Mutter
du verwehrst mir das Schauspiel wie die Musik
Früher habe ich jedes Kammerkonzert besucht

natürlich wie wir noch Cello gespielt haben

CLARA *lacht auf*

Cello
wie wir noch Cello gespielt haben
wie falsch wir doch gespielt haben
wie dilettantisch wie grauenhaft

VERA

Findest du
das finde ich nicht
hält die Hose gegen das Licht
Es war doch schön
wie wir noch Musik gemacht haben
blickt auf den Flügel
Ich glaube es ist Jahre
daß ich nicht mehr Klavier gespielt habe
In diesem schrecklichen Haus
Musik zu machen
die kalten Wände anfüllen mit Musik
sie mit Musik lebendig machen

CLARA *zynisch*

Anfüllen mit Musik
das glaubst du doch selbst nicht
daß dir das gelungen ist
dieses schauerliche Haus lebendig zu machen
dieses Totenhaus

VERA

Ich habe es so empfunden
Auch als wir Kinder waren
und Mutter hat gespielt
die schönen langen Winterabende
Schade daß Rudolf
das Violinspiel aufgegeben hat
ich vermisse es sehr
er hatte einen so weichen Ton
Der Krieg hat ihm das Violinspiel verleidet
Es war ganz anders hier
als wir alle Musik gemacht haben
geht zum Flügel, klappt ihn auf und will etwas spielen
Achnein
es ist keine Zeit mehr um Musik zu machen
dreht sich nach Clara um

Die Kunst ist ein Mittel
sich zu erretten
aber du lehnst ja alles was schön ist ab
klappt den Flügel zu und steht auf und geht wieder zum Bügelbrett
Jede Rettungsmöglichkeit lehnst du ab
Alles was ein Vergnügen sein könnte
Du bist schon ganz verfinstert

CLARA
Wie du lügst
wie du so lügen kannst
alles an dir ist Lüge und falsch
Es ist immer schauerlich gewesen
wie die Eltern noch gelebt haben
und am schauerlichsten war es
wenn sie Musik gemacht haben
und seit sie tot sind
hat sich nichts geändert
nur ihr seid noch gemeiner und niederträchtiger geworden
ihr wißt ja gar nicht
was Musik ist
und was Kunst ist
unter eueren Händen ist die Musik
immer etwas Entsetzliches geworden
Wenn der Vater Gedichte vorgelesen hat
war es das Entsetzlichste das man sich vorstellen kann
ihr habt euch so oft an Musik vergriffen
an Dichtung an Poesie
ihr habt sie immer mißbraucht die Kunst
Du sagst immer
solange die Eltern gelebt haben
aber es hat sich nichts geändert
wie du lügst
wie du immer gelogen hast
du hast dir immer alles nur vorgelogen
dir und Rudolf und allen andern
Cello das war doch nichts
das war unter eueren Händen doch nur eine Gemeinheit
und Rudolf auf der Violine
es gibt kaum eine größere Perversität
Das war doch nur die verrückte Idee unseres Vaters

und die verrückte Idee unserer unglücklichen Mutter
die wollten daß wir Musik machen
weil die Kinder ihrer Kategorie immer Musik gemacht haben
Gedichte gelesen haben Poesie gelesen haben
Der Vater haßte in Wirklichkeit die Musik
und er hatte keine Ahnung von Dichtung
Poesie verabscheute er
Eines Tages hat er sich auch nicht entblödet
den Bösendorferflügel zu kaufen
es wäre besser gewesen er hätte mir früh genug eine Pistole
gekauft
um ihn niederzuschießen
euch alle niederzuschießen

VERA

Du bist verrückt
wie dein Vater
du wirst ihm mit jedem Tag ähnlicher
mich friert
wenn ich dich höre
wie ähnlich du ihm bist
jetzt weiß ich genau warum er dich gehaßt hat
und umgekehrt

CLARA

Musik in dieses kalte Haus
in diese grauenhaften Winkel

VERA

Wenn er uns vorgelesen hat
durften wir uns nicht rühren
er hat uns immer Schriften vorgelesen
die wir nicht verstanden haben
mit Schopenhauer hat er uns gepeinigt

CLARA

Und mit Nietzsche

VERA *hält die Hose gegen das Licht und bügelt weiter*

Aber wenn Strindberg gespielt wird
gehst du dann

CLARA

Nein

VERA

Seit Monaten kein Theater
kein Konzert

ich fühle mich eingekerkert
plötzlich forschend
Wofür bestrafst du mich
Was habe ich getan
Wenn wir wenigstens wieder einmal ins Gericht gingen
um uns zu unterhalten
Nicht wenn Rudolf verhandelt natürlich
in ein Schwurgericht
zu Rösch
Ich glaube Rudolf hat nichts dagegen
wenn ich sage
daß wir hinaus müssen
du bist ganz bleich mein Kind siehst krank aus
Wir sind immer nur mit uns beschäftigt
ich mit dir
du mit mir
und mit Rudolf
Du sollst mich nicht hassen mein Kind
das habe ich nicht verdient
Jetzt kommen die interessanten Prozesse
Früher hattest du immer Lust dazu
Kein Mordprozeß ohne dich
du warst ganz gierig danach
Laß uns hingehen
wenn wir schon sonst nichts unternehmen
es kostet nichts
und ist die aufregendste Unterhaltung
sie haben Bretter legen lassen
damit die die an den Rollstuhl gefesselt sind hineinkönnen
ich kann dich jetzt bis in den Schwurgerichtssaal hineinfahren
Laß uns doch hingehen
Was ist das Theater
gegen ein Schwurgericht
geht zum Schreibtisch und sieht in einem Kalender nach
Am dreizehnten
gegen Amon
am zweiundzwanzigsten gegen Harreiter
Amon der die Industriellenwitwe umgebracht hat
du erinnerst dich doch

CLARA

Natürlich erinnere ich mich

VERA
Gegen Harreiter verhandelt auch Rösch und nicht Rudolf
Wir gehen hin einverstanden wir gehen hin
zu Mittag essen wir mit Rudolf am Gerichtsbuffet
wenn er da ist
legt den Kalender ab und geht wieder zum Bügelbrett zurück,
um weiterzubügeln, schaut durchs Fenster
Zweimal in der Woche durch den Park
das ist zuwenig
Der Arzt sagt täglich
Du mußt es wollen mein Kind
du mußt es zwingen
es genügt nicht daß ich dich vor das offene Fenster stelle
und du atmest die frische Luft ein
das genügt nicht
das wichtigste ist der Ortswechsel
Mein Kind glaube mir
ich will dein Bestes
Das Telefon läutet draußen
Vera geht hinaus
Clara schaut ihr nach
Vera spricht draußen, aber man versteht sie nicht, sie kommt
mit einer gestreiften KZ-Häftlingsjacke herein
Rudolf
ob alles in Ordnung ist
er ist schon auf dem Weg
die Häftlingsjacke betreffend
Vielleicht will er
daß du sie anziehst
möglicherweise
sie hängt die SS-Hose an die Wand und bügelt
die Häftlingsjacke
Plötzlich fällt ihm ein
du sollst sie anziehen
und er verlangt daß ich dir die Haare schere
Du wirst dir die Augen verderben mein Kind
geht zu Clara hin und dreht ihr ein Licht auf
Komm gib mir die Zeitungen
Rudolf ist gleich da
er mag es nicht
wenn du Zeitungen liest

nimmt den ganzen Pack Zeitungen und geht damit hinaus
Morgen früh kannst du sie wieder lesen
Clara begutachtet das Paar Strümpfe das sie gestopft hat
Vera kommt wieder herein
Wenn er dann nicht mehr im Gericht ist
und den ganzen Tag zu Hause ist
Und er ist kein Spaziergeher wie du weißt
Dann sitzt er den ganzen Tag
und wartet
geht zum Bügelbrett und hält die Häftlingsjacke vor das Licht
Manchmal denke ich
er ist viel zu gutmütig
er hat ein viel zu schwaches Urteil gefällt
er hat den Strafrahmen nicht ausgenützt
wo er doch auszunützen gewesen wäre
dann ist er wieder so hart was ich nicht verstehe
geht mit der Häftlingsjacke hinaus

CLARA *ruft ihr nach*
Ich werde sie nicht anziehen
auch wenn er es wünscht
heute nicht

VERA *kommt mit Rudolfs Schaftstiefeln herein, setzt sich und wichst sie*
Du wirst sehen
wie sich alles entwickelt
wir dürfen ihn nicht irritieren
du mußt dich beherrschen
Wenn er den Wunsch hat
ziehst du die Jacke einfach an
es muß sein du weißt
steht auf und nimmt die SS-Uniform von der Wand und trägt sie hinaus

CLARA
Heute nicht
ich kann nicht
ich will nicht

VERA *kommt zurück und wichst die Stiefel weiter*
Es ist ja nur dieser eine Abend
laß ihm die Freude
jeder von uns

hat seine Narretei
Aber ihm ist es etwas Ernstes
vollkommener Ernst
steht auf und setzt sich vor den Spiegel und kämmt sich
Zuerst hatte ich selbst gedacht
es ist eine Marotte
aber dann habe ich eingesehen
daß es ihm ernst ist
mit diesem Geburtstag
Ich hatte mich nie dagegen gewehrt
Dir ist nichts anderes übriggeblieben
als dich zu fügen
jetzt nach dreißig Jahren
kann nichts mehr geändert werden
Du weißt ja wie Rudolf ist
Ich bin froh
daß der Gerichtsrat Rösch heute nicht kommt
daß wir allein sind
einerseits
dreht sich nach Clara um
Aber für dich wäre die Anwesenheit
des Gerichtsrats Rösch eine willkommene Abwechslung
beginnt, einen Zopf zu flechten
Ich kann mich sehr gut zurückversetzen
hebt den Kopf hoch und schaut in den Spiegel
Natürlich ich bin nicht mehr das Zopfmädchen
aber er will es so
Warum sollte ich nicht tun was er will
Wenn ich ehrlich bin ich finde es schön
daß du mitmachst
auch wenn du alles haßt was hier vorgeht
Ich bewundere dich

CLARA

Du siehst jetzt aus wie vor vierzig Jahren
aber auch vor vierzig Jahren
habe ich dich nicht leiden mögen
Du hast mich immer nur gequält
du hast keine Gelegenheit ausgelassen mich zu quälen
als ob du nur immer nachgedacht hättest
wie du mich quälen kannst
Immer neue Methoden

immer neue Demütigungen
daß mein Vater
gar nicht mein Vater sei
du hast es mir oft gesagt
du hast mich belogen
du hast mich gedemütigt
wo du nur konntest
In der Nacht wenn ich geschlafen habe und du nicht
hast du mich an meinen Zöpfen aus dem Bett gerissen
Du hast mich in den Keller gesperrt
du hast heimlich meine Kleider zerrissen
fängt an, sich zu kämmen
Du machtest dich an Rudolf heran nicht wahr
Du hast diese Situation ausgenützt
es ist widerlich

VERA

Du weißt ganz einfach nicht
was in den Menschen vorgeht
du weißt nicht einmal was in dir selbst vorgeht
du grübelst nur immer
und ziehst alles in den Schmutz
Was zwischen Rudolf und mir ist
ist vollkommen sauber es ist rein
Man müßte dich ununterbrochen ohrfeigen
aber du bist meine Schwester
ich kann nichts dafür daß ich gehen kann und du nicht
ich bin auf andere Weise gestraft
streckt die Zunge vor dem Spiegel heraus
Es hat sich alles so ergeben
Du siehst nur immer ein Komplott gegen dich
es ist nichts Unmoralisches mein Kind
Mein Gott wie du dich aufspielst
anstatt daß du froh bist
daß dir nichts weh tut
Was wäre denn wenn du die ganze Zeit Schmerzen hättest dazu
du sitzt da und es geht dir gut
alles wird dir von den Augen abgelesen
aber daß du nicht gehen kannst und nicht davonlaufen kannst
dafür gibt es keine Schuldigen
Du siehst in uns die Schuldigen
in Rudolf und mir

ich kann dir diesen Wahnsinn nicht austreiben
Wie schön könntest du es haben
wärst du ganz einfach zufrieden
Rudolf und ich wir leiden mehr unter dir als du selbst
das ist die Wahrheit
er ist ein herzensguter Mensch
der seine ganze Kraft für dich einsetzt
und ich stehe dir ja auch Tag und Nacht zur Verfügung
aber das siehst du nicht
du willst es nicht sehen
obwohl du es ganz genau weißt
Man haßt die die einem helfen
flicht sich den zweiten Zopf
Die Wahrheit ist
daß wir uns für dich aufgeopfert haben
Wir hätten ja weggehen können
wir gehen nicht weg
um dich nicht allein zu lassen
wir hätten das Haus verkaufen können
wir haben es nicht getan
dir zuliebe
Wir könnten dich in einer Anstalt unterbringen
dann wären wir allein
wie schön wäre das manchmal
und wie sehr wünsche ich oft
du wärst in einer Anstalt
und ließest mich zufrieden und in Ruhe
Glaubst du Rudolf ist glücklich
das ist keine Konstellation
die einen Mann in seinem Alter und in seiner Position
glücklich machen kann
Rudolf hätte eine ganz andere zweite Lebenshälfte verdient
wir haben sie d i r aufgeopfert
streckt die Zunge heraus
und der Dank ist dein ununterbrochener Haß gegen uns
gegen mich und gegen Rudolf
Du bist unsere Feindin
als wärst du nicht unsere leibliche Schwester
Die Krüppel peinigen ihre Pfleger
hat Vater immer gesagt
bis sie zusammenbrechen tot sind

Im Grunde bist du die Stärkste von uns
Du überlebst uns alle
Ich bin sicher
du überlebst uns alle
Wie lange hat Rudolf mit seinem kranken Herzen
noch zu leben
Du bist die Gesündeste
das macht alles nur noch grotesker
als es schon ist
D u beherrschst uns
nicht umgekehrt
w i r sind die Hilfsbedürftigen
nicht du
d u befiehlst was zu geschehen hat
ob ich ins Theater komme oder nicht
ob ich in ein Konzert gehe oder nicht
Du sitzt in deinem Rollstuhl wie in einem Thron
und gibst Befehle
das war schon immer so
Der Terrorangriff hat dich an die erste Stelle gesetzt
Deine Querschnittlähmung hat in Wirklichkeit u n s gelähmt
Rudolf und mich
Ich fürchte mich vor dem Tag
an welchem er den Talar auszieht
um ihn nie mehr anzuziehen
Der Ruhestand ist es
vor dem ich Angst habe
dann sitzen wir alle drei hier
in diesem Zimmer
und warten nur darauf tot zu sein
Aber wer weiß wie lange der Absterbensprozeß dauert
Dann wirst du Gericht halten über uns
davor fürchte ich mich
Rudolf ahnt natürlich was ihm bevorsteht
aber er hat nicht die Kraft es auch auszusprechen
schaut sich um
Wie ich alle diese Gegenstände hasse
Ich bin nie allein
ich bin dauernd von dir beobachtet
Gehe ich weg ist es eine Hetzjagd nach Hause
zu meiner armen Schwester

Die Leute können nicht wissen was es heißt
ununterbrochen von einem Menschen wie du
beobachtet zu sein
und abgeurteilt zu werden
Du sprichst mir ein Herz ab
und hast selbst nur Eiseskälte in deiner Brust
steht auf und geht zu Clara hin und kämmt sie
Wie widersprüchlich wir alle sind
wie gemein wir sein können
Wenn ich dich kämme beruhige ich mich
*gibt Klara den Kamm und geht zum Spiegeltisch zurück
und setzt sich*
Dein Unglück ist ja nicht nur d e i n Unglück
es ist auch u n s e r Unglück
vor allem u n s e r Unglück
Wenn Rudolf im Ruhestand ist
ändert sich vieles vielleicht
Wir machen Reisen
Du wirst sehen Rudolf fährt mit dir weg
jeden Tag mit Rudolf hinaus in den Park
in die Stadt
Dann hat er Zeit mit dir im Park zu sein
bindet sich die Zöpfe auf den Kopf
Er ist ein guter Mensch
Das sagen alle
Wer ihn kennt weiß er ist gut
Diese unverschämten Gerüchte
ruft aus
Und wenn es wahr ist
was gesagt wird
es ist schon lange her
Ich glaube nicht daß Rudolf ein Verbrechen auf dem
Gewissen hat
e r nicht
*dreht sich nach Clara um und zeigt ihr die auf den Kopf
gesteckten Zöpfe*
S o hat er mich gern
genau so
Erinnerst du dich
so sind wir als Mädchen herumgelaufen
im Kriege

in der Nazizeit
dreht sich nach dem Spiegel um, schaut hinein und zerstört ihre Frisur wieder, kämmt die Zöpfe aus
Zuerst geht Rudolf ins Bad
Was wäre
wenn Rudolf nicht mehr aufgetaucht wäre
wenn er mit falschem Namen weitergelebt hätte
Zehn Jahre im Untergrund der Arme
Danach fragte kein Mensch mehr was war
jetzt fangen sie wieder an im Schmutz zu wühlen
trachten anständigen ordentlichen Menschen nach dem Leben
dreht sich nach Clara um
Rudolf ist ein sehr guter Mensch
Du kannst es beweisen
Was vorher war interessiert niemanden
Und wer weiß wie alles wirklich war
Jetzt wühlen sie wieder im Unrat
Du hättest sehen sollen
wie ihn die Kinder lieben
Er kann mit Kindern umgehen
sie lieben ihn alle
Wer Gutes tut wird angefeindet so ist es
Tue nichts Gutes und du hast Ruhe
sagte Vater
Im Krieg sind alle Gesetze aufgehoben
sagte Vater
horcht
Hörst du nichts
Ich dachte Rudolf ist es
Wenn er nur den richtigen Übergang findet
Wenn er sich nur nicht fallen läßt
Der Staat schickt seine tüchtigsten Leute
automatisch in Pension
die besten viel zu früh
Aber der Staat hat es ja
Wie gern wäre Rudolf noch Richter
aber nein die Behörde hält sich an das Geburtsdatum
und schickt ihn nach Hause
Sie haben nie einen besseren Richter gehabt
Hätte der Staat nur lauter solche Richter

Wie schnell alles vergangen ist
als ob es gestern gewesen wäre
daß Rudolf Gerichtspräsident geworden ist
Es ist das schwierigste Amt
im Staate sagt Rudolf
das verantwortungsvollste das Richteramt
Richter sein heißt absolut Vorbild sein
Unser Kränklichster ist er gewesen
erinnerst du dich
alle Augenblicke eine Verkühlung
und wenn er übermütig aus dem Fenster gesprungen ist in den Garten
dann auf eine Konservenbüchse
alle Augenblicke hinkte er
lag er im Bett
die Mutter liebte ihn
er war ihr der liebste
sie nahm ihn vor uns in Schutz
steht auf und geht zum Fenster und nimmt die Uniform vom Haken
Er ist der einzige
der sich um uns gekümmert hat
ohne Rudolf wären wir gar nicht mehr da
nimmt eine Kleiderbürste und bürstet die Uniform aus
Rudolf hat bewiesen
wer er ist
Wir kennen unseren Bruder
und lieben ihn
Er ist noch immer das Kind
das er einmal gewesen ist
schaut durchs Fenster
das zaghafte das scheue Kind
Wir müssen zu ihm halten verstehst du
ganz fest zu ihm halten
bürstet die Uniform aus
er braucht uns
sucht in den Taschen etwas und holt schließlich ein Eisernes Kreuz erster Klasse hervor
Unser Held
steckt das Eiserne Kreuz an den Uniformrock
Ich bitte dich

nimm dich zusammen
du mußt dich beherrschen
mir zuliebe
uns zuliebe
versprich es mir
vielleicht ist es das letztemal
Ich habe immer Angst vor diesem Tag
Er muß diesen Tag feiern
auf seine Weise verstehst du
du mußt dich beherrschen
schaut durchs Fenster, plötzlich
Rudolf kommt
Wie gut daß ich alles gerichtet habe
sogar die Azaleen habe ich bekommen
Rudolfs Lieblingsblumen
sie geht mit der Uniform hinaus

Zweiter Akt

Zehn Minuten später
Rudolf ziemlich erschöpft auf einem Sessel
Clara Rudolfs Strümpfe stopfend
Vera tritt mit Rudolfs Wintermantel ein

RUDOLF
Hier ist der Knopf hier
sucht in seinem Rock nach einem Mantelknopf und zieht ihn schließlich hervor
Da
Sie haben mich wieder angerempelt
bei der Schule
wie ich mit Rösch vorbeiging

VERA
Die Judenbuben

RUDOLF
Ich werde einmal mit ihrem Vater reden
das geht sicher von Herrn Schwarz aus
Immer an der gleichen Stelle

zu Clara
Jetzt rennen die Judenbuben da herum
wo dich das Unglück ereilt hat
Wärst du damals nicht in der Schule gewesen
wäre alles anders gekommen
Ein Volltreffer mitten auf die Schule
Und nur zwei Tage vor dem Ende

VERA
Der hat es notwendig der Herr Schwarz
Was sind das für Leute
daß sie sich soviel herausnehmen
Rudolf gibt Vera den Mantelknopf und
Vera näht den Knopf an
Ich bin froh wenn du im Ruhestand bist Rudolf
Dann hat alles Lästige ein Ende
Aber vielleicht denken sich die Buben gar nichts dabei

RUDOLF
Gerade am heutigen Tag
Es besteht ein Zusammenhang
zwischen dem heutigen Datum
und der Art und Weise
wie mich die Buben angerempelt haben

VERA
Vielleicht bildest du dir alles nur ein
Zu mir ist Herr Schwarz immer sehr liebenswürdig
Ich werde immer zuvorkommend bedient

RUDOLF
Vielleicht hast du recht
vielleicht bilde ich mir alles nur ein
ich bin doch ein wenig erschöpft
Aber warum ausgerechnet mich
Herrn Rösch haben sie nicht angerempelt
An derselben Stelle
wo sie mich auch vor einem Jahr angerempelt haben

VERA
Es sind doch Kinder Rudolf
die wissen nicht was sie tun
Ungezogen undiszipliniert wie alle heute
Es hat sich alles geändert
die Kinder können heute tun was sie wollen
Und im Alter vertragen wir Kinder ganz einfach nicht mehr

Du hättest Kinder nie vertragen
Wenn ich mir vorstelle Du und Kinder
hat den Knopf angenäht und beißt den Zwirn ab
Wir sind noch erzogen worden
Heute sind alle Kinder verwildert
Die totale Verwilderung ist aus Amerika gekommen
Die Kinder beherrschen mit ihrer Wildheit die Welt
Es ist ja überall nur das Chaos
Rudolf steht auf und schlüpft in den Mantel
Vera hilft ihm dabei
Wohin das noch führt
wenn alles den chaotischen Weg geht

RUDOLF *knöpft sich den Mantel zu*
Seit zehn Jahren trage ich diesen Mantel
Ich sollte mir einen neuen machen lassen
Aber bevor ich nicht im Ruhestand bin nicht mehr
Zehn Jahre in einem einzigen Mantel
das ist einmalig unter den Kollegen
geht zum Fenster und schaut hinaus
Sie sind auf einmal da und rempeln mich an
und zerren an mir und der Knopf ist ab
zieht den Mantel wieder aus
Es besteht ja zwischen allem ein Zusammenhang

VERA
Du bist überanstrengt Rudolf das ist alles
du hast dir in letzter Zeit zuviel zugemutet
Du bist nichts als Pflichterfüllung
Und wer dankt es dir
Ich bin froh wenn alles vorbei ist
Als Gerichtspräsident bekommst du eine schöne Pension
dann geht uns alles nichts mehr an
dann sind wir nurmehr noch für uns da

RUDOLF *gibt den Mantel Vera und setzt sich*
Wir können nicht klagen natürlich
Es hätte alles ganz anders sein können
Alle sind von ihrem Unglück gezeichnet
zu Clara
Unser Opfer wie geht es ihm
Hast du Schmerzen
Das quält mich den ganzen Tag zu denken
daß du zu Hause sitzt und Schmerzen hast

Aber denke nur bald fahren wir weg nach Ägypten
wir alle drei
zu Vera
Wir packen unsere Sachen ein und fahren weg
nach Genua und von dort mit dem Schiff nach Alexandria
Das wünsche ich mir seit Jahrzehnten
Ich kann es schon nicht mehr erwarten
steht auf und geht zu Clara hin
Es soll dir immer gutgehn mein Kind
Wir können von Glück reden
Andere sind längst verfault
geht zum Fenster und schaut hinaus
Die Fabrik ist abgelehnt worden
Ich habe mich durchgesetzt
Es wäre ja auch unerträglich
von hier aus auf eine Fabrikmauer zu schauen

VERA
Siehst du wie einflußreich du bist
du brauchst nur etwas wollen
und du erreichst es

RUDOLF
Sie wird am andern Ende der Stadt gebaut
da stört sie uns nicht
Das wäre ein trostloser Anblick
anstatt auf Bäume
auf eine Mauer zu schauen
hinter welcher Gift erzeugt wird
zu Clara
Dir zuliebe habe ich mich dafür eingesetzt
daß die Fabrik nicht gebaut wird
Die Entscheidung ist heute um elf gefallen

VERA
Das müssen wir auch feiern Rudolf

RUDOLF
Ich habe mir natürlich jetzt Feinde gemacht

VERA
Jetzt können sie dir nicht mehr schaden
Du hast alles erreicht was du wolltest

RUDOLF
Die Natur zerstören
Bäume umschneiden

diese schönen alten Bäume umschneiden
wegen einer chemischen Fabrik
in welcher nur Gift erzeugt wird
Überall sind die Geschäftemacher am Werk
Die Welt ist heute die brutalste
das Geschäft lenkt und regiert alles
Wo noch ein schönes Stück Erde ist
wird Industrie ansässig
Aber hier nicht habe ich gesagt
hier nicht
vor meinen Fenstern nicht
hier wo die Natur noch unberührt ist
Ich liebe diesen Blick

CLARA

Aber du siehst doch gar nichts

RUDOLF

Jetzt nicht
aber das ändert nichts daran daß dieser Blick
mein Lieblingsblick ist
Wenn der Nebel weg ist
im Winter selbst
wenn die Äste aus Eis sind
und der ganze Blick weiß wie aus Glas
dreht sich um und geht zu Clara hin
Rösch hat mich gefragt
warum wir dich nicht in eine Anstalt geben
Aber ich habe ihm gesagt
daß wir niemals auch nur einen Augenblick daran gedacht haben
daß du in eine Anstalt gehst
Wir und das heißt Vera und ich und du
wir werden zusammenbleiben
ganz gleich wie lange
das habe ich geschworen
Wir müssen uns aushalten mein Kind
Wenn ich erst zu Hause bin wird alles besser sein
dann kann ich Vera etwas Arbeit abnehmen
wir können jeden Tag in den Park
und vielleicht zweimal in der Woche in die Stadt
Dein Bruder sieht es gern wenn du glücklich bist
Wenn ich mein Amt nicht mehr ausübe
bin ich frei

und das bedeutet daß wir alle drei frei sind
geht zu Vera
Jetzt denke ich sehr oft
daß es Zeit ist aufzuhören
es geht alles schon über meine Kräfte
andererseits wenn ich Rösch betrachte
verheiratet
setzt sich
zwei Kinder
was so Familie genannt wird
er ist nicht so gut beisammen wie ich
und ist wesentlich jünger
Das Familienleben verbraucht ganz rapide
wir haben uns ganz gut durchgebracht
wir können nicht klagen
Wie gut daß wir das Haus eingedeckt haben
jetzt haben wir Ruhe
Eine Ehe ist etwas Entsetzliches
die Leute rennen blind hinein
sie sind ganz gierig nach dem Eheunglück
sie können es nicht erwarten
kaum sind sie siebzehn oder achtzehn
machen sie schon ein Kind
und verheiraten sich
Wir haben es besser gehabt wir drei
Eine höhere Art von Lebensweise
Vera setzt sich
Ein höherer Schwierigkeitsgrad
nicht ohne Mühe natürlich
nicht ohne Verzweiflung wie Vater sagte
Die Umstände waren ganz einfach so
zu Clara, die die Strümpfe weggelegt hat und in einem Buch liest
Wenn du nicht zerstört worden wärst
du verzeihst das harte Wort
wenn du nicht zerstört worden wärst
du hättest geheiratet
du wärst weg
längst weg
wer weiß wo
du hättest auf alle Fälle geheiratet

dich selbständig gemacht
aber wahrscheinlich wärst du gar nicht mehr am Leben
du hättest dich vernichtet
dein Unglück hat dich vor der Vernichtung bewahrt
die Luftmine die in die Schule gefahren ist
nur mit deiner Verkrüppelung
hattest du eine Überlebenschance
zu Vera gewandt
habe ich nicht recht
so sind wir erst das geworden was wir sind
eine Verschwörung wider den Ungeist des Lebens
schaut auf zu Clara
Sie gibt vor zu lesen
in einem dieser verlogenen Bücher
und verachtet uns
zu Vera
Wir verdienen alle das was wir sind
schaut auf die Uhr
Sechs
Vera steht auf und geht zum Flügel
Das ist eine gute Idee
spiel etwas
ich habe dich lange nicht spielen gehört
vielleicht geht es gar nicht mehr
es ist schon so lange her
Früher war die Musik hier so sehr im Vordergrund
Vera fängt an zu spielen, phantasiert etwas über die Kleine Nachtmusik von Mozart
Rudolf zu Clara
Das habe ich immer geliebt
wenn sie sich hingesetzt hat und spielte
etwas zur Abenddämmerung
wie in alten Zeiten
Wie ich im Untergrund gelebt habe
versteckt hinter zugezogenen Vorhängen
in meiner Kellerexistenz
da habe ich mich gegen neun am Abend heraufgetraut
und habe ihr zugehört
da hat sie für mich gespielt
Und du bist genau da gesessen wo du jetzt sitzt
und hast mich beobachtet

Dein Haß war damals wie heute auf mir
Ich habe mich daran gewöhnt
Ich bin auch hart geworden wie du
wir sind alle hart geworden
Zehn Jahre habe ich mich verstecken müssen
dann war es Zeit wieder ans Tageslicht zu gehn
Wer hätte das gedacht
daß ich meine Karriere als Gerichtspräsident endige
und mit einer sehr hohen Pension in den Ruhestand gehe
blickt auf Vera
Wer hätte das gedacht Vera
So ändern sich die Zeiten
Zuerst zehn Jahre im Kellerloch versteckt
von dir und von Clara versteckt
und dann auf einmal dieser Aufschwung
Ich habe kein schlechtes Gewissen
Ab und zu wird mir die Luft zu dick das ist wahr noch heute
aber ich habe kein schlechtes Gewissen
da müßten alle andern zuerst ein schlechtes Gewissen haben
Ich habe nur meine Pflicht getan
und ich habe mir nichts geschenkt
ich bin an die Arbeit gegangen und habe mehr geleistet
als man von mir verlangen konnte
Ich habe mir nichts geschenkt
Ich habe mir nichts vorzuwerfen
blickt um sich
Heute an diesem Rechenschaftstag
Ich habe es geschworen
ihn zu gehen auf meine Weise
zu Clara
Für dich ist das immer sehr abstoßend
aber für mich ist es eine Notwendigkeit
auch für Vera ist es eine Notwendigkeit
diese Geburtstagsfeier begehen wir ja auch ganz schlicht
ganz für uns und im stillen
Wenn Himmler nicht gewesen wäre
stünde da wo unser Haus steht
eine Giftgasfabrik
Ist es nicht merkwürdig Vera daß ich heute
selbst verhindern habe können
daß eine Giftgasfabrik hier gebaut wird

vor unsern Fenstern
Vor vierzig Jahren hat es Himmler verhindert
heute habe i c h es verhindert
es gibt keine Zufälle
Wenn ich hätte sagen können vor dem Stadtrat
was ich gedacht habe
wie der Stadtrat das Projekt abgelehnt hat
Ich war natürlich zum Schweigen verurteilt
Ich habe meine Macht ausgeübt
tatsächlich
vielleicht zum letztenmal
mit Entschiedenheit
Der Herr Gerichtspräsident Höller hat sich durchgesetzt
sein Wort hat Gewicht
alle haben auf mich gehört
alle haben meine Argumente akzeptiert
jetzt habe ich natürlich den anderen Teil der Stadt gegen mich
Wenn erst dort mit den Bauarbeiten begonnen wird
Aber d i e s e r Stadtteil der schönere kostbarere
wird es mir danken
Noch in hundert Jahren
wenn wir gar nicht mehr am Leben sind
Dann wird von dieser Stadtratssitzung noch gesprochen werden
in welcher der Gerichtspräsident Höller
das Schlimmste das diesem Stadtteil passieren hätte können
durch sein Machtwort verhindert hat

VERA

Du genießt es richtig
Du bist ganz in deinem Element
Gerade heute

RUDOLF

Der Zufall den es nicht gibt
will es daß gerade heute diese Sitzung stattgefunden hat
und die Entscheidung getroffen worden ist
Die Leute wissen ja gar nicht
wie dankbar sie mir sein müssen
Für Generationen habe ich die Natur gerettet in diesem Stadtteil

VERA

Eines Tages werden sie dir ein Denkmal setzen Rudolf
ein richtiges Standbild

RUDOLF

Mehr konnte ich nicht tun
blickt zu Clara hin
Und dabei habe ich die ganze Zeit nur an uns gedacht
daß wir uns den Blick aus unserem Fenster
nicht zerstören lassen dürfen
Nicht von dieser barbarischen Industriegesellschaft
die schon neunzig Prozent der Erdoberfläche vernichtet hat
Im Kriege gab es die Kriegsgewinnler
im Frieden sind die Geschäftemacher noch viel schlimmer
die Juden zerstören und vernichten die Erdoberfläche
und werden sie eines Tages endgültig und total zerstört haben
Die Juden verschachern die ganze Natur
Die Demokratie ist ein Schwindel
Aber wehe wer heute die Stimme erhebt
und solche Wahrheiten ausplaudert
dem wird die Existenz einfach abgeschnitten
blickt auf Clara
Aber das ist ganz klar
daß Ausnahmen die Regel bestätigen
und ich selbst habe ja Hunderte und Tausende
von anständigen Juden getroffen
von diesen rede ich nicht
ich rede von den verbrecherischen
von dem unverschämten Juden rede ich
der unter dem Deckmantel der Demokratie
die Natur ausbeutet und die Erdoberfläche zerstört
skrupellos
Vera klappt den Flügel zu
Wir leben in einer schrecklichen Zeit
wir Europäer haben alles falsch gemacht
wenn diese Einsicht da ist ist es zu spät
der Amerikanismus hat uns vergiftet
Die die Demokratie an die große Glocke hängen
sind in Wirklichkeit ihre Mörder
Aber wir leben in einer durch und durch opportunistischen Welt
in welcher nur durch den Mund der Heuchelei geredet wird
kein wahres Wort kommt dem einzelnen über die Lippen
so treiben wir einem entsetzlichen Zustand zu
steht auf und geht zum Fenster und schaut hinaus

Die größte Verwahrlosung haben wir heute
auf allen Gebieten
Manchmal wünschte ich ich lebte gar nicht mehr
wenn es draußen so grau ist und kalt
und man mit niemandem reden kann was man will
fortwährend mit gelähmter Zunge agierend
voller Lüge und durch und durch schamlos
Wir lebten in einer völlig anderen Zeit
wäre unsere Rechnung aufgegangen
Es kommt schon wieder anders
aber wir erleben es nicht mehr
die Jugend wird aufstehen und sich das was heute geschieht
eines Tages nicht mehr gefallen lassen

VERA *geht zu Rudolf hin*
Was grübelst du
es hat ja doch keinen Sinn
dieser Tag bringt dich natürlich
auf diese Gedanken
Es geht uns doch ganz gut
persönlich sind wir doch ungeschoren
küßt ihn auf die Stirn
Denke doch w a s du bist
und w e r du bist
Der ganze Schmutz hat dir nichts anhaben können

RUDOLF
Eines Tages werden die Deutschen darauf kommen
was die Amerikaner mit ihnen gemacht haben

VERA
Wir machen ein schönes Fest
und niemand kann es uns verwehren
niemand
dreht sich nach Clara um

RUDOLF *auch zu Clara gewandt*
Wir werden siegen
die Feinde werden sich selbst vernichten

VERA *nimmt Rudolfs Hände und führt ihn zum Fenstersessel zurück, beide nehmen Platz*
Ich bin stolz auf dich
daß du dich durchgesetzt hast
Der Gerichtspräsident Höller
hat die Giftgasfabrik vor unseren Fenstern verhindert

RUDOLF

Ich wußte natürlich
daß die entscheidende Sitzung am siebten Oktober ist
ich habe alles auf eine Karte gesetzt
ich habe mich gegen alles und für die Verhinderung der
Fabrik verschworen
zuerst hatte ich die meisten Stimmen gegen mich
aber dann fühlte ich
wie meine Argumente von großer Durchschlagskraft waren
und bald hatte ich die Mehrzahl der Stimmen auf meiner Seite
selbst Rösch der am Anfang gegen mich gewesen war
stimmte schließlich gegen den Bau der Fabrik an diesem Standort
Ich dankte dem Bürgermeister
ich ging noch während der Sitzung durch den ganzen Saal
und dankte ihm
selbst die Sozialisten hatte ich überzeugt

VERA

Du bist wieder ganz der alte Rudolf
den ich immer bewundert habe
und den ich liebe
zu Clara, während sie Rudolf am Handgelenk festhält
Nicht wahr
Rudolf ist wieder ganz der alte
willensstark unbeugsam hart
Die Straße die wir gegangen sind
ist steinig gewesen
aber sie hat sich gelichtet
Das Gute in jedem Menschen
setzt sich eines Tages immer durch
und du bist gut Rudolf
mit einem Blick auf Clara
wir wissen es
Es ist oft sehr schlimm gewesen
Du bist ganz Vater nachgeraten
wenn er dich sehen könnte
was du erreicht hast
Er mußte so früh sterben
bevor er noch eine Ahnung hat haben können
was aus dir geworden ist

RUDOLF

Ich verdanke euch beiden soviel

VERA

Deiner Energie Rudolf
Weil du niemals nachgegeben hast
und weil du dich um die Meinung der andern
nicht gekümmert hast
Wehe wenn du auf sie gehört hättest
du wärst untergegangen
sie hätten dich zertreten
Lange Zeit hat es schlimm ausgesehen
Rudolf streckt die Beine von sich und
Vera zieht ihm die Schuhe aus
Es ist entsetzlich zu denken
daß es nach ihrem Willen gegangen wäre
wenn sie dein Versteck entdeckt hätten
Beinahe zehn Jahre hast du dich nicht
auf die Straße getraut
Es ist eine Schande für das Vaterland
mit einem Blick auf seine Füße
Du hast geschwollene Füße Rudolf
Bald hat das Stehen in dem kalten Schwurgerichtssaal ein Ende
Alles ist unmenschlich dort
Was hat es denn heute gegeben

RUDOLF

Die Mordsache Meissner
Ein kaltblütiger Mensch
Es war von Anfang an alles klar
aber die Gesetze erfordern
daß man sich mit solchen Tieren auseinandersetzt
ein halbes Jahr lang
Was nützt eine lebenslängliche Bestrafung
wenn diese Leute nach fünfzehn Jahren
schon wieder frei herumlaufen

VERA

Man müßte andauernd Angst haben
mit einem Blick auf Clara
Clara hat dir die Strümpfe gestopft
Fünf Paar heute
sie ist fleißig
Ich versuche sie durch meine Tricks mit den Wollstrümpfen
abzulenken von ihrer Lektüre
Jeden Tag ein Dutzend Zeitungen

und die Bücher dazu
Was das Geld kostet
Aber davon reden wir ja nicht
Sie hat schon einen ganz und gar
verunstalteten Kopf
Was es mich gekostet hat
sie heute
an diesem Tag abzuhalten von den Zeitungen
Ich hab sie ihr einfach weggenommen
Kaum ist sie mit dem Strümpfestopfen fertig
steckt sie den Kopf schon wieder in ein Buch

RUDOLF *zu Clara*
Und an welche Zeitung hast du heute geschrieben
Deine Leserbriefe übertreiben immer
Weil du so viele schreibst
nimmt sie kein Mensch mehr ernst

VERA
Sie hat sich in diesen politischen Fanatismus verrannt
ausweglos
wir müssen unsere Schwester verloren geben
Stell dir vor wir hätten unseren Feind nicht
sie zieht Rudolfs Strümpfe aus
Es wird gut sein
wenn du aus dem Amt bist
Mein Herr Gerichtspräsident

RUDOLF *zieht sich den Rock aus und Vera hilft ihm dabei*
Es ist viel zu heiß hier

VERA *die ihm ein Paar Hausschuhe angezogen hat*
Es ist wegen Clara
wenn sie den ganzen Tag im Rollstuhl sitzt
und sich nicht bewegt

RUDOLF
Aber es ist nicht gesund
in solchen überheizten Räumen
Vera steht auf und öffnet ein Fenster
Ich werde viel in freier Natur sein
und mich wieder der Musik widmen
Du kannst dich um meine Geige kümmern
sie abstauben
Glaubst du ich kann noch spielen

VERA

Das verlernst du doch nicht Rudolf
Ein Meister wie du

RUDOLF

Es wird nicht mehr gehen

VERA

Kein Mensch hat jemals so gut Violine gespielt wie du
ein richtiger Solist bist du

RUDOLF

Ich kann nicht einmal mehr Noten lesen

VERA

Im Schlafe kannst du es

RUDOLF

Im Schlafe
Was wir alles im Schlaf können
Wir glauben gar nicht
was wir alles im Schlaf können
Ohne Musik ist es so leer hier
findest du nicht
zieht auch die Weste aus und streift die Hosenträger ab
mit einem Blick auf Clara
Man hat es nicht gern
wenn ich so herumsitze ich weiß
aber ich halte es sonst nicht aus
Wo sonst wenn nicht zu Hause
kann ich mich gehenlassen

VERA

Den ganzen Tag allerstrengste Disziplin

RUDOLF

Mit der Würdemaske auf dem Gesicht
der Herr Gerichtspräsident
Du hast keine Ahnung
wie unverschämt heutzutage die Leute sind
wie gefinkelt
atmet tief ein
Nein wir müssen zusammenhalten
es wird nicht leicht sein
blickt auf die Decke
Dann werden wir ausmalen lassen
und vielleicht auch die Möbel anders stellen
vielleicht die Kommode d a h i n

und die beiden Sessel dorthin
Der Flügel gehört mehr ins Licht
Und andere Vorhänge
die sind ja schon von den Großeltern

VERA

Ja wie gut das alles gemacht war
es wird nicht kaputt
Alles was jetzt gemacht wird
ist nichts wert
bis man sich daran gewöhnt hat
ist es kaputt

RUDOLF

Sie können Ihre Fabrik hier in diesem Viertel bauen
habe ich gesagt
sehr laut und deutlich habe ich das gesagt
aber dann haben Sie das Bild dieser Stadt
die unsere Heimatstadt ist völlig zerstört
für immer
nur um eines augenblicklichen Geschäfts wegen
Darauf ist eine Pause eingetreten
Darauf habe ich gesagt
was dieses Viertel für die Stadt bedeutet
Was es für mich immer bedeutet hat
man muß persönlich werden wenn man überzeugen will
ich habe ein paar Kindheitseindrücke geschildert
aus unserer Kindheit das und jenes
wie wir im Park gespielt haben mit den Eltern
solche glückliche Eltern und solche glückliche Kinder
habe ich gesagt
Sie zerstören das alles
wenn Sie für die Fabrik stimmen
die ganze Stadt ist ruiniert
Überdenken Sie was Sie tun
Darauf haben sie gegen die Fabrik gestimmt

VERA

Das ist doch schön Rudolf
eine solche Zustimmung
eine solche Solidarisierung mit dir
steht auf und küßt ihn auf die Stirn
Sie wissen schon was sie an dir haben
sie geht mit den Schuhen hinaus

RUDOLF *zu Clara*

Ab und zu hat der Denkende die Pflicht
in das Weltgeschehen einzugreifen
und ist es nur
daß er eine Gasfabrik verhindert dort
wo sie nicht hingehört

VERA *kommt mit der Himmlerfotografie herein*

Siehst du ich habe den Reichsführer SS neu rahmen lassen
das ist mein Geschenk zum heutigen Tag
zu Himmlers Geburtstag
schweres Silber
nimm es doch
Rudolf nimmt die Fotografie
Wenn der Juwelier gewußt hätte
was für ein Bild in den Rahmen kommt
Gefällt es dir

RUDOLF

Sehr kostbar sehr kostbar

VERA

Ich habe lange gesucht
nach einem solchen Rahmen
nimmt das Bild und geht wieder hinaus damit

RUDOLF *zu Clara*

Ihr seid so aufmerksam
Wenn wir älter werden und älter
nimmt die Aufmerksamkeit zu
Vera kommt herein und setzt sich
Übrigens habe ich den Doktor Fromm getroffen
zu Clara
er erkundigte sich nach dir
Ich sagte es ginge dir gut
keinerlei Komplikationen
er meinte aber doch
du solltest in eine Anstalt
ich versicherte ihm aber
daß wir entschlossen sind
dich niemals in eine Anstalt zu geben
obwohl es wahrscheinlich
so sagte ich
gesundheitlich besser wäre für dich
wir können hier nichts tun für dich medizinisch

Ja sagte ich
weil es ja doch der siebte Oktober ist
ohne das zu erwähnen
aber ich dachte es bei mir
wenn die Amerikaner die Schule nicht bombardiert hätten
Zwei Tage vor Kriegsende
unschuldige Menschen
dieses arme hilflose Kind sagte ich
ich hatte das Wort T e r r o r a n g r i f f gesagt
darauf reagierte er aber nicht
zweiundneunzig tote Kinder sagte ich und er darauf
Was zweiundneunzig
das hatte ich ganz vergessen
Ja sagte ich
man vergißt sehr leicht diese schreckliche Zahl
Wenn meiner Schwester Clara
die intelligenteste von uns sagte ich zu ihm
der Deckenbalken nicht auf den Rücken gefallen wäre
Achja sagte der Doktor Fromm der Deckenbalken
Ein T e r r o r a n g r i f f noch zwei Tage vor dem Ende sagte ich
Ob er uns nicht besuchen wolle
nicht zu einem medizinischen Zweck sagte ich
medizinisch hätte er nichts zu tun in unserem Hause
auf einen Plauderabend sagte ich
meine Schwestern Vera und Clara freuten sich sicher
ein Mann mit solchen außerordentlichen Fähigkeiten
Kenntnissen mit so großer Bildung
und mit einem solchen außergewöhnlichen Charme sagte ich
aber er verabschiedete sich
er war sichtlich erregt weil ich das Wort T e r r o r a n g r i f f
gesagt hatte
Man merkte da gleich daß er Jude ist
Die Mediziner sind eine eigenartige Rasse
Ich habe mich nie mit ihnen verstanden
Wenn man sie etwas fragt
geben sie eine ausweichende Antwort
nicht nur wenn man etwas Medizinisches fragt
sie antworten nie direkt
alles ist eine ausweichende Antwort
sie können einem nicht ins Gesicht blicken
Die Ärzte haben ein schlechtes Gewissen

seit Jahrhunderten sagte Vater er hatte recht
Wer einem Arzt glaubt ist verloren
sagte Vater
sich mit einem Arzt einzulassen
bedeutet nichts weniger als sich mit dem Tode einlassen
Wenn wir uns den Ärzten ausliefern
sind wir dem Tode geweiht
Ist es ein Arzt der uns begegnet
so ist es am besten wir gehen ihm gleich aus dem Wege
wir ersparen uns dann entsetzliche und zumeist
lebenslängliche Leiden
und entkommen in den meisten Fällen auch dem Tode
Die Ärzte sind die Zulieferer des Todes sagte Vater
Ja wenn wir sie nur zu dem Zwecke brauchen
daß sie uns auf unseren Befehl sozuagen
den Blinddarm herausschneiden oder ein Bein absägen
weil wir sonst auf alle Fälle zugrunde gingen
aber sonst
der Umgang mit den Ärzten ist der gefährlichste
da ist es schon besser den Ersten Geiger
des philharmonischen Orchesters einzuladen wie Vater sagte
das schadet in keinem Falle
wenn wir es nur einmal oder zweimal im Jahr tun
Und wißt ihr was er gesagt hat der Herr Doktor Fromm
bevor er sich verzogen hat
nachdem ich in der anständigsten Weise mich mit ihm
unterhalten hatte
Waren Sie nicht s t e l l v e r t r e t e n d e r Kommandant in dem
Lager
s t e l l v e r t r e t e n d e r hat er sehr stark betont
bevor mir noch zu Bewußtsein gekommen ist
was das Ganze bedeutete
war er auch schon weg
Die Leute haben wieder angefangen
in der Vergangenheit zu wühlen
es ist etwas in Gang gekommen
es ist nicht schwer zu erraten von welchen Leuten
es ist gut daß wir den Verkehr mit allen diesen Leuten
eingestellt haben
wir brauchen ja niemanden

VERA

Dir kann nichts passieren Rudolf
zehn Jahre im Keller was das heißt
mit den Ratten unten

RUDOLF *mit einem Blick auf Clara*

Ich kann mir vorstellen was in deiner Schwester Clara vorgeht
aber lassen wir das
Die Tatsache ist doch daß wir alles Menschenmögliche
für das Vaterland getan haben
daß wir uns das ganze Leben abgemüht haben für die Menschen
in diesem Lande
Zersetzung und Zerstörung sind Trumpf
aber das wird sich ändern
steht auf und geht zum Fenster, Vera zu ihm
Irgend etwas zieht sich zusammen
ganz in unserem Sinne
ich täusche mich doch nicht in den Menschen
die meisten sind gute Deutsche
die mit dem das jetzt vor sich geht
nichts zu tun haben wollen
Der gute Deutsche verabscheut was hier in diesem Land vorgeht
Verkommenheit Verlogenheit allgemeine Verdummung
Das Jüdische hat sich überall festgesetzt
es ist schon wieder überall und in jedem Winkel

VERA

Du mußt dich schonen du mußt auf dich aufpassen Rudolf

RUDOLF

In jedem von uns ist der Verbrecher
man muß ihn nur aufrufen
das war schon immer so
das wird immer so sein
holt ein Taschentuch aus dem Hosensack und wischt sich die Stirn ab, zeigt mit dem Taschentuch in der Hand hinaus
Da an dieser Stelle
eine riesige Mauer
hinter welcher Gift erzeugt wird
Insektenausrottungsgift Gas
setzt sich

VERA

Das ist ein großer Tag heute für dich
an welchem du ein großes Unglück verhindert hast

RUDOLF

Es ist unvorstellbar
Mitten in diese herrliche Natur
Die Industrie gibt den Ton an
Die Industrie nicht die Demokratie
Demokratie ist der größte Unsinn
der jemals existiert hat
Demokratie ist das größte Geschäft für die
die die Demokratie beherrschen
zu Clara
Immer schweigsam
Vera setzt sich
Und erbarmungslos
Von ihrem Beobachtungsstand aus beobachtet sie uns und wartet
bis sie eines Tages zuschlägt
aufspringend wütend
Wo habt ihr nur eueren Haß her
Was gibt euch das Recht

VERA *ihn besänftigend*
Setz dich Rudolf setz dich
Rudolf setzt sich
Es ist ja nur ein Spiel
es ist nicht ernst
es k a n n nicht ernst sein
Es ist eine richtige Komödie
manchmal vergessen wir das
warum sollten wir gerade heute
diese Komödie n i c h t spielen
Ich bewundere Clara
sie spielt den schwierigsten Part
Wir sind nur die Stichwortgeber
Indem sie schweigt
hält sie die Komödie in Gang
stellt sich hinter Rudolf und berührt ihn am Nacken

RUDOLF

Jetzt erschöpft mich das Amt
schon ziemlich
Wir haben gesagt wir werden alt
jetzt s i n d wir es schon
Vera fängt an, ihn am Nacken und dann den ganzen Rücken hinunter zu massieren

Eines ist sicher
verlassen kann man sich auf keinen Menschen
alle sind sie Spione
Dem Mißtrauen nachgeben
sagte Vater
Das ganze Leben allein
jeder für sich allein
Wozu das Ganze
Manchmal glaube ich es wäre besser
wie unser Vetter in Sibirien umgekommen zu sein
das alles nicht mitgemacht zu haben
wie mühselig doch alles ist
wie es sich in die Länge zieht
wir müssen es leben und wollen es gar nicht haben
die paar Stunden die wir an einer Hand zählen können
Woher wir so viel Energie genommen haben
Wenn ich es mit Musik versucht hätte
oder mit Mathematik
Aber da darf man nicht Sohn sein einer Juristenfamilie
zuckt vor Schmerz zusammen

VERA

Da ist es

RUDOLF

Ja an dieser Stelle
Ab drei Uhr nachmittags tut mir alles weh
aber das tut gut
Vera öffnet ihm das Hemd und massiert ihn weiter hinunter
Wenn du geheiratet hättest einen Mann genommen hättest
möglicherweise einen Rechtsanwalt wen sonst
Mit Vermögen
aus einer wohlhabenden Familie
in ein modernes Haus gezogen wärst Kinder gehabt hättest
Jetzt wärst du doch allein
im Alter sind alle allein
zuerst bekommen sie Kinder damit sie nicht allein sind
und sind dann vollkommen allein
ich sehe ja wie sie um mich herum altern und allein sind
was den Menschen bleibt ist das Alleinsein
und das Altsein

VERA

Welchen Mann hätte ich heiraten sollen

Kein einziger fällt mir ein
Du vielleicht

RUDOLF

Wenn ich nicht gewesen wäre
wenn die Umstände andere gewesen wären
Du mußtest ja in den Keller steigen
und mich versorgen
Und Clara dazu
Du bist ein tapferes Mädchen Vera
wie anders als deine Mutter
du hast alles durchgehalten
sie hat aufgegeben
ein kleiner Wirbelwind und sie war weg
Vera will ihm das Hemd ganz ausziehen, dazu muß Rudolf die Hose aufknöpfen
Du bist die Tapferste von uns allen
die Verläßlichste
Zuerst haben sie mir den Prozeß machen wollen
und haben mich nicht gefunden
weil du mich versteckt hast
und dann ist Gras darüber gewachsen
zehn Jahre lang
und dann war alles ganz schnell gegangen
Vera zieht ihm das Hemd ganz aus und legt es ihm auf die Schulter
Ich bin in das Amt hineingewachsen wie gesagt wird
der Mensch nimmt ganz die Züge seines Amtes an
er verschmilzt mit seinem Amt
ich hatte keine andere Wahl
was ich getan habe dazu war ich gezwungen
und ich habe nichts getan
das ich nicht verantworten könnte im Gegenteil

VERA

Du zerbrichst dir ganz unnötig den Kopf
das sind alles ganz inkompetente Leute
die in der Vergangenheit wühlen
Wer ehrlich handelt und nach reinem Gewissen
setzt sich schließlich durch sagte Vater

RUDOLF

Ich habe kein schlechtes Gewissen

VERA

Natürlich nicht
Eines Tages kannst du ganz offen
darüber reden worüber du jetzt schweigen mußt
Die Zeit dorthin vergeht schneller als du glaubst

RUDOLF

Wenn es sich einrichten läßt
fahren wir ans Meer
nach Ägypten natürlich
das ist es was mir immer gefehlt hat
die klassische Bildungsreise
zu den Pyramiden nach Persepolis
wir sind alle Opfer des Krieges
Ein Leben Vera das ganz
im Strafrecht aufgegangen ist
Du hättest diese Kreatur sehen sollen
beim Lokalaugenschein
kalt bis ins Mark
zynisch
vollkommen gleichgültig gegenüber seinem Opfer
einen Menschen umbringen wegen viertausend
aber die sind alle gleich
das hat es zu unserer Zeit nicht gegeben
solche Elemente hat es ganz einfach nicht gegeben
sie sind gar nicht erst aufgekommen
jede Verhandlung eröffnet den Blick in eine menschliche Kloake
jetzt ist mir schon übel davon

VERA

Noch ein paar Monate
dann ist alles vorbei

RUDOLF

Im Grunde bin ich froh darüber
Wenn ich bedenke daß noch fünfzehn Jahre
nachdem ich in Pension gegangen bin
Leute ihre Strafe absitzen müssen
die ich verurteilt habe
in fünfzehn Jahren noch
das erlebe ich gar nicht mehr
Wie man Richter sein kann
hat Vater gesagt

ich frage mich auch wie man Richter sein kann
es ist ein Fluch über diesem Amt

VERA

Du bist ermüdet Rudolf
Du nimmst ein Bad
und alles sieht wieder anders aus
Wir haben ein gutes Essen heute
Der Sekt ist kalt gestellt
Ich hab dir alles hergerichtet
wie du es immer gewünscht hast
alles ist wie du es gewohnt bist
alles ausgebürstet und gebügelt
die Stiefel gewichst
Von mir
nicht von Olga

RUDOLF

stellvertretender Kommandant hat er gesagt
stellvertretender Lagerkommandant
so jung und schon Richter
Im Prinzip habe ich gegen die Juden nie etwas gehabt
Wir hatten ja immer jüdische Freunde

VERA

Wenn du im Ruhestand bist
werde ich die Fauteuils überziehen lassen
findest du nicht daß sie schon sehr schäbig sind
Unsere Mutter hat sie tapezieren lassen
Wir haben überhaupt nichts geändert hier
alles ist so wie wir es von den Eltern übernommen haben
Aus Pietät hast du immer gesagt
ändern wir nichts
Und neue Vorhänge
Wir sollten alles ein wenig ändern hier
wenn du aus dem Amt bist
es liegt ja nicht am Geld
wir haben uns jahrzehntelang nichts geleistet
immer nur gespart
Nur für Clara
für uns nichts
kniet sich vor ihn hin und fängt an seine Füße zu massieren
Das würde ich niemandem andern tun
keinem andern Mann nur dir

Die Mehrheit hält zu uns das weißt du
Ihr Mann war bei der Waffen-SS sagte die Leupold
und sie zeigte mir daraufhin ihr Wohnzimmer
kommen Sie nur herein sagte sie
sehen Sie hier lebt mein Mann auf
hier ist sein Tempel
alles Erinnerungsstücke aus seiner Offizierszeit
Eiserne Kreuze Handschriften hochgestellter Persönlichkeiten
unserer Zeit
Du bist mein Held mein Kind
du brauchst keine Angst zu haben
wovor
blickt auf Clara
Wenn sie reden könnte
wenn sie hinausgehen könnte und reden
wenn sie nicht auf uns angewiesen wäre
sie würde uns verraten
wenn das nicht ihren Tod bedeutete
so zahlt jeder seinen Preis
damit das Gleichgewicht unserer Verschwörung
nicht gestört wird
und noch etwas war bei Frau Leupold
sie machte mehrere Kommodenladen auf
und zeigte mir allerhand von ihrem Mann
Orden und Kleidungsstücke
mehrere Schmuckstücke von Juden
sie wisse schon lange daß wir Gesinnungsgenossen seien
ich dürfe aber niemandem sagen
was ich bei ihr gesehen habe
ihr Mann habe ihr den Schwur abgenommen
mir zeigte sie aber alles
sie hat auch vom Führer einen Brief
aber der Brief sei in einem Panzerschrank
Ihr Mann habe viel im Vorderen Orient zu tun
Die Geschäfte gingen nicht schlecht
Eine Nichte von ihr sei vom Pferd gestürzt
und leide seit zwanzig Jahren an einer
Querschnittlähmung wie Clara
sie hätten sie in eine Anstalt im Schwarzwald gegeben
dort ginge es ihr gut
dort seien die besten Ärzte

Das Telefon läutet im Nebenzimmer

RUDOLF
Was kann das sein
Kein Telefon am siebten Oktober

VERA
Warte
sie geht hinaus

RUDOLF *zu Clara*
Wer kann das sein
Vera hört man sprechen, aber man versteht nicht, was
Ich glaube es ist Rösch

CLARA
Dieser widerliche Mensch

RUDOLF
Er hat mir das Leben gerettet

CLARA
Das Leben gerettet
Hätte er dir doch dein Leben nicht gerettet
Hätte er es dir doch nicht gerettet
Unser ganzes Unglück beruht darauf
daß der dir das Leben gerettet hat
Was für ein Leben
Wenn er dich nicht aus dem Feuer gezogen hätte
wären auch wir zugrunde gegangen
So bist du zurückgekommen
und hast uns alle ins Unglück gestürzt

RUDOLF
Wie du mit mir redest
Unverschämt

CLARA
Er hätte dich verbrennen lassen sollen

RUDOLF
Ist das der Dank
daß ich alles für dich getan habe
was möglich war

CLARA
Getan
Es wär so einfach gewesen
wenn du nicht mehr zurückgekommen wärst
Ich war erschrocken
wie du aufgetaucht bist

Ich habe gefühlt das ist mein Unglück
Mein Unglück und unser aller Unglück
Darum hasse ich diesen Menschen
deinen Freund und Gesinnungsgenossen
Ihr seid mir widerlich
ich hasse euch
ich habe euch immer gehaßt
Deine Rücksichtslosigkeit
deine Heuchelei
deine Gemeinheit

RUDOLF

Das muß ich mir gefallen lassen
von einem Krüppel
der die Zeit damit verbringt
sich den Kopf mit Bücherunrat vollzustopfen
mit verrückten widernatürlichen Ideen
mit perverser Literatur
die ich verabscheue

CLARA

Ich verabscheue d i c h
d i c h und alles was du tust
alles was du bist
alles was du getan hast
und ich verabscheue Vera

RUDOLF

Wir hätten dich allein lassen sollen
dann wärst du gar nicht mehr da
du wärst verreckt

CLARA

Das ist deine Sprache
das ist die Sprache des Richters
des Gerichtspräsidenten

RUDOLF

Du hast es notwendig
solche wie du
hätten wir in unserer Zeit ganz einfach vergast

CLARA

Du ja deinesgleichen ja
Du redest dauernd vom Abschaum
und was bist du

VERA *kommt herein, Clara tut, als läse sie weiter*
Rösch war es
es tut ihm leid daß er nicht kommen kann
Ich hab das Telefon abgestellt
er ist erkältet
er hatte den Doktor rufen wollen
aber dann hat er es sich überlegt
er sei ganz mit uns hat er gesagt

RUDOLF
Er hat mir das Leben gerettet
alles wäre vorbei gewesen
er hat mich aus dem Feuer herausgezogen
im letzten Augenblick

VERA
Was ist mit dir los
du bist ja ganz aufgeregt
Was ist denn
blickt auf Clara
Was habt ihr

RUDOLF
Sie ist zum Tier geworden
in ihrem Rollstuhl
ein gemeines niederträchtiges Tier

VERA
Rudolf

RUDOLF
Es ist ja nicht ernst zu nehmen was sie sagt
sie ist verrückt
sie ist pervers und verrückt
das haben wir notwendig gehabt
daß wir sie gerettet haben
daß wir sie hier behalten haben
Vera massiert Rudolf am Nacken
Wenn ich nicht zurückgekommen wäre
hättet ihr möglicherweise gar nicht überlebt

VERA
Wie kommst du darauf

RUDOLF
Jahrzehntelang gearbeitet nur für sie
und für dich
Tag für Tag

ich habe mir nichts geschenkt
Wenn ich dich nicht gehabt hätte
schreit Clara an
Eine Unverschämtheit
eine Unverschämtheit

VERA
Was habt ihr denn

RUDOLF
Sie beobachtet uns
und wartet nur die Gelegenheit ab
uns zu vernichten
alles in ihr zielt darauf ab
zu Clara
aber es wird dir nicht gelingen
die Leute die wie du im Rollstuhl hocken seit Jahrzehnten
fallen ganz plötzlich kopfüber um und sind tot
die sind noch nie sehr alt geworden
Das haben wir nicht verdient
Mit Vera allein wäre ich glücklich
glücklich glücklich glücklich
zeigt auf Clara
Da hockt unser Feind
und wartet
springt auf
Das sage ich dir Clara
ich wünschte du verrecktest
und ließest uns in Ruhe
du quälst uns zwanzig Jahre lang
noch länger quälst du uns
aber jetzt ist Schluß
jetzt ist Schluß
Schluß ist jetzt
setzt sich erschöpft in den Sessel

VERA
Ach laß sie
es ist immer das gleiche
ihr ändert euch nicht
küßt Rudolf auf die Stirn
Du bist ja ganz kalt
komm steh auf
das Bad ist schon gerichtet

alles ist hergerichtet
mein lieber Rudolf
Rudolf steht wieder auf, sie umarmt ihn und küßt ihn, dann
Vera zu Clara anklagend
Wir gehören zusammen
Rudolf und ich
wir lassen uns von dir nicht auseinanderbringen

Dritter Akt

Nebenan
Zwei Stunden später
Ein Speisetisch, Sessel, Fauteuils, ein Sofa, Gewehrkasten und Kommode
Rudolf schon leicht betrunken, in kompletter SS-Obersturmbannführeruniform mit Kappe, Pistole am Koppel und in schwarzen Schaftstiefeln am Speisetisch
Vera ihm gegenüber mit Zopffrisur und in einem langen Brokatkleid. Clara im Rollstuhl, wie vorher, in ihrer Mitte
Alle drei essend und Sekt trinkend

VERA
Und dann gehst du mit uns
in das Symphoniekonzert Rudolf
Wir nehmen natürlich Clara mit
Es tut ihr gut wenn sie wieder hinauskommt
schenkt allen dreien ein
Wenn wir ab und zu solche Kunsterlebnisse nicht hätten
ohne Musik ist das Leben ja gar nicht vorstellbar
Wer Kultur hat sagte Vater
Der Mensch der lange Zeit keinen Kunstgenuß hat verkommt
Ich muß doch einmal nachschauen
ob auch alles fest geschlossen ist
steht auf und prüft alle Fenster und Türen
Man kann nie wissen
Plötzlich steht irgendein Mensch da
Ein Spion
zu Rudolf

Du siehst so gut aus
wenn du die Uniform trägst
schade daß ich immer ein ganzes Jahr warten muß
bis du sie wieder anziehst
nichts steht dir so gut
Findest du nicht Clara
Clara schweigt
Und die schönen Orden auf deiner Brust
Du bist der wahre Deutsche Rudolf
Du bist das Vorbild
daß du sie heimlich anziehen mußt die Uniform
daß du sie heimlich tragen mußt die Orden
setzt sich wieder
Wenn ich mit dir so wie du jetzt aussiehst
hinausgehen könnte aus dem Haus in die Stadt hinein
in die Oper in die Mittelloge
Ach Rudolf ob wir es noch erleben
Ich glaube nicht daß es lange dauert
daß wir wieder ganz offen bekennen können was wir sind
daß das Recht wieder zurückkehrt
in die Welt
Du sagst ja selbst daß wir in einer Zeit existieren
die voller Unrecht ist
Du als Richter als Gerichtspräsident
nimmt ihm die Kappe ab und legt sie auf den Tisch
Es ist eine Schande
Aber das Gute und das Richtige setzt sich schließlich durch
da vertraue ich ganz auf Vater
hebt ihr Glas
Komm Rudolf trinken wir auf den Ruhestand
zu Clara
Du auch heb dein Glas auf unsere Zukunft
zu Rudolf
Ich freue mich schon so auf den Augenblick
in welchem du zum erstenmal zu Hause bleibst
alle heben ihr Glas und trinken es aus und
Vera schenkt gleich wieder ein
Den Schwur zu halten
das ist bewundernswert
sich nicht aus der Fassung bringen lassen
Wir dürfen nicht hörig sein wir müssen frei sein nicht wahr

Mein Versprechen hast du Rudolf
daß ich immer zu dir halten werde
was auch immer kommt
ich hab es ja schon bewiesen
in finsteren Zeiten wie du weißt
mir nichts geschenkt
wie wir alle uns nichts geschenkt haben
Ein Ideal zu haben und ihm treu bleiben
es immer hochhalten
wie schön
zu Clara
Diese feinen Kalbsmedaillons habe ich nur für dich ausgesucht
und jetzt läßt du sie stehen
hält ihr ein Tablett hin, aber Clara nimmt nichts, sie stellt das Tablett wieder auf den Tisch
zu Rudolf
Das Tragische ist ja daß die Menschheit wie Vater gesagt hat
wider besseres Wissen immer den falschen Weg geht
Die Menschheit ist ein Patient
der alles einnimmt was man ihm gibt
jedes tödliche Gift sagte Vater
Zehn oder zwölf Jahre hast du schon die gleiche Figur Rudolf
die Uniform paßt dir wie am ersten Tag so angegossen
ich bin stolz auf dich
Der Herr Gerichtspräsident
und der Herr Abgeordnete
Wenn ich nur dabeisein hätte können
wie du deine Rede gehalten hast
gegen die Fabrik
Du bist ein guter Redner Rudolf
Du überzeugst wenn du redest
so eindringlich so klar so überzeugend
Mein Herr Landtagsabgeordneter
steht auf und richtet ihm das Eiserne Kreuz
Ich habe es zu hoch hinausgesteckt
siehst du jetzt hat es seinen Platz
begutachtet das Eiserne Kreuz und setzt sich wieder
Wenn wir hier weggehen hätten müssen
wegen dieser Fabrik
Die Konzerne setzen sich immer durch
Zum erstenmal hast du es ihnen gezeigt

Du ein einzelner gegen einen riesigen Konzern
Wenn das nur Schule machte
Aber die Politiker und die Industriellen
stecken unter einer Decke
und richten langsam alles zugrunde
verpesten die Luft und zerstören alles
Bald gibt es auch in den Bergen keinen Platz mehr
wo man frische Luft atmen kann
Vielleicht noch in Grönland

RUDOLF

Vielleicht noch in Grönland
da hast du recht
Die Industrie hat immer alles beherrscht
Ich habe nichts gegen die Industrie

VERA

Natürlich nicht Rudolf
aber in diesem Fall
Wenn ich mir vorstelle
daß hier die Fabrik gebaut worden wäre
wir hätten ausziehen müssen
und alles aufgeben
alles was uns lieb ist
Neinnein
solange wir leben
gehen wir nicht mehr weg von hier
Hier ist unser Leben
hier waren unsere Eltern
hier waren wir Kinder
hier haben wir uns durchgesetzt
Hier wollen wir bleiben

RUDOLF

Und das Ende abwarten

VERA

Aber Rudolf
Warum sprichst du immer so finster
Du hast keinen Grund keine Ursache
Du müßtest der glücklichste Mensch sein
Warte
steht auf und holt ein größeres Album aus der Kommode hervor und setzt sich neben Rudolf mit dem Album wieder an den Tisch, macht Platz für das Album. Zu Clara

Es stört dich doch nicht
daß wir im Album blättern
In der Erinnerung
einmal im Jahr
Die Erinnerung ist das kostbarste
Wie schön das Album ist
Mutter hat es mir geschenkt
zu Weihnachten neununddreißig
zu Rudolf
Wie du dich freiwillig gemeldet hast
Was für eine Zeit
blättert um
Weihnachten neununddreißig
zu Clara
Da hattest du das Schweizer Kleid an Clara
wie gut stand dir das Schweizer Kleid
das dir Vater von seiner Zürichreise mitgebracht hat
Er hat uns versprochen
daß er mit uns in die Schweiz fährt
Mit euch mit meinen lieben Kindern hat er gesagt
an den Zuger See
Dazu ist es ja dann nicht mehr gekommen
blättert um
Seebruck erinnerst du dich Rudolf
wir waren gerade vom Himbeerpflücken aus dem Wald
gekommen
zu Rudolf
Du warst immer so ehrgeizig
du hast immer doppelt soviel gepflückt wie ich
Und Clara hat immer alle aufgegessen
Das Bild hat Onkel Rudolf gemacht
Da siehst du die Kampenwand
Vater hat sie erklettert
Wenn er die Berge nicht gehabt hätte
Vater war ein Bergmensch
Mutter liebte das Meer die Adria
Und so hatten sie nie gemeinsam Urlaub gemacht
weil er immer in die Berge wollte
und sie ans Meer
blättert um
Onkel Rudolf wie er an die Front gegangen ist

nach Polen
schrecklich
zu Clara
Erinnerst du dich wie Onkel Rudolf aufgebahrt war
da hatten wir uns gefürchtet
Angst gehabt
wir hatten bis dahin keinen toten Menschen gesehn
Nicht einmal ein halbes Jahr nachdem er eingerückt war
zu Rudolf
Du hast große Ähnlichkeit mit Onkel Rudolf
Mund Nase
von Mutter
Die Polen waren rücksichtslos
aus dem Hinterhalt
Damals sind die toten Offiziere noch in die Heimat geschickt worden
Zwei Tage habe ich geweint
blättert um
Pfingsten in Wien
Ach war das eine schöne Zeit
die einzige Reise die wir mit den Eltern gemacht haben
die einzige größere Reise
zu Clara
Wir durften mit dem Riesenrad fahren
Du hast Angst gehabt
und dann sind wir mit den Eltern in das Hotel Sacher gegangen
und haben eine Sachertorte gegessen
zu Clara
die schmeckte dir nicht
blättert um
Das erste Bild von dir in Uniform
Wir waren stolz auf dich
überall habe ich herumerzählt daß du jetzt Uniform trägst
Du bist dann gleich nach Rußland
für zwei Monate in geheimer Mission an die russische Front
wir hatten nicht gewußt
wo du bist damals
zwei Monate hatten wir nichts gehört
Da warst du längst tätig
blättert um
Das Lager

wie hübsch die Bäume da wie hübsch
Und dort hinten hast du logiert nicht wahr
Was für eine reizvolle Landschaft
Und da bist du geschwommen in der Weichsel
zu Clara
Rudolf hatte noch keinen Bauch
nicht die Spur eines Bauchs
Das Matrosenbild
das war in Zoppot
Da hast du Urlaub gemacht
und da hast du Himmler getroffen
blättert um
Und das ist das Bild
das Rösch von dir und Himmler gemacht hat
Ja
er hätte sich ja nicht umbringen müssen
er hätte sich in Sicherheit bringen können
Eine Kurzschlußhandlung
Siehst du er hat an dich gedacht
er hat dir den falschen Paß gegeben dir und Rösch

RUDOLF

Es war natürlich auch eine Konsequenz
er war ja im Grunde auch ein feinfühliger Mensch
Die Natur macht ganz einfach was sie will
hat Vater gesagt
streckt die Beine unter dem Tisch aus
Es ist schön diesen Tag
mit euch zu verbringen
in aller Stille
wenn von draußen kein Laut hereindringt
kein Geräusch nichts von draußen
Mit euch zusammensein
in Gedanken an die Erinnerung
Vera steht auf und geht zur Kommode und drückt auf
die Taste eines dort abgestellten Recorders
Beethovens fünfte Symphonie
Rudolf, indem er die Augen schließt
Nicht so laut leiser mein Kind
Vera stellt die Musik leiser
Kein Mensch kann den Verlauf seines Lebens bestimmen
Er kommt auf die Welt und stirbt

was dazwischen ist
darauf hat er keinerlei Einfluß
Vera geht zum Tisch zurück und setzt sich und schenkt ihnen ein
Der Selbstmord ist niemandem gestattet
der Selbstmord ist ein Verbrechen
Wer in den Selbstmord flüchtet
begeht unweigerlich ein Verbrechen
Vera legt Clara ein Kalbsmedaillon auf den Teller
Nur der Mensch begeht Selbstmord
das Tier begeht nicht Selbstmord
Andererseits
aber es gibt überhaupt keinen Grund sich umzubringen
Mein lieber Höller hat er gesagt
ich höre nur Gutes von Ihnen
Sie machen Ihre Arbeit zur größten Zufriedenheit
Dann haben wir miteinander gegessen
Sie können Ihr Elternhaus behalten hat er gesagt
die Giftgasfabrik wird nicht da gebaut wo sie geplant ist
ich habe Anordnung gegeben
sie an einem Ort hundertachtzig Kilometer von Ihrem Elternhaus entfernt
zu bauen
Dann ist er aufgesprungen ganz plötzlich
und hat sich verabschiedet
Bevor mir überhaupt zu Bewußtsein gekommen ist
was geschehen war war er weg der Reichsführer SS
Da hatte ich keinen Appetit mehr
und ich setzte mich auch gar nicht mehr an den Tisch
Es gibt nichts Deprimierenderes
als an einem für zwei gedeckten Tisch
schließlich allein zu sitzen
Ich ging hinaus und machte einen Spaziergang durchs Lager
Auffallend frische Luft an diesem Abend
keinerlei Geräusch nichts
Als ob meine Lungen monatelang keine frische Luft mehr gehabt hätten
Ich ging durch das Lager und dann um das Lager herum
und dachte über mein Leben nach
Ich war an einem Wendepunkt angelangt an einem Wendepunkt

Er hatte sich überhaupt nicht angekündigt gehabt
plötzlich war die Tür aufgerissen worden
und er stand da in Begleitung natürlich
und sagte er wolle mit mir zu Mittag essen
der Reichsführer SS
Er kam gerade aus dem Führerhauptquartier
Rösch war nicht da gewesen
ausübender Kommandant verstehst du Vera
er machte nur diesen einen Besuch im Lager
Es hat Eindruck gemacht tatsächlich
es hat Eindruck gemacht
Vera steht auf und geht zur Kommode und stellt die Musik noch mehr zurück
Wir hatten die höchstmögliche Disziplin
wir waren ein Musterbetrieb
wir waren immer besichtigungsfähig
Vera dreht die Musik ganz ab und nimmt zwei Flaschen von der Kommode und setzt sich wieder
Wir hatten einen Auftrag erfüllt
zum Wohle des deutschen Volkes
Sie erfüllen Ihren Auftrag
zum Wohle des deutschen Volkes sagte er
dabei hat er mich nicht aus den Augen gelassen
Es war unmöglich ihm zu entkommen
es gab keine andere Wahl
Vera öffnet eine Flasche und schenkt allen ein
Die Geschichte kann ja nicht verfälscht werden
sie kann lange Zeit verschmiert werden
vieles kann vertuscht werden verfälscht werden
aber dann eines Tages lichtet sie sich
und sie steht da wie sie ist
wenn die Verschmierer und die Vertuscher und die Verfälscher nicht mehr da sind
Das dauert immer viele Jahrzehnte
richtet sich auf und hält sein Glas hin, Vera schenkt ihm ein
Der Teufel muß mit dem Teufel ausgetrieben werden
trinkt sein Glas aus und hält es Vera wieder hin, die es ihm anfüllt
Scham wer hätte die nicht gefühlt
steht plötzlich auf und hebt sein Glas
Vera steht auch auf

Rudolf mit dem Blick auf das Himmlerbild auf der Kommode
Ich hebe mein Glas
auf diesen Mann
auf diese Idee
zu Clara
Und du
Natürlich du kannst ja nicht aufstehen
es wäre ja auch eine Entweihung des Augenblicks
Die Natur hat schon gewußt
wen sie sitzen läßt
zu Vera
Komm Vera wir trinken auf die Idee
auf die Idee trinken wir
auf diese einzige Idee
trinkt sein Glas aus
Vera trinkt
Rudolf mit erhobenem Glas
Ich habe kein Schamgefühl
nicht das geringste Schamgefühl
setzt sich wieder
Meine liebe Vera
Vera setzt sich
Meine liebe gute Vera
meine einzige geliebte Schwester
wir müssen zusammenhalten
wir müssen eins sein eins eins
Spiel doch etwas
was sitzt du da
spiel eine schöne Musik spiel
Vera steht auf und geht hinaus
Wenn ich Vera nicht gehabt hätte
zu Clara
Du verstehst das doch
du verstehst doch alles
du bist ja nicht so schlecht wie du dich gibst
nicht so schlecht daß du nicht sehen würdest
wie gut meine Schwester Vera ist
vom Nebenzimmer hört man Vera mit einer Beethovenphantasie
Meine liebe Schwester Vera

sie hat immer alles begriffen
sie ist die Beste
durch sie sind wir am Leben
ohne sie wären wir beide gar nicht mehr da
wären wir futsch futsch
Alles ist eine Schicksalsfügung
eine Schicksalsfügung
Und du bist auch nicht die Schlechteste
du verdankst dein Schicksal den Amerikanern mein Kind
du bist unser Luftminenopfer
durch das wir immer daran erinnert werden
was uns die Amerikaner angetan haben
Millionen tote Deutsche Millionen
München Dresden Köln am Rhein
alles in Schutt und Asche
Du verdankst das alles den Amerikanern
schaut in das Nebenzimmer hinein
Die Amerikaner haben unsere Kultur zerstört
sie haben nicht nur unsere Städte zerstört
sondern unsere ganze Kultur zerstört
aber das verstehst du nicht
das geht nicht in deinen Kopf hinein
in deinen linken Dickkopf geht es nicht hinein
Aber du hast natürlich Narrenfreiheit
sonst hätten wir dich schon liquidiert
Narrenfreiheit
es gibt immer wieder Leute
die haben Narrenfreiheit
sie können tun was sie wollen
sie werden nicht ernstgenommen
wenn man sie ernst nehmen würde
müßte man sie ja umbringen
Aber wir bringen dich nicht um
du bist nun einmal da
und schließlich und endlich bist du unsere Schwester
die leibhaftige die Blutsschwester
von dem gleichen Vater und von der gleichen Mutter wie ich
und wie Vera
Das gute Kind
Du kannst Gott danken daß sie da ist
Wenn sie einmal nicht mehr da wäre

aber sie ist von uns allen die stärkste
die die nicht aufgibt
wie oft hätte ich schon aufgegeben
Vera hat es verhindert mein Verakind mein geliebtes Verakind
Das hätten wir nicht geschafft wir beide
wir haben eine gute Schwester
in den schlimmen Zeiten immer eine gute Schwester gehabt
das solltest du immer bedenken
das solltest du bedenken wenn du aufwachst
und wenn du schlafen gehst
zeigt mit der rechten Hand ins Nebenzimmer
daß wir ihr alles verdanken
daß wir überhaupt noch am Leben sind
Vera hat zu spielen aufgehört und kommt herein
Wie schön du gespielt hast
gleich ist alles ganz anders
Musik macht alles erträglich
Wenn wir sie selbst machen
Ein Kulturvolk kann sich die Musik selbst machen
komm her Vera setz dich
öffnet eine Flasche und schenkt Vera ein
Ich habe Clara gesagt
daß du uns gerettet hast
du hast uns gerettet
deine Tapferkeit
daß du immer deinen Mann gestellt hast
in schlimmsten Zeiten
wie ich noch im Keller gehaust habe
mein tapferes Mädchen Vera
trinkt
Das darf man nicht vergessen
steht auf und geht zum Gewehrkasten und macht ihn auf und dreht sich nach den Schwestern um
Vera die uns ermöglicht hat
nimmt einen Karabiner heraus
Ich bin immer Soldat gewesen
und ich werde immer Soldat sein
für unsere Sache
da kann geschehen was will was will was will
setzt den Karabiner auf die Deckenlampe an
Ich könnte sie ja herunterschießen

ich könnte sie abschießen abknallen
soll ich sie herunterschießen
sag es Vera sag soll ich sie abknallen

VERA

Aber Rudolf

RUDOLF

Natürlich nicht
das wäre ja Wahnsinn
wenn ich den Lüster herunterschießen würde
setzt den Karabiner wieder gegen die Deckenlampe an
Aber schießen kann ich
ich hab es nicht verlernt
wenn ich schieße fällt er herunter
direkt auf den Tisch
direkt auf den Tisch
nur abdrücken muß ich

VERA

Du hast es nicht verlernt

RUDOLF

Ein Soldat verlernt schießen nicht
schießen nicht
nicht schießen
setzt den Karabiner ab
Ich brauche ihn nur in der Hand zu halten
und ich bin wieder der Soldat

VERA

Der Soldat ja

RUDOLF

Der Soldat im Soldaten stirbt nicht
geht zum Gewehrkasten und stellt den Karabiner hinein
Du hast ihn für mich versteckt
ihn herübergerettet
Das verdanke ich dir Vera
Alle haben sie ihre Waffen abgegeben weggeschmissen
Du hast den Karabiner für mich aufgehoben
Ich hätte Lust zum Fenster hinauszuschießen
dreht sich nach den Schwestern um
aber das darf ich nicht
n o c h nicht
n o c h nicht mein Kind
geht zum Tisch zurück und setzt sich

Ich weiß ein paar
die ich niederknallen würde

VERA *legt ihm ein Kalbsmedaillon auf den Teller*
Du mußt etwas essen
du trinkst nur und ißt nichts
du trinkst so viel und ißt nichts

RUDOLF
Nicht mehr gewöhnt
ich bin es nicht mehr gewöhnt
Wenn ich nur einmal im Jahr trinke
immer nur am siebten Oktober
zu Himmlers Geburtstag
das ist ja ganz klar daß ich betrunken werde
aber es ist doch ganz gleichgültig gleichgültig
zu Clara
Nun Clara was sagst du
was sagst du zu deinem Bruder
ich bin noch immer der alte
zu allem fähig
ich bin noch immer der alte
nimmt sein Glas und trinkt
Metternich nicht wahr Vera Metternich
den wir im Lager getrunken haben
darauf habe ich immer größten Wert gelegt
daß immer genug Metternich da war
sonst hätten wir es gar nicht aushalten können
er sagte mein lieber Höller
ich kann mich auf Sie verlassen
auf Sie und auf Rösch
er hat das S i e betont
nicht das Rösch
der Feigling
in Wirklichkeit ist Rösch ein Feigling gewesen
ich war niemals ein Feigling ich nicht

VERA
Du nicht Rudolf

RUDOLF
Der hatte zuviel Phantasie
Die Ordnungsliebe vom Vater
nicht zuviel Gemüt von der Mutter

VERA

Aber du hast deine zarten Seiten Rudolf
von der Mutter

RUDOLF

Rösch habe ich durchschaut
auf einmal getraut er sich nicht mehr her
telefoniert ruft an er sei krank
ich bin überzeugt daß er nicht krank ist
Rösch hat immer gelogen
aber das hat ihn auch zu Fall gebracht schließlich
ich habe dem Rösch immer mißtraut
ich traute ihm nicht einen Augenblick über den Weg
Aber verraten kann er uns nicht
er wäre selbst erledigt
Wahrscheinlich sitzt er zu Hause
und wärmt sich die Kniescheiben am Ofen
Der Weichling Rösch
Aber dann sind gerade die die Skrupellosesten
es hat ihm nichts ausgemacht
daß er Tausende und Hunderttausende ins Gas geschickt hat
es hat ihm nichts ausgemacht
ich hab mich überwinden müssen
Vera mein liebes Kind
ein wenig Angst habe ich doch vor dem Ruhestand
ein ganz kleines bißchen Angst
daß ich zu grübeln anfange
Das Gericht hat mich abgelenkt
die ganzen Jahre war ich durch das Gericht abgelenkt
auf einmal habe ich keine Ablenkung mehr

VERA

Der Ruhestand wird dir guttun
dann gehst du spazieren
und machst was dir Freude macht
dazu ist der Ruhestand ja da
achwas Ruhestand Rudolf
für dich ist es kein Ruhestand
du bist immer ein tätiger Mensch gewesen
dir wird die Zeit nicht lang
Wir werden wieder Musik machen
du wirst Violine spielen ich Klavier
Beethoven Mozart Chopin

Und wir werden in die Oper gehn
endlich hast du dazu Zeit
das Leben wird schöner denn je sein

RUDOLF
Aber vielleicht habe ich gerade dann
keine Ruhe mehr

VERA
Über alles wächst Gras Rudolf
immer ist über alles Gras gewachsen
sie betätschelt seine Hand
Man muß es nur genießen das Alter

RUDOLF
Vielleicht

VERA *setzt sich so, daß sie das Album gut umblättern kann, und blättert um*
Siehst du der glückliche Rudolf
der stolz ist auf sich
das Vorbild Rudolf
Wo war denn das

RUDOLF
In Krakau
vor der Sukenitza vor der Markthalle

VERA
Sind das Polen dahinter

RUDOLF
Ja Polen
die haben zugeschaut und gelacht
die haben gelacht wie das Bild gemacht worden ist
es war ja auch ein schöner Tag

VERA *blättert um*
Das sieht ganz nach Katerstimmung aus

RUDOLF
Da haben wir auf den Fall von Paris getrunken

VERA
Wo Vater immer mit Mutter hinwollte
Warst du eigentlich jemals in Paris

RUDOLF
Es ist mir nicht geglückt

VERA
Ich weiß gar nicht
was die Leute an Paris finden

blättert um
RUDOLF
Da habe ich mir eine neue Uniform schneidern lassen
von einem Schneider in Litzmannstadt
VERA
Sturmbannführer Höller
RUDOLF
Kurze Zeit darauf
war ich schon O b e r sturmbannführer
VERA
Und hast du in Litzmannstadt
schon dein Richteramt ausgeführt
RUDOLF
Ja natürlich
da war ich ja als Richter da
Da war viel zu tun
Der jüngste Richter an der ganzen Ostfront
VERA *blättert um*
Schrecklich
diese Gesichter
ganz verwahrlost
RUDOLF
Das ist ein Schnappschuß von den Juden
die wir aus Ungarn bekommen haben
VERA
Und die kamen ins Arbeitslager
RUDOLF
Teils teils
die dazu fähig waren natürlich nur
die andern nicht
Mit den Juden aus Ungarn war es so eine Sache
die konnten wir nicht gebrauchen
VERA *blättert um*
Brügge nicht wahr
RUDOLF
Da hatten wir einen Ausflug gemacht in die Ardennen
und sind nach Brügge
und nach Brüssel
siehst du da haben wir gewohnt
wo der Pfeil eingezeichnet ist
D a s war ein Hotel

Luxus
die haben den ganzen ersten Stock für uns geräumt
wir haben Tag und Nacht Champagner getrunken
echten Champagner
die Belgier waren recht anständige Leute

VERA
War das wie du den Richterkurs gemacht hast

RUDOLF
Ja

VERA *blättert um*
Und da bin ich
ganz in Weiß
das muß ein Sonntag gewesen sein
da sind wir immer in Weiß gegangen
Wo war denn da Clara
zu Clara
Ich weiß da warst du im Internat
unsere Gebildete
Die schönen Haare die du damals gehabt hast
da lernte ich Englisch
da hatten wir einen Hauslehrer aus Holland
ein lieber Mensch
Was aus dem geworden ist

RUDOLF *blättert um*
Da siehst du lauter Ukrainer
mit denen haben wir kurzen Prozeß gemacht
das waren alles Verräter nichts als Verräter

VERA
Die schauen auch ganz gefährlich aus

RUDOLF *zeigt es*
Das war die Hinrichtung
Diese paar habe ich eigenhändig erschossen
Weil kein anderer da war
das war zum erstenmal
daß ich Leute eigenhändig erschossen habe
blättert um
Da waren wir in einer alten Villa
am Stadtrand von Leningrad
wohin wir eine Exkursion gemacht haben zweiundvierzig
Das Foto hab ich selbst gemacht
man konnte bis in die Innenstadt hineinschauen

VERA

Wer ist das am Fenster

RUDOLF

Eine Begleitperson
eine Steiermärkerin aus Graz
die ist dann erschossen worden
weil sie Juden begünstigt hat

VERA *blättert um*

Eine lustige Runde

RUDOLF

Wir waren Schifahren in Zakopane
eine ganze Woche
wir hatten russischen Kaviar
da war ich aber erkältet
Vera blättert um
Der Führer
von mir geschossen
im Vorbeifahren
mit Blitzlicht
dadurch ist es so verschwommen
das einzige Foto das ich vom Führer geschossen habe
Er hat eine Inspektion gemacht in Kattowitz
neben ihm das ist Himmler
man kann es nicht erkennen aber er ist es
die Oberschlesier waren heimtückisch
unverläßlich hinterhältig
Vera blättert um
Da war schon eine gefährliche Stimmung
keinem konnte man trauen
selbst den eigenen Leuten nicht

VERA *blättert um*

Der Kurfürstendamm

RUDOLF

Ja ich mit Rösch
kurz vor seiner Verwundung
Wenn ich damals nicht gewesen wäre
er hätte das nicht überlebt
er wäre verblutet

VERA

Und e r hat d i r das Leben gerettet

RUDOLF
Wir waren sehr gut
aufeinander eingespielt
trinkt sein Glas aus und Vera schenkt ihm ein
Aber selbst Rösch war nicht zu trauen
Vera blättert um
Das waren die Bunker
die die Ukrainer gebaut haben vor Radom
Vera blättert um
Der holländische Zirkus
den wir in Lüttich besucht haben
ein gelungenes Foto nicht wahr

VERA *steht auf und geht mit dem aufgeschlagenen Album zu Clara und zeigt ihr das Foto*
Da siehst du
du sitzt dahinten
neben Rudolf der so lacht

CLARA
Ja

VERA *geht zurück und setzt sich wieder und blättert um*
Wie alt warst du da eigentlich
da siehst du aber schlecht aus

RUDOLF
Das war in Schitomir
da hatte ich eine Bronchitis

VERA *blickt Rudolf ins Gesicht und dann wieder ins Album*
Da hast du einen ganz andern Gesichtsausdruck
als wenn du es gar nicht wärst
wie wenn das ein Anderer wäre

RUDOLF
Ich weiß gar nicht
wer das Foto gemacht hat
vielleicht war es Rösch
aber der war damals gar nicht in Schitomir
der war zu der Zeit in Danzig
Wer hat das nur gemacht
vielleicht Dejaco

VERA
Der hat doch seine sieben Kinder vergiftet

RUDOLF
Er ist mit ihnen allen in den Tod gegangen

VERA *blättert um*
Von Vater das einzige Bild in Uniform
Er hatte immer eine Abneigung
gegen das Fotografieren
Und Mutter
im Dirndl in Schwaz in Tirol damals
Sie war böse auf Vater

RUDOLF
Manchmal denke ich
ob sie sich nicht zu dem richtigen Zeitpunkt
umgebracht hat
sie hat alles was wir dann erlebt haben
nicht mehr erlebt
trinkt
Clara ganz nackt
unser Nackedei Clara am Bach

VERA
Vater im Hintergrund siehst du
er hat Fische gefangen wie heißen sie nur

RUDOLF
Koppen
die Koppen die wir Buben auch gefangen haben

VERA
So schüchtern ist das Kind
zu Clara
Willst du dir das Foto nicht anschauen
Du bist ein richtiger Nackedei
so ganz ungezwungen wie dann nie mehr
blättert um
Auf dem Gut vom Grafen Uiberacker
wo wir als Kinder gewesen sind
Vater hat sich dort entspannt wie nirgends
Die arme Gräfin
die sich erschossen hat
wie die Amerikaner gekommen sind
erinnerst du dich
wie sie dich beschuldigt hat
daß du ihren Neffen in den Teich gestoßen hast
Du Rudolf ach du lieber Gott
Du und den Neffen der Gräfin
in den Teich hineinstoßen

RUDOLF

Der ist ganz von selbst hineingesprungen in den Teich
und dann hat er gesagt
ich habe ihn hineingestoßen

VERA

Daraufhin durften wir nicht mehr auf das Gut
wir haben die Grafenleute nicht mehr gesehen

RUDOLF

Er der Graf
war ein richtiger Nazihasser
sie hat ihren Bruder angezeigt
daß er Feindsender hört
aber es ist ihm nichts passiert
Ein paar Monate Mauthausen sonst nichts

VERA *blättert um*

Wer sind denn die

RUDOLF

Das war unsere Kerntruppe
leben alle nicht mehr
trinkt
die sind durch einen Wald bei Litzmannstadt gefahren
und auf eine Mine
die die Polacken gelegt haben

VERA

So schöne Menschen
verstehst du das Rudolf
daß man solche schönen Menschen umbringen kann
die armen Eltern

RUDOLF

Im Krieg darf man auf das Gefühl
keine Rücksicht nehmen
im Krieg gibt es kein Gefühl

VERA *blättert um*

Das ist unser Bundespräsident
siehst du
ein netter Junge
in der Hajotuniform
und dahinter

RUDOLF

Weiß ich nicht
sieht genauer hin

Kann ich nicht sagen

VERA

Na siehst du
was aus solchen kleinen netten Jungen wird
wenn sie tüchtig sind
blättert um

RUDOLF

Das ist Rösch

VERA

Mit einer Polin

RUDOLF

Ja natürlich
andere waren ja da nicht

VERA

Was für schönes schwarzes Haar die hat

RUDOLF

Die war aus Warschau
die ist dann gleich vergast worden
Vera blättert um
Das ist in Auschwitz
Da haben wir Höss besucht
Himmler sollte auch da sein
aber dann ist er nicht gekommen
Dahinten war die Rampe
da sind die Züge hereingefahren
da haben sie sie durchgetrieben

VERA

Schrecklich

RUDOLF

Im Krieg kannst du kein Gefühl mehr haben
und du hast auch kein Gefühl mehr

VERA

Gut daß du nicht in Auschwitz gewesen bist

RUDOLF

Es hat so sollen sein
zeigt auf das Foto
Da haben sie sie hineingetrieben
und da sind sie vergast worden
zuerst ein paar Tausende nur

VERA

Wieviel sind denn in Auschwitz vergast worden

RUDOLF
Zweieinhalb Millionen
das hat Eichmann gesagt
VERA
Zweieinhalb Millionen
RUDOLF
Eichmann hat das Glücks gesagt
VERA *blättert um*
Ich bin froh daß du nicht in Auschwitz gewesen bist
ich weiß nicht ich bin froh darüber
Da wo ihr wart
war es doch etwas ganz anderes
Das ist ja Ludwig Onkel Ludwig
wie er die Gesellenprüfung gemacht hat
Der war ganz stolz auf dich
du in deiner Uniform neben ihm
schade um den Jungen
da hatten wir immer so schönes Fleisch bekommen
und die guten Kümmelwürste
blättert um
Das ist das Akademiekonzert
und du in der ersten Reihe
RUDOLF
Und du neben mir
VERA
Da hatten wir eine Karte bekommen von Rösch stimmt das
Ja weil seine Tochter die Akademieprüfung gemacht hat
Beethovens Fünfte erinnerst du dich
Und da sitzt die Elly Ney
blättert um
Wie gut die Fotos sind
findest du nicht
wenn man sie nur einmal im Jahr anschaut
und nicht dem Licht aussetzt
Schwarzbach
Reichenhall
Piding
Da waren wir doch sehr glücklich nicht Rudolf
ach komm ich muß dir einen Kuß geben
rückt an Rudolf heran und küßt ihn auf die Stirn
Die Erinnerung kann uns niemand nehmen

was unverlierbar ist
ist die Erinnerung
blättert um
Vater hat das auch immer gesagt
Das Rosental
Nie mehr bin ich hingekommen
Maria Saal die Kirche
da stehst du mit den Blumen
die du mir gepflückt hast
blättert um
O da warst du verwundet
aber ich war stolz auf dich
alle haben mich bewundert
weil du verwundet warst
ich bin mit hocherhobenem Kopf durch die Stadt gegangen
und ich habe gefühlt wie sie mich alle bewundern
weil du verwundet bist
glücklicherweise war es nichts Schlimmes
blättert um
Berlin nach dem ersten Terrorangriff
zu Rudolf
Hast du das Foto gemacht
ist das ein Toter da

RUDOLF
Ja und dahinter noch einer siehst du

VERA
Schrecklich
blättert um
Da haben die Eltern Clara aus dem Internat herausgenommen
und nach Tirol geschickt
zu Clara
Zu Pfarrer Langthaler
Warum bist du denn so schweigsam
anstatt daß du dich freust über die Fotos
wenn du uns nur den Abend verpatzen kannst
blättert um
Das Riesengebirge
Im Elsaß hast du darunter geschrieben
Was für eine schöne Schrift du gehabt hast
du hast auch heute noch eine schöne Schrift
blättert um

Verdun
nach einer Pause
Daß wir das alles nur so versteckt
und im geheimen anschauen können
das ist doch entsetzlich Rudolf
Das ist doch wirklich entsetzlich
Und dabei denkt die Mehrheit so wie wir
die Mehrheit versteckt sich das ist das Entsetzliche
das ist doch absurd
die Mehrheit denkt wie wir und darf es nur geheim
Auch wenn sie das Gegenteil behaupten
sie sind doch alle Nationalsozialisten
das siehst du doch auf Schritt und Tritt
aber sie geben es nicht zu
ich kenne niemand der nicht so denkt wie wir
Außer der Doktor und ein paar andere
aber die fallen ja nicht ins Gewicht
Das ist das Schreckliche Rudolf
daß wir der Welt nicht zeigen wer wir sind
wir zeigen es nicht
anstatt es zu zeigen ganz offen zu zeigen

RUDOLF
Warte nur ab
die Zeit kommt wo wir es wieder zeigen können
Es spricht alles dafür daß wir es wieder zeigen können
und nicht nur zeigen

VERA
Andererseits haben wir ja jetzt einen Bundespräsidenten
der ein Nationalsozialist gewesen ist

RUDOLF
Na siehst du
das ist doch ein Beweis wie weit wir schon wieder sind heute
du brauchst keine Angst zu haben
keine Angst Vera
alles geht in unserem Sinne
es ist keine Frage längerer Zeit
und schließlich haben wir ja auch eine ganze Menge anderer
führender Politiker
die Nationalsozialisten gewesen sind

VERA *klappt das Album zu*
Ja das ist wahr

zu Clara
Wir werden bald wieder an der Macht sein
Dann haben deinesgleichen keine Chance
Wie du haben sich alle diese Verrückten verrannt
gegen unser Volk verrannt versündigt und verrannt
Ich bin richtig wütend auf dich
den ganzen Abend schweigend dazusitzen
aber es gelingt dir nicht uns den Abend kaputtzumachen
Dabei hat Rudolf sich so zurückgehalten
Voriges Jahr hat er dich gezwungen
die KZ-Jacke anzuziehn heute nicht
Und ich habe dir die Haare scheren müssen voriges Jahr
er hatte dich die ganze Zeit als KZlerin bezeichnet
das hat er heute nicht getan
Spielverderberin
macht das Album wieder auf und blättert
Freiburg im Breisgau
das haben wir noch gesehen bevor es zerstört worden ist
blättert um
Würzburg
Alle diese schönen Städte haben sie uns kaputtgemacht die Amerikaner
klappt das Album zu
Mein Gott wie schön Deutschland einmal gewesen ist
Rudolf hat längere Zeit versucht, seine Pistole aus dem Halfter herauszubekommen, jetzt ist es ihm gelungen und er fuchtelt damit vor Veras Gesicht herum
Vera erschrocken
Aber Rudolf
ich bitte dich

RUDOLF
Ich könnte euch umlegen wenn ich wollte
alle könnte ich umlegen
Ich bin aus der Übung natürlich
aber ich könnte euch alle umlegen wie ihr seid
steht auf

VERA
Bitte Rudolf
du hast zuviel getrunken

RUDOLF
Wenn ich Lust dazu habe

schieße ich euch über den Haufen
Vera springt auf
Sitzen bleiben
ich befehle dir sitzen bleiben
Vera setzt sich wieder
Das sage ich euch
wenn ich wollte ich legte euch um

VERA
Das geht zu weit Rudolf

RUDOLF
Das bestimme ich
was zu weit geht

VERA
Wenn dich jemand hört
blickt zu den Fenstern

RUDOLF
Es hört mich niemand
niemand hört mich
wenn ich Lust hätte
geht zu Clara und setzt ihr die Pistole am Genick an
nach einer Pause
Aber ich habe keine Lust
und die Pistole ist ja auch nicht geladen
beweist es durch einen Handgriff
es ist keine Munition in der Pistole

VERA
Du versündigst dich Rudolf
bitte

RUDOLF
Es kommt immer darauf an
ob man es tut oder nicht tut
es ist keine Charakterfrage
setzt sich hin und legt die Pistole auf den Tisch

VERA
Du bist betrunken Rudolf
zu beiden vorwurfsvoll
Weil ihr meine guten Sachen nicht gegessen habt
nichts habt ihr gegessen
zu Clara
du nicht
zu Rudolf

und du nicht
zu Rudolf über Clara
Wie sie uns haßt
siehst du wie sie uns haßt
Rudolf nimmt das Glas und trinkt es aus
Ich bitte dich Rudolf

RUDOLF
Du hast mir nichts zu verbieten
auch du nicht
niemand
nimmt die Pistole und fuchtelt damit wild herum
Ich gebe euch noch eine Chance
eine Chance gebe ich euch noch
eine Chance
greift sich an die Brust und fällt mit dem Kopf auf die Tischplatte

VERA *ist aufgesprungen und ruft pathetisch*
Mein Gott
sie stürzt zu ihm und fühlt seinen Puls
Er hat einen Anfall Clara einen Anfall
Das Herz Clara das Herz
sie steht auf und geht zu den Fenstern und Türen und stellt die Fünfte von Beethoven da wieder an, wo sie vorher unterbrochen war, und kommt wieder zurück
Was tun
was soll ich tun
sie zieht Rudolf vom Sessel auf den Boden und versucht, ihn von dort auf das Sofa zu ziehen, es gelingt ihr
Rudolf scheint bei Bewußtsein zu sein, kann sich aber nicht mehr verständlich machen, er stöhnt nur
Vera kniet sich vor ihn hin
Rudolf
hörst du mich Rudolf
mein lieber Rudolf
mein herzensguter Rudolf
sie fängt an, ihm die SS-Uniform auszuziehen
Schrecklich wie schrecklich
zu Clara
Was sitzt du da und starrst mich an
wie schrecklich
zieht ihm den Rock aus

Daß es so weit kommen mußte
Ein so schöner Tag
zieht ihm die Schaftstiefel von den Beinen und versucht, ihm die Hose auszuziehen
während sie Clara anblickt
Es ist ein Unglück
ein Unglück
packt die Uniformsachen und rennt damit hinaus und kommt sofort wieder zurück, um auch das Himmlerbild fortzuschaffen. Im Hinausgehen fällt ihr die Pistole ein, die auf dem Tisch liegt, sie geht zum Tisch, nimmt die Pistole und geht hinaus, um sofort wiederzukommen. Sie versucht ihrem Bruder einen Zivilrock anzuziehen. Sie beugt sich auf Rudolf und küßt ihn, dann zu Clara
Du bist schuld
mit deinem Schweigen
du mit deinem ewigen Schweigen
sie geht zum Telefon und ruft den Arzt an
es wird finster
Im Zugehen des Vorhangs
Herrn Doktor Fromm bitte

Ende

Der Weltverbesserer

Für Minetti

Ich bin krank.
Ich leide vom Kopf bis zu den Füßen.

Voltaire

Personen

WELTVERBESSERER
DIE FRAU
REKTOR
DEKAN
PROFESSOR
BÜRGERMEISTER

Im Haus des Weltverbesserers

Erste Szene

Fünf Uhr früh
Der glatzköpfige Weltverbesserer mit einem Hörrohr auf einem hohen Sessel

WELTVERBESSERER *ruft durch die offene Tür hinaus*
Das Ei weich
die Sauce süß
süß die Sauce
streckt beide nackten Beine so weit als möglich aus, während er in einem Buch liest
Feingeschnittene Zwiebel
Meine Zunge ist gänzlich ausgetrocknet
hörst du
Mir ist wieder eine Maus
über das Gesicht gelaufen in der Nacht
Man muß mehr Fallen aufstellen
Kein Gift
schreit
Kein Gift
Unterstehe dich
klappt das Buch zu und schaut umher
Es ist lächerlich
wenn ich schließlich und endlich
doch an der Zugluft sterbe
befiehlt
Fenster zu
Türen zu
Es ist genug gelüftet
draußen werden Türen und Fenster zugemacht
zu sich
Verschiedene Fleischsorten
in süßer Sauce
geriebener Zimt
ein Schuß Sherry
ruft hinaus
Die Kragen stärken
aber nicht so hart
daß sie mir bei jeder Bewegung
in den Hals schneiden

betastet seinen Hals von allen Seiten
Ich bin ganz wund
Ein schrecklicher Zustand
Wir brauchen Schonung
und werden gemartert
schlägt das Buch wieder auf und liest
Was für ein unbeschreiblicher Unsinn
wirft das Buch so weit als möglich weg
sinkt in sich zusammen, dann schreiend
Daß mir kein Tintenfisch mehr
auf den Tisch kommt
zu sich
Diese Stelle war doch sehr komisch
Komisch
schreit
Bring mir doch das Buch
Das Buch
hörst du
das Buch
Die Frau tritt ein, hebt das Buch auf und gibt es ihm
Weltverbesserer ganz leise zu ihr
Ich weiß
ich bin ungerecht
Ich bin ein Scheusal
ich bin unverbesserlich
Ich bin gerührt
tatsächlich ich bin gerührt
tätschelt der Frau auf die Brust
In gewissem Sinne
bin ich ungerecht
in gewissem Sinne
Meine Launen
ich weiß
Die Frau geht hinaus
Weltverbesserer liest im Buch
Wo ist die Stelle
blättert im Buch
Diese Stelle
diese ausgezeichnete Stelle
Da ist sie
liest

Nein
es ist doch nichts
nichts
nichts
wirft das Buch weg und legt die Hände in den Schoß mit gesenktem Kopf
Die Stille
die uns alle krank macht
die krankmachende Stille
schaut um sich
In jedem Detail
ist Krankheit
überall
in allem
Eine Komödie
haben wir geglaubt
aber es ist doch eine Tragödie
Nach und nach
wird in diesen Mauern
eine Tragödie gespielt
neigt den Kopf auf die linke Seite, horcht
Es hat sich angekündigt
Es deutet alles darauf hin
In viele Risse könnte ich ja meine Hand stecken
wenn ich wollte
aber ich will nicht
könnte ich
wenn ich wollte
ruft hinaus
Wann war das Erdbeben
wann war es
zu sich
Eine Zeitlang gelingt es uns
über uns zu herrschen
hebt seinen Kopf so hoch als möglich
dann fallen wir wieder in uns zusammen
ruft hinaus
Wir sollten einen Spaziergang machen
Alles blüht draußen
zu sich
und ich sitze da

eingesperrt
kein Mensch kümmert sich um mich
plötzlich hinausschreiend
Ich erfriere
zappelt mit den Füßen
Ich erfriere wenn du nicht gleich kommst
In der Schatulle ist meine Kette
sinkt in sich zusammen
Heute will ich sie umhängen
Heute ist ein großer Tag
ruft hinaus
Die Kette
gibt mir mehr Würde
schreit
Was ist denn so kompliziert
daß ich solange warten muß
Ich friere
ich erfriere
zappelt mit den Füßen
Die Frau kommt mit einer Fußbadewanne herein, stellt sie am Sessel ab, kniet vor dem Weltverbesserer mit einem Handtuch nieder
Weltverbesserer steckt langsam die Füße ins heiße Wasser
Ah
Eine Gewohnheit natürlich
Eine Machtbefugnis
Wir bitten um tagtägliche gute Behandlung
Wir sehen zu daß alles in Ordnung kommt
und erbitten beste Behandlung
Hast du auch ein frisches Handtuch
Zeig her
Er entreißt der Frau das Handtuch und riecht am Handtuch
Eine Unverschämtheit
Glaubst du ich erkenne meinen Geruch nicht
Ich liebe es nicht
ein Handtuch zweimal zu benützen
wirft das Handtuch weg
Man belügt mich nicht ungestraft
Aufheben
Heb es auf
Die Frau weigert sich

Ich kann warten
Die Frau hebt das Handtuch auf
Und mein Buch
heb das Buch auf
Die Frau hebt auch das Buch auf
Es ist entwürdigend
schon in aller Frühe
das Wort h i n a u s zu verschleudern
Die Frau dreht sich um und geht mit Handtuch und Buch hinaus
Weltverbesserer sinkt in sich zusammen
Alles könnte so schön sein
Ah
ich brauche diese Wärme
von unten herauf
Wir lieben unser Leben
und hassen es gleichzeitig
Weil wir so strebsam sind
kommen wir vorwärts
Jedes Jahr schwierigere Examen
jedes Jahr größere Verständigungsschwierigkeiten
Der Kranke ist überfordert
Die Frau kommt herein mit einem neuen Handtuch
Eine neuerliche Handtuchprobe
erübrigt sich
Die größte Unverschämtheit wäre
mir das alte
als neues auszugeben
so zu tun als handelte es sich um ein neues
während es doch das alte ist
Ich verzichte auf die Probe
Die Frau will ihm die Füße abreiben
Es sind noch keine fünf Minuten
Die Frau schaut auf die Uhr
Exaktheit
ist das Fremdwort
Kein Zeitbezug
schaut auch auf die Uhr
Wir haben darauf zu achten
daß wir die Zeit genau einhalten
wo kämen wir hin

wenn wir uns über die Zeit hinwegsetzten
zählt die Sekunden
zwölf
elf
zehn
neun
acht
sieben
sechs
fünf
vier
drei
zwei
jetzt
Der Weltverbesserer zieht blitzartig die Beine aus dem Wasser
Die Frau trocknet ihm den rechten Fuß ab
Jede Stunde
ist die Stunde der Wahrheit
mein Kind
Welche Mühe es mich gekostet hat
dich diese Tätigkeit zu lehren
Kein Mensch weiß
was mir dieses Abtrocknen bedeutet
entzieht ihr den rechten Fuß, schreit auf
Du tust mir ja weh
sinkt in sich zusammen
Wie weit bist du
mit deinem Dramulett
hast du die Großmutter sterben lassen
nach einer Pause
sterben lassen
Ich weiß eine Ungehörigkeit
der schöpferische Mensch
darf nicht an seine Schöpfung erinnert werden
ist diese Schöpfung noch nicht fertig
Es ist eine Raffinesse
das Drama
nur als ein Dramulett zu bezeichnen
Wir schreiben alle
alle schreiben

Du verstehst doch hoffentlich einen Spaß
Du läßt die Großmutter
das Enkelkind in der verfallenen Ruine suchen
und sie umkommen in der Ruine
Die Großmutter kommt in der Ruine um
auf der Suche nach dem Enkelkind
Und das Enkelkind
das von der Großmutter gesucht worden ist
ist aufeinmal wieder zuhause
Nicht das Enkelkind kommt um
die Großmutter verstehst du
Die Frau trocknet ihm den linken Fuß ab
Oder vielleicht
ein Königsdrama
mit ungewissem Ausgang
wobei es ganz sicher ist
daß der König erdolcht wird
von hinten mein Kind
mit einem langen Messer
von welchem niemand wissen kann
wie es in die Hand des Mörders gekommen ist
Fingerabdrücke auf der Königskrone mein Kind
Ein blutrünstiger Neffe
der sich unter die schottischen Bauern gemischt hat
Oder eine verschlagene Dirne
die dem König den Hintern ausgewischt hat bei Nancy
Die Frau will aufstehen und gehen
Bleib da
versündige dich nicht
Rette deine Seele
Verzeih mir
Nur noch einen Augenblick
das linke Bein
wie mich das kribbelt
Die Frau reibt ihm das linke Bein ab
Zwei ganz kleine Augen
erscheinen in finsterer Nacht
einem ganz kleinen Kind
und auf einmal erkennt das Kind
daß die ganz kleinen ganz lieben Augen
die Lichter einer Lokomotive sind

Ein neues Märchenmotiv
für dich
Du siehst
es mangelt mir nicht an Phantasie
Nur an der Rührseligkeit
ohne die Poesie nicht entstehen kann
Mach dich ans Werk
streckt ihr das rechte Bein hin
Wir dürfen alles
nur nicht die Kontrolle
über uns verlieren
Unsere Vorbilder nicht außer acht lassen
Das Philosophische in uns
nicht ersticken
vorausgesetzt
ein solches Philosophisches
war überhaupt in uns versteckt
Es ist ein Versteckenspiel
in welchem sich die einen früher
die andern später
zu Tode laufen
Die Frau ist aufgestanden und hat ihm Strümpfe angezogen
Eine gelungene Szene
Wenn wir sie zum zehntausendstenmal
gespielt haben
belohnen wir uns
in aller Heimlichkeit natürlich
mit einem Fest
das wir uns geben
Ein Familienfest meine Liebe
ganz allein gefeiert
ohne Anhang
ohne Familie
Die Frau geht hinaus
Weltverbesserer flüstert ihr nach
und ohne uns
zu sich
Die verlogene Ratte
Zwanzig Jahre
hat sie gehofft
daß ich sie heirate

jetzt erhofft sie sich
die Heirat nicht mehr
aber sie geht auch nicht mehr weg
Sie fühlt sich hier zuhause
Auch mit ihrer Häßlichkeit
bin ich fertig geworden
Wir haben uns gegenseitig hineingelegt
plötzlich hinausschreiend
Eine Ungeheuerlichkeit
eine Fürchterlichkeit
hörst du
Die Frau erscheint
Komm her
komm ganz zu mir her
Wir haben heute vergessen
winkt sie ganz nahe an sich heran, flüstert ihr ins Ohr
Wir haben den Schwanz nicht gewaschen
hebt seinen Kopf
Das sollte nicht vorkommen
Die Frau will hinausgehen
Weltverbesserer herrscht sie an
Wenn wir schon
die alltäglichsten Verrichtungen
vergessen
wohin kommen wir
packt sie am Arm
Das Zusammensein
ist eine Vertrauensstellung
Anzeichen von Zerfall
Wir können uns trennen
wenn du magst
Aber dann bin ich vernichtet
Eine Rente ist dir sicher
Aber dann bin ich vernichtet
Eine hohe Abfertigung
Aber dann bin ich vernichtet
Die Frau reißt sich los und geht hinaus
Weltverbesserer schreit ihr nach
Die Kette
die Kette bitte
Heute die Kette

Wenn die hohen Herrschaften kommen
kann ich nicht ohne Kette sein
Wozu habe ich diese Kette
wenn ich sie mir nicht umhänge
im entscheidenden Moment
Es gibt nur zwei solcher Ehrenketten
Die meinige
und die
die der Erzbischof von Paris hat
Die Stadt Frankfurt hat sie mir nicht dazu umgehängt
daß ich sie in der Schublade verschimmeln lasse
zu sich
Wir sollten fortwährend auf der Hut sein
und uns nicht übertölpeln lassen
Wenn wir unseren Nächsten alles durchgehen lassen
verkommen wir in der kürzesten Zeit
Die Frau kommt mit einer großen Kette herein
Weißt du noch
wofür ich diese Kette bekommen habe
von der Stadt Frankfurt
Sag es
auch wenn du es schon hunderttausendmal gesagt hast
Ich will es hören
bitte
bitte sag es
klatscht in die Hände
Ich bitte dich sag es
sag es
sag es
für
für

DIE FRAU *hängt ihm die Kette um*
Für deinen Traktat

WELTVERBESSERER
Natürlich für meinen Traktat
Für welchen Traktat für welchen

DIE FRAU
Für den Traktat
den du der Stadt Frankfurt gewidmet hast

WELTVERBESSERER
Ja ja

aber wie heißt der Traktat
wie heißt er

DIE FRAU

Traktat zur Verbesserung der Welt

WELTVERBESSERER *betastet von oben nach unten die Kette*

Du sagst es
du sagst es mein Kind
Du entschädigst mich dadurch
für so viele Schändlichkeiten
Du weißt
ich verzeihe dir
ich habe dir immer verziehen
Meine Natur verzeiht
ich habe immer allen verziehen
insbesondere dir
Was für ein armer Mensch bin ich
Die Kette ist ja nur eine kleine Entschädigung
nur eine ganz kleine Entschädigung
Die Kette bindet mich natürlich
moralisch
moralisch bin ich an diese Kette gebunden
Das Traurige ist
daß kein Mensch meinen Traktat verstanden hat
kein Mensch hat jemals verstanden
was ich in meinem Traktat sage
Solltest du mir nicht jetzt
noch vor dem Frühstück
aus dem Traktat vorlesen
Etwas aus dem Zentrum
Du weißt was ich meine
bitte
tu mir den Gefallen
plötzlich
Bist du noch heiser
Ich kann nicht wissen
ob du noch heiser bist
Du sprichst so leise und so undeutlich
daß ich gar nicht feststellen kann
ob du noch heiser bist
Hörst du
eine entscheidende Stelle

Die zentrale Stelle
die dem Bürgermeister so gefallen hat
Die auch dem Erzbischof so gefallen hat
die dem ganzen Auditorium so gefallen hat
Komm geh
Die Frau geht hinaus
Wir müssen den Moment ausnützen
wenn der Moment da ist
muß er ausgenützt sein
Wenn wir dazu in der Lage sind
Die Frau kommt mit einem großen Buch herein
Weltverbesserer bedeutet ihr, auf dem Ecksessel Platz zu nehmen, und sie nimmt dort Platz
Beim Umblättern
die Lärmentwicklung vermeiden
du fängst ganz einfach zu lesen an
dein Vortrag soll nichts Künstliches an sich haben
nichts Künstliches
ganz und gar nichts Künstliches
aber er darf auch nicht zu natürlich sein verstehst du
Die Gedanken dürfen nicht zu kurz kommen
Du machst immer wieder den Fehler
daß du da
wo ganz leise zu lesen ist
laut liest
dann liest du wieder laut
wo ganz leise zu lesen ist
Es kann dir natürlich niemand zu Hilfe kommen
Du fängst auf die natürlichste Weise an
Es ist ja kein Kunstwerk einerseits
weil es sich um Philosophie handelt
andererseits ist es das Kunstvollste
Wenn ich es höre
bin ich glücklich
wenn ich es selbst lese
macht es mich verzweifeln
Musik sollte es sein
einerseits
Aber die Musik gibt der Philosophie die Geistesblöße
So wie es ist
gehört es gelesen

vollkommen unmusikalisch einerseits
hochmusikalisch andererseits
Der Erzbischof hat gesagt
daß er keine tiefere Philosophie kenne
Die Würdenträger der Kirche
sind unbestechlich
wenn es um die Beurteilung der philosophischen Materie geht
Und erst wenn es sich durch und durch
um religiöse Philosophie handelt
pathetisch
Wäre die Welt
worunter ich nur die Geisteswelt verstehe
hat der Erzbischof von Paris gesagt
nur imstande Ihren Traktat zu verstehen
sie wäre nicht so traurig
So hat es der Erzbischof von Paris gesagt
mit diesen Worten
In deiner Anwesenheit
Daß ich dich mitgenommen habe in die Paulskirche zu Frankfurt
war eine Kühnheit
In der vordersten Reihe bist du gesessen
neben dem Bürgermeister
ein Vorrecht
das immer nur den Ehefrauen der Ausgezeichneten zusteht
Meine Rede hat Aufsehen gemacht
noch heute sprechen die Leute von dieser Rede
Mein Traktat zur Verbesserung der Welt
ist in achtunddreißig Sprachen übersetzt worden
Selbst ins Hebräische
Eine chinesische Übersetzung ist in Vorbereitung
Alle diese Übersetzer haben sich immer wieder
hilfesuchend an mich gewandt
aber ich habe ihnen allen nicht helfen können
Einem Übersetzer kann nicht geholfen werden
der Übersetzer muß seinen Weg allein gehen
Sie haben meinen Traktat entstellt
total entstellt
Die Übersetzer entstellen die Originale
Das Übersetzte kommt immer nur als Verunstaltung auf den Markt
Es ist der Dilettantismus
und der Schmutz des Übersetzers

der eine Übersetzung so widerwärtig macht
Das Übersetzte ist immer ekelerregend
Aber es hat mir eine Menge Geld eingebracht
schaut um sich
Wir könnten hier nicht so leben
wie wir leben
Wir wären nicht in dieser Umgebung
Wir hätten diesen Reichtum nicht
Der Inhalt meines Traktats
wird wohl oder übel
mein Geheimnis bleiben
flüstert
Die Welt verdient meinen Traktat nicht
Vielleicht solltest du mir heute
doch nichts aus meinem Traktat vorlesen
allzuleicht komme ich in die Unpäßlichkeit hinein
Plötzlich habe ich die Lust daran verloren
Wahrscheinlich bist du auch gar nicht in Form
Es wäre schrecklich
eine Stimme hören zu müssen
die meinen Traktat lächerlich macht
Wenn du mir in dieser Verfassung vorliest
machst du meinen Traktat lächerlich
Ich bin nicht mehr empfänglich
Ich habe plötzlich so ein Ohrensausen
es saust schon wieder in meinen Ohren
herrscht die Frau an
Was sitzt du da
und tust nichts
schreit
Untätige
Die Frau springt auf und klappt den Traktat zu
Das Ei weich
die Sauce süß
süß die Sauce
winkt sie weg
hinaus
Die Frau geht hinaus
Weltverbesserer betastet die Kette von oben bis unten
Und heute abend
sind wir schon Ehrendoktor

Zweite Szene

Eine Stunde später

WELTVERBESSERER *hat eine große Serviette umgebunden, nachdem er ein Ei ausgelöffelt und ein Stück Brot gegessen hat, ein volles Tablett vor sich*
Mich ekelt
Ich kann nichts mehr essen
Diese phantasielosen Frühstücke langweilen mich
Immer das gleiche
Nun nimm es doch schon weg
weg weg
Die Frau nimmt das Tablett von ihm weg
Was stehst du da
Was wartest du
Es ist immer das gleiche
Diese Eintönigkeit
mit der ich tagtäglich fertig zu werden habe
Mein Kopf erstickt in dieser Eintönigkeit
Worauf wartest du
Soll ich dir zum wiederholtenmal sagen
daß das Ei viel zu weich war
entweder ist es zu weich
oder es ist zu hart
Wie abgemagert ich bin
Ich darf nicht mehr abnehmen
hat der Arzt gesagt
Ich muß zunehmen
aber diese Kost ist ja nicht zum Essen
Die Frau geht mit dem Tablett hinaus
Zu Mittag ein Omlett
vielleicht ist das die Rettung
Oder ein weiches Steak
englische Art
ruft hinaus
Englische Art
ein Steak
zu sich
Einerseits messen wir der Küche
viel zuviel Bedeutung bei

andererseits
Die Köche haben uns in der Hand
vielleicht Nudeln
Aber es ist ein Festtag
Der Ehrendoktortag
Nudeln am Ehrendoktortag
Wir haben immer
einen verdorbenen Magen
alles verdirbt uns den Magen
Ist es nicht die Küche
ist es die Philosophie
oder die Sozialfürsorge
ruft hinaus
Generell habe ich nichts
gegen Nudeln
zu sich
In der Schweiz habe ich mir das letztemal
den Magen verdorben
Ich will nicht mehr in die Schweiz
ich habe nichts zu suchen in der Schweiz
ich bin von der Schweiz immer enttäuscht gewesen
ruft hinaus
Ich fahre nicht in die Schweiz
Ich lehne die Einladung ab
zu sich
Ich habe mich am Genfersee immer gelangweilt
Montreux ist ein kaltes Loch
in welchem sich jeder dritte den Tod holt
In der Schweiz fühle ich mich immer
wie in die Falle gelockt
Mir ist die Schweiz widerwärtig
ruft hinaus
Nudeln
oder ein geschnetzeltes Huhn
aber ein Bauernhuhn
das heute früh noch gegackert hat
zu sich
Sie ist hinterhältig
schwachsinnig und hinterhältig
ruft hinaus
Wir machen keine Umstände wenn die Herren kommen

Die Frau kommt mit einem Rosenstrauß herein
Was ist denn das
Wozu das
Woher sind die Rosen

DIE FRAU
Der Kanzler hat sie dir geschickt

WELTVERBESSERER
Der Kanzler
Wieso
Ich vertrage Rosen nicht
ich vertrage den Rosengeruch nicht
Wer hat die Rosen abgegeben

DIE FRAU
Vom Kanzleramt

WELTVERBESSERER
Zeig die Karte
Die Frau gibt ihm die Karte
Weltverbesserer liest die Karte und gibt sie ihr wieder zurück
Ich hasse Blumen
auch Kanzlerblumen
Die Frau wässert die Rosen ein
Ich werde zu den Herren sagen
sehen Sie hier meine Herren diese Rosen
vom Kanzler
Was sagst du dazu
Wir dürfen nicht vergessen
diese Leute halten sich nur die kürzeste Zeit
Wenn sie sich festgesetzt haben
und wenn sie sich am sichersten fühlen
sind sie auch schon
unter den Tisch gefallen
Ein Kanzler hat noch kein wahres Wort gesagt
Die Geschichte verdaut alle diese Leute
Die größten Ungeheuer
die größten Scheußlichkeiten
hat die Geschichte schon verdaut
Die Geschichte hat einen guten Magen
flüstert
Vielleicht doch Nudeln
Mit ein klein wenig Schinken
zerschnetzelt

was meinst du
Ich darf mich nicht überanstrengen
Manchmal glaube ich
ich bekomme keine Luft
Aber dann ist es wie weggeflogen

DIE FRAU
Was bieten wir den Herren an

WELTVERBESSERER
Hast du etwas gesagt
Was hast du gesagt

DIE FRAU
Was sollen wir den Herren anbieten

WELTVERBESSERER
Ich verstehe nicht
du mußt lauter sprechen
Gib mir mein Hörrohr
Die Frau geht hinaus und kommt mit seinem Hörrohr herein
Weltverbesserer nimmt das Hörrohr
Ich höre

DIE FRAU
Was sollen wir den Herren anbieten
wenn sie kommen

WELTVERBESSERER
Das Übliche natürlich
Wir dürfen uns keine Blöße geben
Ach wenn ich mich nur auf dich verlassen könnte
Sind meine Kleider gebürstet
Ist mein Rock zuverlässig
Zuerst waren mir die Kleider zu eng
jetzt sind sie mir zu weit
Ich bin entsetzlich abgemagert
Hörst du
wenn ich das Ehrendoktorat habe
fahren wir weg
weit weg
komm her
komm
winkt sie heran
weit weg
küßt sie auf die Wange

Du hast eine Reise verdient
das ganze Jahr
mit einem Wüstling
mit einem Ungeheuer
mit einem Berserker
Nun gut
wenn ich nur wüßte wohin
hast du eine Vorstellung wo wir hinfahren
könnten
Wenn wir nicht schon überall gewesen wären
plötzlich laut schreiend
Aber nicht in die Schweiz
Ich kann keine Berge mehr sehen
Und das Meer langweilt mich
Keine Großstadt
Nicht auf das Land
Hast du einen Herzenswunsch mein Liebes
einen Herzenswunsch einen Herzenswunsch
Ich weiß du willst nach Interlaken
Nein
nicht nach Interlaken
Wir werden nachdenken
wir werden darüber nachdenken
Die Schweiz hat sich an mir versündigt
Die Schweiz ist schuld
daß ich nicht mehr gehen kann
Und wie ich gelaufen bin früher
hinauf
und hinunter
ganz gleich
mit der größten Geschwindigkeit
Jetzt sitze ich hier fest
und bin auf die Gutmütigkeit meiner Umwelt angewiesen
auf die Gutherzigkeit meiner Mitmenschen
Wir hätten nicht in die Schweiz fahren sollen
Könntest du dir vorstellen
daß wir nach Grönland reisen
und dort ein paar Wochen verbringen
nur in Gesellschaft von Seehunden
ganz allein mit Seehunden
menschenlos

Wir werden nachdenken
Oder nach Ägypten
Wünschtest du nicht schon immer
die Pyramiden zu sehn
die Cheopspyramide mein Kind
Das Altertum
Oder genügt es auf zwei Tage nach London zu fahren
und auf den Tower zu steigen
und wieder heimzufahren
Das hat mich schon immer an den Rand der Verzweiflung gebracht
wenn ich habe nachdenken müssen
wohin in den Ferien
Und da zu bleiben wo man ist
macht einen auch verrückt
Wir werden nachdenken
Der Ehrendoktor verdient naturgemäß
eine Reise
Und du verdienst sie auch
eine schöne Reise
eine sehr schöne Reise
plötzlich
Die Leute die gehen können
wissen gar nicht wie es ist
jahrelang in einem Sessel sitzen zu müssen
was es mich kostet
von diesem Sessel aufzustehn
sucht etwas, aber es ist nicht da
Wo sind denn meine Krücken
Wo sind denn die Krücken
Ich habe die Krückenprobe noch nicht gemacht
Ich habe die Krückenprobe heute noch nicht gemacht
Die Frau stürzt hinaus und kommt mit zwei Krücken wieder herein
Man kann aus der Übung kommen mein Kind
und man kann nicht einmal mehr mit Krücken gehn
Die Frau hilft ihm vom Sessel auf und der Weltverbesserer stützt sich auf die Krücken
Ich glaube nicht
daß es gehen wird
ich glaube nicht

versucht zu gehen, die Frau stützt ihn
Du mußt mich mehr unter dem linken Arm stützen
als unter dem rechten
versucht drei Schritte zu gehen, geht aber nur zwei
Wenn wir nachgeben
sind wir erledigt
wenn wir aufgeben
sind wir tot
Ich bin ein Gespenst
findest du nicht
daß ich ein Gespenst bin
Aber ich gebe nicht auf
niemals
will wieder auf den Sessel zurück, stößt die Frau beiseite
Die Ungeschicklichkeit
macht mich wahnsinnig
setzt sich mühselig wieder auf den Sessel und wirft der Frau die Krückstöcke hin
Daß du immer versagst
Immer ist es das gleiche
Ich habe keine Stütze an dir
Du haßt mich
Ich weiß daß du mich haßt
Was stehst du da und starrst mich an
Die Frau geht mit den Krücken hinaus
Was tun wir nicht alles
um überleben zu können
Die Unfähigkeit umgibt uns
Die Unfähigkeit und der Haß
ruft hinaus
Warum muß sich alles immer wieder
in Komplikationen erschöpfen
Komm herein
komm her
Es war ja nicht so gemeint
Ich wollte dich nicht kränken
komm her
Warum kommst du nicht
Die Frau kommt herein
Ich bin ja kein Menschenfresser
Nudeln

Nudeln vielleicht
Wir müssen ja nicht immer so teuer essen
wir essen viel zu teuer
wo soviel Armut in der Welt ist
muß nicht so teuer gegessen werden
Nudeln
oder Grieß
Grieß
oder Nudeln
komm her
komm doch
Die Frau geht zu ihm hin
Der Erzbischof hat gesagt
ich sei ein Genie
und die Frankfurter Allgemeine Zeitung hat geschrieben
ich sei epochemachend
epochemachend hörst du
epochemachend
Natürlich sagt das gar nichts
epochemachend hörst du
Möglicherweise ist meine Lähmung
die Urheberin meines Genies
möglicherweise
Dann verdanke ich der Schweiz meinen Traktat
Mein Liebes
Wenn meine Mutter sehen könnte
was aus mir geworden ist
Eine schmutzige Welt
durch die wir durch müssen mein Liebes
drückt ihr die Hand
Und jetzt bring mir den Spiegel
Die Frau geht und holt einen Spiegel
Weltverbesserer schaut in den Spiegel
Du müßtest dich schämen
mit einem solchen Mann
wenn er nicht so durchgeistigt
und so berühmt wäre
gibt ihr den Spiegel zurück
Ich will die Perücke aufsetzen
Bring mir die Perücke
Die Frau holt eine Perücke

Weltverbesserer, wie die Frau mit der Perücke unter der Tür ist
Das Schweizer Medikament ist schuld
daß mir die Haare ausgefallen sind
ich hätte möglicherweise den Prozeß
gegen den Konzern gewonnen
aber du weißt wie lang Prozesse dieser Art dauern
Noch nicht die Perücke
noch nicht
sie klebt mir wie Blei auf dem Kopf
Die Frau geht mit der Perücke hinaus
Weltverbesserer ruft ihr nach
Bring sie her
bring die Perücke her
Die Frau kommt mit der Perücke wieder herein
Gib sie her
Die Frau gibt ihm die Perücke
Ich habe meine Haare verloren
aber meinen Verstand zurückgewonnen
mein Genie
komm her mein Liebes
Wir könnten natürlich nach Interlaken fahren
Nein
nicht nach Interlaken
betrachtet die Perücke in seinen Händen
Wer weiß
wessen Haare ich auf dem Kopf trage
Wie gut daß ich das nicht weiß
Aber ohne Haare bin ich unansehnlich
Nur dir gefällt das
nicht wahr
du findest Gefallen daran
dir gefalle ich ohne Haare
im Bett
du hast es dir angewöhnt
mit dieser Glatze ins Bett zu gehn
du spielst mit dieser Glatze
zuerst spielst du mit der Glatze
zuerst immer mit der Glatze
Der Schein muß gewahrt sein
Habe ich dir jemals die Heirat versprochen

Niemals
Es ist nicht notwendig wie du siehst
Die Ehe ist kein Heilmittel
Alle sind mit der Hölle verheiratet
Findest du nicht
daß ich ein Stück aus meinem Traktat vorlesen soll
wenn die Herrschaften da sind
Du bringst mir den Traktat
und ich lese ein Stück aus dem Traktat vor
Eine unheimliche Stelle
etwas ganz und gar Unheimliches
plötzlich
Ich weiß du haßt mich
zuerst hast du mich geliebt
dann hast du spekuliert
dann hast du resigniert
jetzt haßt du mich
Du schleichst immer wie um einen Leichnam
um mich herum
Du kannst lange warten
Da müßte schon ein Verbrechen geschehn
zuzutrauen ist es dir
ich weiß auch welche Verbrechensart
Du bist zu einem intelligenten Verbrechen imstande
Aber es nützt dir nichts
Du mußt mich aushalten
Du wirst mir Nudeln machen lassen
mit ganz fein geschnetzeltem Schinken
ganz frischem feingeschnetzeltem Schinken
es soll mir auf der Zunge zergehn
Die Frau dreht sich um und geht
Weltverbesserer ruft ihr nach
Schade um die Energien
die sich in Gemüsen und Eierteigwaren erschöpfen
zu sich
Vielleicht nach Katalonien
Jede Reise ist eine Marter für mich
Die Last die ich auf mich nehme
Ein Platz in der Sonne vielleicht
aber ich hasse die Sonne
Ein Platz im Schatten

aber ich hasse den Schatten
Dann befällt mich die Monotonie
dann bekomme ich diese Magenschmerzen am Meer
Die Großstädte sind mir verhaßt
auf dem Land langweile ich mich zu Tode
Bin ich in Paris
träume ich von London
bin ich in London
wäre ich gern in Sizilien
Dazu kommt meine Hörschwäche
ganz zu schweigen von meiner Augenschwäche
schaut zum Fenster hinaus
Die Tage werden kürzer und kürzer
Die Pupille schmerzt mich
jetzt schon ab vier Uhr
ruft hinaus
Was ziehe ich denn an
Hörst du was ziehe ich an
Ich kann ja nicht immer denselben Anzug anziehen
Die Frau kommt mit einem schwarzen Anzug herein
Schon wieder derselbe Anzug
Ich gehe ja auf kein Begräbnis
Habe ich denn keinen festlichen Anzug
keinen schwarzen
einen festlichen Anzug
ein Festanzug muß doch nicht schwarz sein
Ich kann den Anzug nicht mehr sehn
Die Frau geht mit dem Anzug hinaus
Ein freundliches Kleidungsstück
festlich und freundlich
ruft hinaus
ein freundliches und festliches Kleidungsstück
Ich habe doch noch von früher
freundliche Kleider
zu sich
unweigerlich kommt sie
will ich mich festlich kleiden
mit diesem Begräbnisanzug herein
ruft hinaus
Den Anzug
den ich in Trier getragen habe

in Trier
hörst du
in Trier
zu sich
Die Vorbereitung allein
erfordert schon alle Kräfte
auf dem Höhepunkt des Ereignisses
bin ich vollkommen geschwächt
Aber ich darf mich nicht selbst verrückt machen
Kopf hoch
hoch den Kopf
ruft hinaus
Den Anzug den ich in Trier angehabt habe
Die Frau kommt mit einem schwarzgestreiften Anzug herein
Den ich in Trier angehabt habe

DIE FRAU
Den hast du in Trier angehabt

WELTVERBESSERER
Den habe ich in Trier angehabt
den habe ich nicht in Trier angehabt
nicht in Trier
den nicht
den nicht in Trier

DIE FRAU
Natürlich hast du den in Trier angehabt

WELTVERBESSERER
In Trier
in Trier angehabt
vielleicht hast du recht
vielleicht habe ich ihn in Trier angehabt
bist du dir sicher

DIE FRAU
Sicher
den hast du in Trier angehabt

WELTVERBESSERER
In Trier
wo wir den Zug versäumt haben

DIE FRAU
Da hast du ihn angehabt

WELTVERBESSERER
Daß ich mich nicht mehr erinnere

daß ich ihn in Trier angehabt habe
glaubst du
daß er mir paßt

DIE FRAU
Er paßt dir bestimmt

WELTVERBESSERER
Mit Sicherheit

DIE FRAU
Sicher paßt er dir
hält den Anzug in die Höhe

WELTVERBESSERER *fährt mit dem Hörrohr in den Anzug hinein*
Ich kann mich nicht erinnern
daß ich den Anzug in Trier angehabt habe
Keine schöne Erinnerung
an Trier

DIE FRAU
Du hast dich gekränkt

WELTVERBESSERER
Die Leute haben meinen Vortrag nicht verdient
Man geht nicht ungestraft nach Trier
man geht nach Trier und macht sich lächerlich
Habe ich denn keinen anderen Anzug
für diese Gelegenheit
fährt noch einmal mit dem Hörrohr in den Anzug

DIE FRAU
Warum willst du den Anzug nicht anziehn
zieh ihn doch an
Was schert es dich
daß du ihn in Trier angehabt hast
Was schert es dich
ein so schöner Anzug
nur weil du ihn in Trier angehabt hast
soll er nicht mehr gut genug sein

WELTVERBESSERER
In Trier ist die Intelligenz
nicht zuhause

DIE FRAU
Ein so schöner Anzug

WELTVERBESSERER
Wenn die Schneider nicht so unverschämt wären
Die Schneider sind unverschämt

und infam
Ich habe die Infamie der Schneider kennengelernt

DIE FRAU
Ziehst du den Anzug an
oder nicht

WELTVERBESSERER
In Trier habe ich ihn getragen
du hast recht
das ist mein Trieranzug
Aber was schert es mich
daß ich ihn in Trier getragen habe
wo sie mich lächerlich gemacht haben

DIE FRAU *mit hoch erhobenem Anzug*
Es ist acht Jahre her
daß wir in Trier gewesen sind

WELTVERBESSERER
Die Zeit ist nicht spurlos
vorübergegangen
acht Jahre sind eine unverschämte Zeit
für viele ist sie tödlich gewesen
Ich sollte wenigstens in den Rock hineinschlüpfen
Die Frau legt den Anzug über einen Sessel und hilft ihm in den Rock
Weltverbesserer schlüpft in den Rock
Aber das ist doch unsinnig
wenn ich nicht stehe
wenn ich sitze
ist das unsinnig
Die Frau hilft ihm auf und er steht tatsächlich
Den Spiegel
Die Frau holt den Spiegel und er schaut hinein
Nicht elegant genug
ich finde er ist nicht elegant genug

DIE FRAU
Ich finde ihn sehr elegant

WELTVERBESSERER
Findest du
findest du
du findest es
Ich finde es nicht
läßt sich wieder auf den Sessel helfen, kaum sitzt er, sagt er

Die Komödie
muß ein Ende haben
Ich werde den Anzug anziehen
Glaubst du die Herren wissen
daß ich den Anzug in Trier angehabt habe

DIE FRAU
Das glaube ich nicht

WELTVERBESSERER
Daß ich sie möglicherweise
unglücklicherweise
an meine Schlappe in Trier erinnere
wenn ich diesen Anzug anhabe

DIE FRAU
Kein Mensch weiß mehr
welchen Anzug du in Trier angehabt hast

WELTVERBESSERER
Ich möchte nicht an Trier
erinnert sein
aber jetzt bin ich es schon
zieht den Rock wieder aus, die Frau hilft ihm dabei
Im Grunde ist es vollkommen gleichgültig
was wir anhaben
wenn wir nur etwas im Kopf haben
wie der Rock ausgezogen ist
Er muß natürlich gebügelt werden
gebügelt und ausgebürstet
Die Frau nimmt den Rock und die Hose und geht hinaus
Wer Rücksicht nimmt
bereut es
Wir haben keine Rücksicht zu nehmen
Wo wären wir hingekommen
wenn wir jemals Rücksicht genommen hätten
Die Frau kommt mit einem Paar Lackschuhe herein
Zieh sie mir vorsichtig an bitte
Ich habe noch die lädierte Zehe
Wann kommen die Herren

DIE FRAU *zieht ihm den rechten Schuh an*
Um elf Uhr

WELTVERBESSERER
Alle bedeutenden Ehrungen
finden um elf Uhr statt

Wenn der Prophet nicht zum Berge geht
kommt der Berg zum Propheten
Das ist noch nie dagewesen
daß ein Ehrendoktor
nicht in der Universität
verliehen worden ist
Das war noch nie da
daß der Rektor ins Haus kommt
und mit dem Rektor
der Bürgermeister der Stadt
Das ist eine ganz und gar ungewöhnliche Auszeichnung
schaut zur Frau hinunter
Womit haben wir das verdient
Daß sie in mein Haus kommen
und mir das Ehrendoktordiplom
in meinem Hause überreichen
betastet die Kette von oben bis unten
Zur Ehrenkette
den Ehrendoktor
was sagst du
Die Frau schaut zu ihm hinauf, während sie den rechten Schuh zubindet
Nicht im Traum habe ich jemals
daran gedacht
Obwohl es schon lange Zeit
in der Luft gewesen war
Vieles deutete darauf hin
Aber ich dachte nicht
daß der Zeitpunkt
so früh eintreten werde
Die Frau zieht ihm den linken Schuh an und bindet ihn zu
Dabei hatte ich
wie ich noch klein gewesen war
daran gedacht
Müller zu werden
Müller verstehst du
weil mich Mehl fasziniert hat
Mehl
Eine Mühle im Wald verstehst du
Bachgerinnsel
Aber ich hatte schon immer

einen eigensinnigen Kopf
und eine fixe Idee
selbstanerzogene Härte naturgemäß
schreit auf und schlägt mit dem Fuß aus
Du zerdrückst mir ja die Knochen
Zeitlebens habe ich den Dilettantismus verabscheut
Die Frau ist aufgesprungen und zurückgetreten
Weltverbesserer krümmt sich
Immer diese Stelle
nach einer Pause
Ich werde sie hereinbitten
und sie mir gegenüber Platz nehmen lassen
zeigt, wo
Da vor mir
vor den Fenstern
daß ich alles gut überblicken kann
So habe ich den idealen Lichteinfluß
Du bittest sie
dort siehst du dort Platz zu nehmen
wie es sich gehört
nachdem ich sie begrüßt habe
den Rektor zuerst
dann den Bürgermeister
oder den Rektor zuerst
und dann den Dekan
und den Subdekan
oder zuerst den Bürgermeister
zeigt hin
Da nimmt der Rektor Platz
Da der Dekan
da der Subdekan
da der Bürgermeister
Eine kleine intime Zeremonie
Ein Staatsakt meine Liebe
Die Frau will hinausgehen
Weltverbesserer winkt sie zurück
Ich werde eine kleine Rede halten
etwas Philosophisches zum besten geben natürlich
eine kleine Sentenz
Aber ich werde es kurz machen
Dadurch bleibt was ich sagen will

naturgemäß an der Oberfläche
zeigt hin
Da sitzt der Rektor
da der Bürgermeister
Wenn sie Platz genommen haben
werde ich den Versuch machen aufzustehn
zu ihnen hinzugehn
den Versuch machen
den Versuch verstehst du
nur den Versuch
dann lasse ich mich wieder zurückfallen in den Sessel
Der Leidende ist nicht zur absoluten Korrektheit verpflichtet
Dann höre ich
was gesagt wird
dann hören sie
was ich sage
komm her mein Kind
Die Frau tritt an ihn heran
Weltverbesserer packt sie am Arm und zieht sie an sich
Meine Lebensgefährtin
mein notwendiges Übel
setzt sich die Perücke auf, drückt sie fest auf den Kopf
mein Höllenkind

Dritte Szene

Eine Stunde später
WELTVERBESSERER *ruft hinaus*
Wo bist du
Bist du nicht da
zu sich
Wahrscheinlich
probiert sie die Kleider aus
ruft
Wo bist du
zu sich
Wenn man sie nicht beschäftigt

probieren sie Kleider
naschen Süßigkeiten
ruft
Wo bist du denn
zu sich
Es könnte ja sein
daß ich sie brauche
dann ist sie nicht da
zieht ein großes Taschentuch aus der Hosentasche und schneuzt sich
Oder ein Kotelett
Ein Saftkotelett
ruft hinaus
Wo bist du denn
Ist denn niemand da
Ist überhaupt niemand da
zu sich
Mein Gott was wäre wenn
steckt das Taschentuch ein, ruft hinaus
Hörst du mich nicht
Die Frau kommt herein
Ich schreie die ganze Zeit
und du kommst nicht
Was ist so wichtig
Es könnte ja sein
ich werde ohnmächtig
bewußtlos
und dann kommt niemand herein
Lauter überflüssige Tätigkeiten
die keinerlei Sinn haben
lauter unsinnige Prozeduren
Du hast Kleider probiert
herrscht sie an
du mußt es zugeben
es ist dir alles zuzutrauen
Ein Komplott gegen mich
oder
Ich warne dich
Ich habe Beweise
Eine Unmenge Beweise
Die Frau geht zum Fenster und macht es auf

Vogelgezwitscher kommt herein
Weltverbesserer wütend
Mach das Fenster zu
mach das Fenster zu
du weißt
ich vertrage kein Vogelgezwitscher
Alles
nur kein Vogelgezwitscher
Nichts von draußen
Mein Kopf verträgt keine Belästigung
Nur Ruhe Ruhe Ruhe verstehst du
absolute Ruhe
Die Frau macht das Fenster zu
Ich wäre längst verrückt
bei offenen Fenstern
Ich hasse die Natur
ich hasse frische Luft
ich hasse was von draußen hereinkommt
Wir hätten längst umziehen sollen
Ein fürchterliches Gebäude
ein Grabmal
eine kostspielige Gruft
Und lauter Schädlinge um mich
Wohin ich schaue
sehe ich nichts als Schädlinge
Ich hasse die Natur
ich habe die Natur immer gehaßt
Mir ist das Künstliche näher
das soll nicht heißen
daß ich ein Anhänger der Kunst bin
auch die Kunst ist mir verhaßt
Meine Ohren sausen
Mein Magen drückt mich
Meine Pupillen schmerzen
Du weißt
wie mich alles blendet
was von außen kommt
wie kann ich es dir nur erklären
steckt beide Zeigefinger in seine Ohren
Sausen
sausen

sausen
Gib mir das Hörrohr
Die Frau gibt ihm das Hörrohr
Weltverbesserer setzt das Hörrohr an
Sprich mir nach
laut deutlich
Willig wie Wildgänse
sprich nach
sprich nach
willig wie Wildgänse

DIE FRAU *spricht nach*
Willig wie Wildgänse

WELTVERBESSERER *setzt das Hörrohr ab*
Ich höre beinahe nichts
Jetzt höre ich schon ab neun Uhr nichts
beinahe nichts
schon um acht läßt auch das Gehör nach
um halb neun höre ich beinahe nichts
gibt ihr das Hörrohr
Ich brauche es nicht
Ich höre auch mit Hörrohr nichts
Was werde ich tun
wenn ich überhaupt nichts mehr höre
Mein Vater hat schon mit fünfundvierzig
nichts mehr gehört
Ich höre mit achtundsechzig
beinahe nichts
Es ist die Frage
was tragischer ist
nichts mehr zu hören
oder nichts mehr zu sehen
Wahrscheinlich
ist nichts mehr hören besser
Das fragen sie sich ja alle
was tragischer ist
Wir müssen sehen
was um uns vorgeht
alles sehen
Wir müssen nicht alles hören
reißt sich die Perücke vom Kopf
Rasch einen Umschlag

kalt
sehr kalt verstehst du
und schnell
schnell
treibt sie mit dem rechten Fuß an
zu sich
Voltaire habe ich gesagt
aber sie hatten nicht verstanden
was ich meinte
Montaigne habe ich gesagt
Schleiermacher
Einer hat gelacht
ein zweiter hat gelacht
dann lachten alle
der ganze Saal hat gelacht
Da habe ich Schluß gemacht
Nie wieder Trier
nie wieder an die Mosel
Nur einmal begeht ein Mensch wie ich
diesen Verrat
Die Frau kommt mit einem kalten Umschlag herein
Ganz leicht auflegen
ganz leicht
Die Frau legt ihm den Umschlag auf
Wie hieß deine Großmutter mütterlicherseits
wie hieß ihr Vater
was war ihr Onkel
Ich bringe alles durcheinander
Ich weiß warum ich mich niemals
mit meiner Familie beschäftige
Die Familienarchäologie habe ich immer gehaßt
Einer deiner Onkel war Müller
nicht wahr
Ein Onkel väterlicherseits von mir
war im Zuchthaus
habe ich dir das schon einmal gesagt
Ich habe nichts zu verschweigen
die Leute verschweigen und verdrängen
ich verdränge und verschweige nicht
jetzt ist es besser
Ein klarer Kopf ist alles

eine gute Verdauung
und ein klarer Kopf
Das Alter ist voller Schwierigkeiten
sucht ihre Hand
Gib mir die Hand
gib mir die Hand
Die Frau gibt ihm die andere Hand
Es ist widerwärtig
sich produzieren zu müssen
Aber wir brauchen das Echo
sonst verhungern wir
Diese Schande in Trier
Hast du dich nicht geschämt
Ich weiß daß du dich geschämt hast
zutiefst geschämt
Hast du dich nicht geschämt
Die Frau nickt
Aber heute bist du stolz auf mich
Die Frau nickt
Trier war mir eine Lehre
Du warst tapfer
du hast zu mir gehalten
Willst du nach Interlaken
Eine Stimme in mir sagt
ja
eine andere sagt nein
ja die eine
ja nach Interlaken die eine
nein nicht nach Interlaken die andere
Ich hasse nichts so wie die Schweiz
und ich hasse nichts so wie die Natur
Laß uns nachdenken
vielleicht gibt es einen anderen Ort
wo wir ein paar glückliche Tage verbringen können
Darf es denn nicht im Norden sein
Was hast du gegen den Norden
Immer willst du in den Süden
Das ist eine sentimentale Schwäche
Im hohen Norden wird der Kopf klar
im Süden wird alles schwach und verderbt
Es ist eine perverse Gewohnheit

in den Süden zu fahren
die Geschichte aufzusuchen
die Kultur auszugraben
ich habe die sogenannten Bildungsreisen immer gehaßt
Ich hasse Museen
der ganze Süden
ist ein einziges Museum
Rom was für eine Abscheulichkeit mein Kind
Sizilien ein Trugschluß
Athen ein Alptraum
Von Säule zu Säule
von Grab zu Grab
von Kirche zu Kirche
von Madonna zu Madonna
Ich habe es immer gehaßt
Aber Interlaken hasse ich noch mehr
Schlag dir Interlaken aus dem Kopf
reißt sich den Umschlag herunter
Es kühlt den Kopf nicht mehr

DIE FRAU
Willst du noch einen

WELTVERBESSERER
Einen was

DIE FRAU
Einen frischen Umschlag

WELTVERBESSERER
Nein
natürlich nicht
Die Frau geht mit dem Umschlag hinaus
Wenn wir den Ärzten
auf die Schliche gekommen sind
ist es zu spät
Jede Krankheit
ist eine unheilbare Krankheit
ruft hinaus
Hast du vergessen
hörst du
hast du vergessen
bring die Karten mit
betastet die Kette von oben bis unten, schaut auf seine Füße zu sich

Meine Hände zittern
meine Füße zittern
Die Frau kommt mit einem Spiel Karten herein und mischt
Setz dich zu mir
Die Frau nimmt sich einen Sessel und setzt sich vor den Weltverbesserer
Es beruhigt mich
wie nichts sonst
Die Frau gibt ihm drei Karten und nimmt selbst drei
Zwanzig Jahre
spielen wir dieses Spiel
es ekelt mich davor
aber ich will es spielen
Mit dir
weil es mich mit niemandem
so sehr ekelt
wirft die Karten in ihren Schoß
Ich verliere
Ich verliere immer
ich kann nicht gewinnen
Die Frau gibt ihm noch einmal drei Karten und nimmt selbst drei
Manchmal s c h e i n t es
ich gewinne
wirft der Frau die Karten ins Gesicht
aber ich verliere natürlich
herrscht sie an
Ich will nicht spielen
jetzt nicht
Die Frau hebt die Karten vom Boden auf und geht mit dem ganzen Kartenspiel wieder hinaus
Weltverbesserer zu sich
Wir treiben
alles auf die Spitze
rücksichtslos
schaut der Frau nach
wir wollen diejenigen
die uns peinigen
vernichten
aber wir vernichten sie nicht sofort
wir machen einen langwierigen Prozeß

aus diesem Vernichtungswillen
Es gehört sich nicht
es schickt sich nicht
Aber wir zwingen ja niemanden
bei uns zu bleiben
Die Leute ketten sich an uns
sie ketten sich an uns
und deshalb peinigen wir sie
sie trachten danach
uns zu vernichten
wir sind ihr Opfer
Wir stellen eine Falle
und locken unser Opfer hinein
und bezeichnen diesen Vorgang als Vergnügen
Aber wer sagt daß nicht wir
den kürzeren ziehen
Die Frau kommt mit einem Strickzeug herein und setzt sich ans Fenster
Das beruhigt mich vielleicht
möglich
Aber du sitzt zu nahe am Fenster
viel zu nahe
Die Frau steht auf und rückt den Sessel ein Stück vom Fenster weg und setzt sich wieder
Nicht dahin
zeigt, wohin
dorthin
Setz dich dorthin
Mich stört wo du sitzt
setz dich dorthin
Die Frau steht auf und nimmt den Sessel und stellt ihn noch ein Stück weiter vom Fenster weg ab
Der Lichteinfall ist es
Eine Kleinigkeit für dich
mir hilft es
ungemein
nach einer Pause
Warum beruhigt Stricken so
nichts beruhigt so wie Stricken
Vielleicht schreibe ich einen Traktat
über die Beruhigung beim Stricken

Dich beruhigt es doch auch nicht wahr
Die Frau nickt
Beruhigt es dich
ich frage dich ob es dich beruhigt

DIE FRAU
Ja

WELTVERBESSERER
Oft ist es so
daß eine Tätigkeit den einen beruhigt
aber den anderen nicht
Ich schaue dir gern zu wenn du strickst
Wie es mich beruhigt
plötzlich
Aber wir halten es naturgemäß
in dieser Ruhe nicht lange aus
plötzlich peinigt uns diese Ruhe
Wir können sie nicht mehr aushalten
Die Frau steht auf und geht mit dem Strickzeug hinaus
Weltverbesserer ruft ihr nach
So war es doch nicht gemeint
Nur eine Feststellung
Die Erkenntnis daß wir Ruhe
nicht lange aushalten
daß uns große Ruhe in kurzer Zeit verrückt macht
Ruhe über lange Zeit macht uns wahnsinnig
Zuerst werden wir in der Ruhe verrückt
und dann werden wir wahnsinnig
Hörst du
ich wollte dich nicht kränken
Es ist eine Tatsache
daß die Leute verrückt werden
wenn sie zu lange in großer Ruhe sind
und wahnsinnig wenn sie noch länger
in großer Ruhe sind
zu sich
Es ist sinnlos
jede Auseinandersetzung ist sinnlos
ruft hinaus
Jeden Tag machst du eine solche Szene
das ist unverzeihlich

das ist niederträchtig
eine Infamität ist es
zu sich
Was mache ich jetzt
soll ich sie wieder hereinbitten
auf den Knien hereinbitten
ruft hinaus
Bist du gekränkt
Ich wollte dich nicht kränken
zu sich
Ich muß sie hereinlocken
ruft hinaus
Was machst du
Bist du da
Bitte komm herein
komm herein
Die Frau kommt herein
Komm zu mir
Die Frau bleibt am Fenster stehen und schaut hinaus
Ein solcher Tag
und du hast kein Einsehen
Denke
ich bin heute Ehrendoktor
Ich bin endlich gewürdigt
Nachdem man mich jahrzehntelang gedemütigt hat
heruntergemacht hat
lächerlich gemacht hat
Ehrendoktor
weißt du was das bedeutet
In Asien hat mein Traktat
größtes Aufsehen gemacht
meine Gedankengänge
sind
asiatische Gedankengänge
ruft aus
Ich bin in China verlegt
hörst du
Du hast deinen Anteil
an meinem Ruhm
etwas von dem Ehrendoktortitel
ist auch für dich

nicht der kleinste Teil
Nach so vielen Jahren
entsetzlicher Beschämungen
fürchterlicher Erniedrigungen
Es berührt mich
berührt es dich nicht
es sollte dich berühren
wie es mich berührt
Wir haben beide nicht daran gedacht
Aber ich habe es gewußt
eines Tages
bin ich am Ziel
Aber die noch viel größere Anstrengung
habe ich noch vor mir
Du willst eine Reise machen
Ich weiß
Ich kann nicht ja sagen
aber ich will auch nicht nein sagen
Das Gebirge hasse ich
An einem See
wie langweilig
Die grünen Wiesen
wie abstoßend
Es gibt nichts Entsetzlicheres als eine Kreuzfahrt
ob in der Nordsee
oder im Mittelmeer
entsetzlich
Komm
ich erlaube es dir
ich will es dir erlauben
Die Frau dreht sich nach ihm um
Hol dein Strickzeug
setz dich ans Fenster
wohin du willst
und stricke
Geh hinaus
und hol dir dein Strickzeug
wenn es dich beruhigt
und setz dich hin
wir sind der Natur ausgeliefert
wir können tun was wir wollen

die Natur beherrscht uns
Die Frau geht hinaus
Weltverbesserer ruft ihr nach
Wir müssen immer die Konsequenz ziehen
hörst du
niemals nachgeben verstehst du
konsequent sein
konsequent

Vierte Szene

Drei Stunden später
Weltverbesserer schluckt mehrere Tabletten aus einem Einsiedeglas
Die Frau kommt durch die geschlossene Flügeltür mit einem großen Fauteuil herein
Weltverbesserer mit dem Hörrohr auf die Stelle zeigend, wo sie den Fauteuil hinstellen soll
Die Frau bemüht sich, den Fauteuil dorthin zu stellen
WELTVERBESSERER *herrscht sie an*
Dahin
dahin siehst du
Ich zeige dir doch
wohin
dahin
F ü h l s t du denn nicht wohin der Fauteuil gehört
Die Frau stellt den Fauteuil hin
Wir müssen nach einem genauen Plan vorgehen
Komm her
Die Frau geht zu ihm hin
Weltverbesserer zeigt mit dem Hörrohr zur Tür
Wenn sie hereinkommen
gehen sie natürlich zuerst auf mich zu
machen ihre Begrüßung
du stehst
zeigt es mit dem Hörrohr
Da

da stehst du
ich gebe ihnen die Hand und dann stehen sie da
und dann setzen sie sich
Der Fauteuil muß von da weg
er muß weg
Die Frau geht und hebt den Fauteuil auf
Dahin
siehst du dahin
Die Frau stellt den Fauteuil ab
Ich glaube so ist es gut
Ein wenig nach links
nach links nach links siehst du da
Die Frau schiebt den Fauteuil nach links
Zwei Hausangestellte kommen mit einem zweiten Fauteuil herein
Weltverbesserer aufgebracht
Was suchen diese Leute da
Was ist das
zur Frau
Eine Ungeheuerlichkeit
Du weißt ich vertrage Menschen nicht
schreit
Kein fremder Mensch
Wer sind denn diese Leute
Die Frau drängt die Hausangestellten hinaus
Weltverbesserer mit dem Hörrohr drohend
Eine Ungeheuerlichkeit
habe ich dir nicht gesagt
daß ich keinen fremden Menschen sehen kann
Mein ganzes Konzept ist vernichtet
Kommen herein und vernichten mein Konzept
sinkt erschöpft zusammen
Eine Tortur
Die Frau kommt herein
Keinen Menschen habe ich gesagt
Diese Leute verderben mir alles
greift sich an den Hals
Ich kann nicht mehr schlucken
Ich will schlucken und kann nicht
die ganze Zeit will ich schlucken und kann nicht
So komm doch schon her

worauf wartest du
Die Frau geht zu ihm hin und klopft ihm auf den Rücken
Weltverbesserer hustet, während die Frau auf seinen Rücken klopft
Es steht schlecht um mich
Aber ich will keinen Arzt
keinen Arzt
Mir kommt kein Arzt ins Haus
er beruhigt sich
Ich weiß es ist anstrengend
aber es bleibt uns keine andere Wahl
plötzlich
Wo habe ich denn mein Manuskript
Bring mir das Manuskript
Ich kann nicht aus dem Kopf sprechen
Ich verliere alles im Augenblick
ich habe einen vollkommen zerrütteten Verstand
einen vollkommen zerrütteten Verstand
Die Frau geht hinaus
Wir stehen alle Augenblicke allein da
Kein Mensch
nichts
absolute Hilflosigkeit
Wenn wir aufmucken
werden wir niedergetrampelt
Eine Geistesexistenz
eine fürchterliche Geistesexistenz
Die Frau kommt mit einem Heft herein
Zuerst habe ich eine gute Idee
und dann zweifle ich daran
gib her
Die Frau gibt ihm das Heft
Weltverbesserer blättert im Heft, liest
Soll ich überhaupt etwas sagen
Ich sage gar nichts
nichts
Das geht nicht
Ich muß etwas sagen
Sie warten darauf daß ich etwas sage
liest
Nicht schlecht

gibt der Frau das Heft zurück
Du gibst es mir dann
wenn der Zeitpunkt da ist
Was stehst du da
und machst mich nervös
Die Frau geht hinaus
Weltverbesserer nimmt das Einsiedeglas und schluckt noch ein paar Tabletten auf einmal, schluckt und schluckt und hustet dann
Die Frau stürzt herein und klopft ihm auf den Rücken
Diese Leute haben kein Zeitgefühl
Sie platzen auf einmal bei der Tür herein
Es ist besser
Laß mich in Ruhe
stößt die Frau weg
schaut vor sich hin
In diesem Fauteuil sitzt natürlich der Rektor
Was stehst du herum
wir brauchen noch eine Menge Sessel
Die Frau geht hinaus
Zuerst betreiben wir
alles auf ein Ziel hin
dann verabscheuen wir das eingetretene Ereignis
Ich habe mein Leben nie geliebt
Ich habe es immer gehaßt
alles gehaßt
das damit zu tun hat
Und den Selbsthaß bis zum Äußersten
ausgenützt
Die Frau stößt mit einem Fauteuil an die Flügeltür und schiebt den Fauteuil herein
Lieber mit dir die Hölle
als einen fremden Menschen
Ich vertrage keine fremden Menschen
Alles wird falsch gemacht
niemand gehorcht
Sie hören nichts
sie sehen nichts
aber ununterbrochen verlangen sie
unverschämte Bezahlungen
Die Frau schiebt den Fauteuil vor sich hin

Wir bezahlen alle diese Leute
damit sie uns zersetzen und vernichten
damit sie uns wahnsinnig machen
verrückt machen
hörst du
Ich will keinen dieser Menschen mehr sehen
Wie hat das geschehen können
daß sie auf einmal hereinkommen
Die Frau schiebt den Fauteuil vorwärts
Du hast dich mit ihnen zusammengetan
Du bist auf ihrer Seite
auf der Seite meiner Zerstörer
meiner Vernichter
Ein Mordkomplott gegen mich
Aber es wird dir nicht gelingen
Noch habe ich einen klaren Kopf
Die Frau schiebt den Fauteuil vorwärts
Diebe und Mörder
Aber ich habe keine andere Wahl
Ich bin euch ausgeliefert
Lauter Schädlinge
Die Frau schiebt den Fauteuil vorwärts
Wir treiben doch nur Unzucht miteinander
Die Frau schiebt den Fauteuil vorwärts
Wir treiben doch nur Unzucht miteinander
Die Frau schiebt den Fauteuil vorwärts
Weltverbesserer zieht an der Kette
Warten
hat mich immer verrückt gemacht
Die Welt ist eine Kloake
aus welcher es einem entgegenstinkt
Diese Kloake gehört ausgeräumt
Das ist ja auch der Inhalt meines Traktats
Aber wenn wir die Kloake vollkommen ausräumen
ist sie leer
Die Frau geht hinaus
Dann bleibt uns nichts anderes übrig
als daß wir uns kopfüber hineinstürzen
zieht an der Kette
Essen wir viel
bekommen wir Magengeschwüre

essen wir wenig
verhungern wir
ruft hinaus
Den Fußabstreifer nicht vergessen
Gibt es denn heute
nichts zu unterschreiben
Die Frau kommt mit Papieren auf einem Tablett herein
Weltverbesserer sieht die Papiere durch
Wir treiben den Aufwand
der uns umbringt
Wir hätten vor drei Jahrzehnten
wie wir noch frisch genug waren
in die Wüste gehn sollen
unterschreibt die Papiere
Die Erfindung des elektrischen Lichts
ist das Unglück
Alles was wir unterschreiben
ist immer wieder nur unser Todesurteil
Das ganze Leben verstümmeln wir uns
mit Unterschriften
Alle ziehen und zerren an mir
Die Frau geht mit den unterschriebenen Papieren hinaus
Dann schrumpft alles
was wir uns ausgedacht haben
diese ungeheure Idee
zusammen
ruft hinaus
Wenn wir alles abschaffen
wenn wir alles zerstören
ist doch alles wieder da
Wir sind dagegen und schaffen es ab
und es ist wieder da
zu sich
Fallen wir dem Herrschenden in den Rücken
sitzt schon der nächste da
und es ist der gleiche
Alles stört uns
alles stößt uns vor den Kopf
Wir ersticken
wir ertrinken
wir müssen zusehen

wie alles verfault
Die Frau schiebt einen Fauteuil herein
Aber wir können natürlich nichts tun
Wir schreiben einen Traktat
und der wird ausgezeichnet
und es hat sich nichts geändert
Wir mögen gegen was immer sein
Die größte Dummheit
wenn wir auf die Seele hören
der Seele nachgeben
dann machen wir uns vor uns lächerlich
Die Zeitungen halten uns den Spiegel vors Gesicht
deshalb hassen wir die Zeitungen
Die Frau schiebt den Fauteuil vorwärts
Weil wir in ihnen immer wieder nur
uns selbst finden
gleich welche Seite wir aufschlagen
Dem Zeitungsleser wird an jedem Tag
seine Gemeinheit und seine Niedrigkeit heimgezahlt
Wenn wir denken
sind wir stark
wenn wir handeln
unfähig
es gelingt uns nichts
Wir haben keine Zukunft
Die Hoffnungslosigkeit
macht alles erträglich
Aus gutem Grund
habe ich keine Familie gegründet
kein perfides Unglück
in die Welt gesetzt
Was starrst du mich so an
wie wenn ich schon wahnsinnig wäre
Die Frau schiebt den Fauteuil vor sich hin
Ihr habt es immer
auf meine Vernichtung angelegt gehabt
plötzlich mit dem Hörrohr drohend
Dahin gehört der Fauteuil
zeigt es ihr, wohin
Die Frau schiebt den Fauteuil auf die Stelle
Mein ganzes Leben

habe ich nur bezahlt
um vernichtet zu werden
Ein unwürdiger Zustand
für einen denkenden Menschen
Die Frau geht hinaus
Aber wenn wir vollkommen in Ruhe gelassen sind
verzweifeln wir vollkommen
setzt das Hörrohr am rechten Ohr an und horcht
Was auch kommt
es soll kommen
Die Frau schiebt einen Fauteuil herein
Daneben hin
Dahin daneben dahin
Die Frau schiebt den Fauteuil dorthin und geht wieder hinaus und schiebt wieder einen Fauteuil herein
Weltverbesserer nimmt das Einsiedeglas, macht es auf, will Tabletten herausnehmen, überlegt es sich aber dann und nimmt keine Tablette heraus
Die Frau schiebt den Fauteuil neben die anderen
Drei oder vier Jahre
hat der Arzt gesagt
Du hast es mir verheimlicht
Ich weiß es
Du mußt noch drei Jahre warten
Aber wahrscheinlich dauert es gar nicht mehr solange
Ich fühle mich am Ende
ich fühle mich entsetzlich
Was für ein Tag
und ich fühle mich entsetzlich
Ich hätte auch ablehnen können
den Ehrendoktor ablehnen
aber dazu fehlt mir die Kraft
Dann sagen sie ich bin hochmütig
Eine solche Zeremonie geht über meine Kräfte
Die Frau geht hinaus
Man neidet uns alles
man neidet uns
woran wir zugrunde gehen
es ist alles von Anfang an darauf angelegt
daß wir zugrunde gehen
und wie erbärmlich zugrunde

Wir beschleunigen diesen Vorgang ununterbrochen
Was wir auch tun
es beschleunigt diesen Vorgang
Die Frau zieht einen Fauteuil herein
Du weißt
an Dienstagen vertrage ich keinen Menschen
außer dir
Die Frau zieht den Fauteuil durch den ganzen Raum
Am Dienstag kein fremdes Gesicht
keinen Bediensteten am Dienstag
Komm her
gib mir deine Hand
Wenn ich dich nicht hätte
Die Frau geht zu ihm hin
Weltverbesserer nimmt ihre rechte Hand und drückt sie an sich
Wir sind den Elementen ausgeliefert
Wir müssen zusammenhalten
gegen alles verstehst du
plötzlich mit hocherhobenem Kopf
Wenn ich hier sitze
überblicke ich alles sehr gut
Aber wie ist es
von den Herrschaften aus gesehen
Wie ist es wenn sie zu mir heraufschauen
Komm hilf mir
ich will mich in einen der Sessel setzen
Ich will sehen
wie man da unten sitzt
steht plötzlich, als ob er gar keine Hilfe nötig hätte, auf, entsinnt sich aber sofort seiner Lähmung und läßt sich von der Frau zu einem der Fauteuils führen und setzt sich hinein
Hat uns auch niemand gesehen
Kein Mensch

DIE FRAU
Kein Mensch

WELTVERBESSERER *schaut auf seinen Sessel*
Es ist gut so glaube ich
es ist gut so
Komm hilf mir auf
Ich will in meinen Sessel zurück

Die Frau hilft ihm auf, er geht zu seinem Sessel zurück und setzt sich hinein
Wie schnell ich erschöpft bin
Ein paar Schritte
und ich bin völlig erschöpft
Aber jetzt gehören sie alle zusammengerückt
Zusammengerückt einerseits
zeigt auf den zuletzt hereingeschobenen Fauteuil
Warum hast du den Fauteuil so weit weggeschoben
Schieb ihn her
schieb ihn zurück
Die Frau schiebt den Fauteuil zurück
Halt halt
da steht er richtig
Setz dich hinein
Die Frau zögert
Du sollst dich hineinsetzen
ja in den Fauteuil hinein
Die Frau setzt sich hinein
Weltverbesserer plötzlich
Was für ein häßliches Kleid
Du mußt es ausziehen
Ich hasse dieses Kleid
Von allen deinen Kleidern
ist mir das das verhaßteste
Die Frau ist aufgestanden
Ich will das Kleid nicht mehr sehen
Du weißt
wie ich das Kleid hasse
Du weißt
an was mich das Kleid erinnert
In diesem Kleid
Ich will dich nicht verärgern
Die Frau will hinausgehen
Weltverbesserer ruft ihr nach
Du ziehst es immer an
wenn du mich treffen willst
zutiefst treffen
dann ziehst du es an
Die Frau geht hinaus
Ich hasse dieses Kleid

schaut um sich
zu sich
Wir hassen
und wünschen den Tod
wir können den Gehaßten
nicht mehr sehen
wenn er nur tot wäre endlich
ruft hinaus
Habe ich dich gekränkt
Du weißt
wie ich das Kleid hasse
Es verunstaltet dich
zu sich
Es macht sie noch häßlicher
als sie schon ist
Diese unvorteilhaften Kleider
Diese Geschmacksungeschicklichkeit
Diese Geschmacklosigkeit
ruft hinaus
Ich habe dich nicht kränken wollen
stellt fest, daß er selbst noch nicht angekleidet ist
ruft hinaus
Du mußt mich anziehen
Meinen Rock
Meine Manschettenknöpfe
Meine Krawatte
Wir haben keine Zeit mehr
Hörst du nicht
Du mußt mich ankleiden
Die Frau kommt mit den Kleidern herein
Weltverbesserer streckt beide Arme aus
Die Frau steckt ihm die Manschettenknöpfe an
Wir dürfen uns keine Blöße geben
Ist alles in Ordnung im Haus
Daß ich nicht mehr aufstehen
und hinuntergehen kann
ist entsetzlich
Wenn der persönliche Augenschein fehlt
Eine Katastrophe
Ich habe absichtlich
keinen Menschen eingeladen

für die Zeremonie
In aller Stille verstehst du
Wenn wir den einen einladen
ist der andere beleidigt
Sie kommen wie in ein Totenhaus herein
neugierig wie sie sind
Hier ist noch keine Aufbahrung
Ich sehe sie hereinkommen
wenn ich hier aufgebahrt bin
wie sie herumstehen
und wie sie nicht wissen
was sie tun sollen
Und ich sehe d i c h
schaut ihr direkt ins Gesicht
Die Lebensgefährtin
Es ist ja heute schon der Geruch
des Todes in diesem Haus
entreißt ihr die Arme
Du verletzt mich ja
bläst auf seine Hände, dann
Was habe ich getan
um so unmenschlich behandelt zu werden
Warum bin ich in diese Lage gekommen
Die Frau hat auch den zweiten Manschettenknopf angesteckt
Ich bin ein Grübler
nicht wahr
schaut ihr von unten ins Gesicht
Der Weltverbesserer
Der Angstmacher
Der Nihilist
schaut zur Tür
Beherrschung
ist alles
Die Frau zieht ihm den Rock an
Von einem bestimmten Zeitpunkt an
stören wir hier
dann stören wir nurmehr noch
Es ist wie wenn wir einen Besuch machen
und im richtigen
im einzig richtigen Augenblick
nicht aufstehen

uns nicht verabschieden können
Dann denken wir die ganze Zeit
wir sind immer noch da
und es ekelt uns vor uns selbst
riecht am Anzugärmel
Der Geruch von Trier
merkst du das nicht
Die Frau bürstet den Rock ab
Wo wir gedemütigt worden sind
wollen wir nie wieder hin
Die Krawatte jetzt
Die Frau bindet ihm die Krawatte um
Die Schamlosigkeit
hat mich immer verblüfft
mit welcher die Menschen auftreten
Ganz gleich wer hereinkommt
ein schamloser Mensch kommt herein
Aber alles ist ein Rechtsmittel
alles
schaut ihr direkt ins Gesicht
Wenn du zuziehen könntest
Aber du kannst es nicht
Du wartest
weil du schon solange wartest
bist du so häßlich geworden
Aber du hast deine guten Seiten mein Kind
Die Frau hat ihm die Krawatte umgebunden und geht hinaus
Weltverbesserer ruft ihr nach
Du mußt die Fenster aufmachen
hörst du
Die Fenster aufmachen
Ich ersticke hier
Bevor die Herrschaften kommen
muß frische Luft herein hörst du
Die Frau kommt mit einer Decke herein, in die sie den Weltverbesserer einwickelt
Weltverbesserer in sich zusammengesunken
Zwanzig Jahre beobachte ich
was du tust
Die Frau geht zum Fenster und macht es weit auf

Fünfte Szene

Eine Stunde später

WELTVERBESSERER *ohne Haare*

Mein ganzes Leben
habe ich geträumt
von einem einfachen Zimmer
von einer Hütte

Die Frau steht mit dem Strickzeug, mit welchem sie am Fenster gesessen war, auf und geht zu ihm hin und setzt ihm das halbfertige Strickzeug mit den Stricknadeln auf

Dem Dummkopf gelingen
die Vorhaben die er hat
Der Dummkopf
ist der Verwirklicher
Dem Zweifler
zerfällt alles

Die Frau nimmt die halbfertige Mütze von seinem Kopf und geht zum Fenster zurück und setzt sich und strickt weiter

Wir rennen einer Idee nach
und verirren uns
Labyrinthisch
sehr labyrinthisch
Voltaire habe ich gesagt
aber da haben sie nur den Mund aufgerissen
Wenn ich Frankreich sage
oder Irland
oder Paraguay
sie reißen nur den Mund auf

flüstert ihr ganz leise zu

Ich wollte immer verblüffen
das ist es
Der einzige Mensch
den ich wirklich geliebt habe
war meine Großmutter
Wenn wir in der Berühmtheit aufwachen
von der wir geträumt haben
graust es uns
Der einfache Mensch rennt in die Kirche
Wohin sollte i c h gehen

ich bin ungeschützt
Nur der Mensch ist nicht unsterblich
Was haben wir erbeutet
Wenn wir alles zusammenrechnen
bleiben uns nur noch die Magenschmerzen
und die fällige Arztrechnung
Ich habe gehört daß täglich
eineinhalb Milliarden Eier verzehrt werden
auf der Welt
Wer sollte das so genau ausgerechnet haben
Und die vielen Milliarden
die nicht verzehrt werden
Die Leute haben es leicht
die sich mit der Oper zufriedengeben
und mit einem daran angeschlossenen Nachtmahl
oder die in den Zug steigen
und drei Stationen weiter ihr Glück finden
Wenn ich genau hinhöre
höre ich die Totengräber mein Grab graben
Sitzen wir zu lange in frischen Kleidern
fühlen wir uns bald schmutzig
Hast du die Perücke parat
Damit ich sie gleich aufsetzen kann
wenn die Herrschaften kommen
Die Frau versichert sich, daß die Perücke neben ihr auf der Fensterbank liegt
Ich habe mir immer gewünscht
einen Kopf zu zerlegen
und die einzelnen Bestandteile
einem totalen Studium zu unterziehen
Es ist für so vieles zu spät
Kein Mensch in meiner Nähe
hat an meinen Traktat geglaubt
Du hast auch nicht daran geglaubt
du hast immer nur vorgegeben
daß du daran glaubst
aber du hast nicht einen Augenblick daran geglaubt
Hinter meinem Rücken hast du nur
von einem Verrückten gesprochen
wenn du von mir gesprochen hast
Und jetzt heimst du den Ruhm mit mir ein

Ich habe Angst vor meiner Venenentzündung
Daß mir ein Bein abgenommen werden muß
Dann ist es aber besser
man schneidet mir den Kopf ab
Mein Traktat will nichts anderes
als die totale Abschaffung
nur hat das niemand begriffen
Ich will sie abschaffen
und sie zeichnen mich dafür aus
Und sage ich ihnen was mein Traktat wirklich bezweckt
halten sie mich für verrückt
Die Opfer verhelfen ihrem Mörder zum Ehrendoktor
Alle Wege führen unweigerlich
in die Perversität
und in die Absurdität
Wir können die Welt nur verbessern
wenn wir sie abschaffen
Oder glaubst du sie haben meinen Traktat verstanden
nimmt das Einsiedeglas und schluckt ein paar Tabletten
Entweder wir krümmen uns vor Schmerzen
oder wir sind aufgebläht
Ich habe schon beinahe mein ganzes Wahrnehmungsvermögen
aufgebraucht
Weil wir das ganze Leben lang fragen
wie hoch ist der Zinsfuß
Nichts interessiert uns mehr
Willst du mir nicht etwas
aus deinem Dramulett vorlesen
bevor die Herrschaften kommen
Besser nicht
Unser ganzes Leben haben wir gesucht
jetzt finden wir nicht mehr
was wir suchten
Zuviel Zugeständnisse
Zuviel Freundlichkeit
zuviel Unterstützungsbedürfnis
Einmal habe ich Montaigne vertraut
zuviel
dann Pascal
zuviel
dann Voltaire

dann Schopenhauer
Wir hängen uns so lange an diese philosophischen Mauerhaken
bis sie locker sind
und wenn wir lebenslänglich daran zerren
reißen wir alles nieder
Die Herrschaften kommen
Die Frau springt auf und legt ihr Strickzeug auf die Fensterbank und setzt dem Weltverbesserer die Perücke auf und läuft hinaus, den Herrschaften entgegen
Weltverbesserer zieht an der Kette und an der Perücke
Die Frau tritt ein, hinter ihr der Rektor, der Dekan, der Professor, dahinter der Bürgermeister, zwei Hausangestellte, die an der Tür stehenbleiben
Weltverbesserer streckt die Hände aus

DIE FRAU *zurücktretend*
Ein hoher Besuch
kommen Sie
kommen Sie

WELTVERBESSERER *schüttelt dem Rektor die Hände, dann dem Dekan und dem Professor, zuletzt dem Bürgermeister*
Keine Förmlichkeiten meine Herren
keine Förmlichkeit
Die Frau winkt den Hausangestellten, den Champagner zu servieren

REKTOR *sieht sich um*
Ein hohes Haus
ein wahrhaft hohes Haus
Eine glückliche Konstellation

WELTVERBESSERER
Ich muß mich mit einem ganz kleinen Fest
zufriedengeben
Mein Leiden hat sich verschlimmert
Aber in Anbetracht
aller dieser fürsorglichen Menschen
Ich hoffe Sie verstehen mich
Sie entschuldigen mich
Ich kann mich keiner Prozedur mehr unterziehen
nicht einmal mehr einer akademischen Feier
Wollen Sie nicht Platz nehmen meine Herrschaften
Ich bitte Sie

DIE FRAU
Ich bitte Sie nehmen Sie doch Platz
Alle setzen sich
REKTOR
Ich überbringe die Grüße
und die Ehrerbietung des Senats
der Universität
zum Dekan
darf ich um das Diplom bitten
Herr Dekan
Dekan gibt dem Rektor das Diplom
WELTVERBESSERER
Meine Verfassung erlaubt
keine Förmlichkeit
REKTOR
Wir hatten gehofft
DEKAN
Ja wir hatten gehofft
REKTOR
Wir hatten gehofft
daß Sie uns die Ehre erweisen
auf dem Boden der Universität
das Doktordiplom in Empfang zu nehmen
Dekan, Professor und Bürgermeister nicken dazu
Ihr Traktat hat Aufsehen gemacht
DEKAN
Das größte Aufsehen
REKTOR
Ein Kollege aus Tokio
hat mir mitgeteilt
daß Ihr Traktat Gegenstand
von heftigen Auseinandersetzungen in Japan ist
Von Amerika höre ich ähnliches
In China soll eine Übersetzung erschienen sein
Zu unserer Ehre sei es gesagt
ich habe schon vor fünf Jahren den Versuch gemacht
blickt sich um
und mit der Unterstützung
meines verehrten Herrn Kollegen des Herrn Dekan
ist es mir gelungen
Sie zum Ehrendoktor zu machen

Ich habe mein Ziel erreicht

DEKAN und PROFESSOR

Sie haben sich unschätzbare Verdienste
um die Geisteswissenschaft erworben

PROFESSOR

Es sind schon mehr als hundert Studien
über Ihren Traktat erschienen
allein in Deutschland
Und ich kenne die französischen Verhältnisse

DEKAN

Meine Nichte hat mir aus Rumänien geschrieben
daß sie Ihren Traktat übersetzt

REKTOR

Gerade Rumänien ist empfänglich
für derartiges Gedankengut
Es ist zu wünschen
daß Ihr Traktat nicht nur gelesen
sondern tatsächlich studiert wird

DEKAN

Und daß nach seinem Willen gehandelt wird

WELTVERBESSERER

Tatsächlich
Wünschenswert

DEKAN

Die Studenten sind begeistert

PROFESSOR

Der Staat wird sich wundern

REKTOR

Die Universität kennt nur
die Wissenschaft
Weltverbesserer zieht an der Kette und an der Perücke
Der Staat mag sich
Ihren Gedanken widersetzen
Sie totschweigen

WELTVERBESSERER

Dem Staat paßt mein Traktat nicht

REKTOR

Der Staat darf Ihren Traktat
nicht verstehen
die Gesellschaft darf ihn auch nicht verstehen

WELTVERBESSERER
Allein die Universität versteht ihn
REKTOR
Die Universität ist stolz
auf ihren einstigen Schüler
der es in seiner Wissenschaft
zu dem Allerhöchsten gebracht hat
WELTVERBESSERER
Aber ich habe die Universität
schon nach der kürzesten Zeit verlassen
Ich bin ja gerade weil ich
DEKAN *unterbricht ihn*
Die Universität ist die geehrte
PROFESSOR
Die Universität ist die geehrte
REKTOR
Die Universität ist die geehrte
WELTVERBESSERER
Mein ganzes Leben habe ich nur dem einzigen
Gedanken gewidmet
wie die Welt zu verbessern sei
REKTOR
Wir müssen einen einzigen Gedanken
zu unserem zentralen Gedanken machen
und diesen Gedanken ausdenken
DEKAN *wiederholt*
Ausdenken
PROFESSOR und BÜRGERMEISTER *zusammen*
Ausdenken
WELTVERBESSERER
Wir dürfen nicht nachlassen
und wir dürfen nicht aufgeben
um jeden Preis
REKTOR
Um jeden Preis
WELTVERBESSERER
Auch wenn wir immer wieder zutiefst verzweifeln
REKTOR
Die Universität schätzt sich glücklich
Sie in ihren Akten als ihren Schüler zu führen
nicht immer hat unsere Universität

eine so glückliche Wahl getroffen

DEKAN

Nachdem alles
für die ganz außerordentliche akademische Feier gerüstet
gewesen war
bekamen wir die Mitteilung
daß Sie sich in einer solchen
mißlichen Lage befinden
Wir bedauern Ihren Zustand zutiefst

WELTVERBESSERER

Meine Lage verschlimmert sich zusehends
Ich existiere nurmehr noch
weil mich die Chemie stützt
Ich komme aus den Schmerzen nicht mehr heraus

REKTOR

Wir haben alle Krankheiten

WELTVERBESSERER

Unheilbare Krankheiten
welchen wir uns vollkommen ausgeliefert haben
nimmt das Einsiedeglas, öffnet es und schluckt mehrere Tabletten
Aus diesem Glas lebe ich
Meine Existenz
ist aus diesem Glas
stellt das Einsiedeglas beiseite

REKTOR

Wir hoffen aber
daß Sie bald gesund sind
und daß Ihr Geist
uns noch zahlreiche schöpferische Werke beschert
Die Wissenschaft kann sich nicht vieler
solcher bedeutender Köpfe rühmen

DEKAN

Heute
wo soviel Scharlatanerie herrscht
ist ein authentischer bedeutender Kopf
eine Rarität
Eine Denkkapazität
welche in die tiefste Tiefe eindringt

REKTOR

Der immer alles in einem Gedanken
allgegenwärtig ist

DEKAN

Ein Weltdenker

REKTOR

In einer Zeit der philosophischen Wiederkäuer

DEKAN

Sie gehen als Weltverbesserer in die Geschichte ein

Es wird ihnen allen Champagner nachgeschenkt
Die Frau ist aufgestanden und hat den Vorhang halb zugezogen und hat sich wieder hingesetzt

WELTVERBESSERER

Ich vertrage das Tageslicht
nicht mehr
Die Zeit in welcher ich
vollkommen schmerzunempfindlich
Licht habe empfangen können ist vorbei
Die Ohren sausen mir
die Augen flimmern mir
der Magen tut mir weh
Die Blase hält das Wasser nicht mehr
Dem Leidenden bleibt nichts erspart

REKTOR

Vielleicht wäre eine Kur angebracht

DEKAN

Wenn man wüßte
um was es sich handelt

WELTVERBESSERER

Es ist der allgemeine Verfall
Niere Leber
kein Organ das nicht zeitweise aussetzt
In der Nacht habe ich Krämpfe
Ich bin vollkommen auf die Hilfe meiner Umgebung angewiesen

Alle wenden sich der Frau zu

Der kranke Körper
zieht einen kranken Geist nach sich
Die Kuranstalten versprechen nichts
Ich leide unter Verfolgungswahn
manchmal höre ich die Erde beben
und ich sehe Risse in den Wänden
In der Nacht gehe ich durch zerborstene Städte
und liege mit aller Welt im Streit
Mit Fieber wache ich auf

mit Kopfschmerz gehe ich zu Bett
Ein Stück Zucker ist oft
meine einzige Mahlzeit
Dann starre ich wieder stundenlang
zum Fenster hinaus
immer derselbe Blick
die Jahreszeiten gehen so dahin
ohne daß sie mein Interesse erweckten
Rektor steht auf und entfaltet das Diplom
Dekan und Professor stehen auf
Bürgermeister steht auf
Die Frau steht auf
Rektor will den Diplomtext vorlesen
Weltverbesserer winkt ab
Keine Förmlichkeit
Geben Sie mir das Diplom
und trinken Sie noch ein Glas auf mein Wohl
Die Frau winkt den Hausangestellten, den Champagner einzuschenken
Der Stadtchirurg hat mir angekündigt
er wird mir mein rechtes Bein abnehmen müssen
Die Lungenflügel sind schwer wie Blei
die Galle funktioniert nicht mehr
Wie gern ginge ich hinaus
und machte einen Spaziergang
Was ist denn überhaupt für eine Jahreszeit
Es ist äußerst merkwürdig
wenn man mit lauter Experten zusammen ist
greift nach dem Diplom
Geben Sie mir doch das Diplom
Rektor gibt ihm das Diplom
Weltverbesserer entfaltet es und liest es durch
Alle schauen sich immer wieder an
Wir haben das Lateinische
vergessen
Die deutsche Sprache sprechen wir ungern
aber wir verstehen sie wenigstens
Ein schönes Diplom
hält es sich vors Gesicht
Was für ein Geruch
ganz orientalisch

winkt den Rektor zu sich heran
Nur manchmal trage ich eine Perücke
Ich habe schon zwanzig Jahre
keine Haare mehr
Wer soviel Medikamente einnimmt
dem gehen die Haare aus
Zu festlichen Gelegenheiten
trage ich Haare
wann sonst
wenn nicht am heutigen Tage
hält sich noch einmal das Diplom vors Gesicht
Wir sind als Ehrendoktor nicht anders
als wir immer gewesen sind
zieht an der Kette
Die Ehrenkette habe ich schon
jetzt habe ich zur Ehrenkette
auch noch den Ehrendoktor
Manche Leute glauben sie müßten eine Leiter
an mich anlehnen
wenn sie mit mir sprechen wollen
Ich versichere Ihnen
meine allergrößte Hochachtung
Ich habe eine Rede vorbereitet
winkt die Frau heran und flüstert ihr etwas ins Ohr, worauf die Frau wieder zurücktritt und sich hinsetzt
Aber ich halte keine Rede
Wenn wir etwas sagen
werden wir nicht verstanden
Wenn wir die Wahrheit sagen
ist es doch nur gelogen
Wir sind auch zu große Fanatiker
und der Fanatismus ist ein Unglück
Von Kunst verstehen wir nichts
die Natur hassen wir
Unsere Gedanken stellen sich als Unsinn heraus
zum Bürgermeister
Herr Bürgermeister können Sie mir sagen
warum gestern die Brücke eingestürzt ist
welche Sie selbst vorgestern
als für die Ewigkeit gebaut bezeichnet haben
Sehen Sie Sie können es nicht

Wenn wir aus dem Haus gehen
müssen wir zuerst den Unrat wegräumen
der sich in der Nacht davor angesammelt hat
Wenn wir das das ganze Leben lang jeden Morgen tun
erschöpfen wir uns schließlich
Es wäre wirklich angemessen
und eine Kleinigkeit gewesen
in Ihre Universität zu kommen
und mir das Diplom abzuholen
aber Sie sehen ja selbst
daß es mir unmöglich ist
Ich danke für Ihre Aufmerksamkeit Herr Rektor
ehrwürdige Magnifizenzen
Und auch Ihnen Herr Dekan
streckt ihnen und den beiden anderen die Hand hin und verabschiedet sie
Schon ein paar Minuten ermüden mich
Dem Leidenden bleibt nichts erspart
hält der Frau das Diplom hin, sie nimmt das Diplom an sich und führt die Herrschaften hinaus
Grüßen Sie Ihr Institut
Meine Hochachtung
meine allerergebenste Hochachtung
Alle gehen hinaus
Weltverbesserer, nachdem er sie beobachtet hat, bis sie endgültig draußen sind
Man bringt sich um alles

Nachspiel

Zu Mittag

WELTVERBESSERER *ohne Haare*

Was für Geruch
Ich ersticke
ringt nach Luft
Ich ersticke ja
ruft hinaus
Ich ersticke ich ersticke
Die Frau kommt hereingelaufen
Aufmachen
aufmachen
Die Frau macht die Fenster auf
Sie haben diesen Geruch zurückgelassen
Du mußt die Fenster weit aufmachen weit
weit weit
Die Frau macht die Fenster so weit als möglich auf
Wir müssen ausziehen
wir müssen weg von hier
Mir ist das Haus verhaßt
Die Gegend ist mir verhaßt
Sie ist mir immer verhaßt gewesen
Ich halte diese Umgebung nicht mehr aus
Weg weg
Was für eine entsetzliche Stadt
Was für stumpfsinnige Menschen
Ich hätte nie einwilligen sollen
daß wir hierher gehen
Wir müssen so schnell als möglich weg
Wir krepieren wir verblöden sonst
Weil ich dir nachgegeben habe
Ich habe diese Leute immer gehaßt
ich weiß warum ich nach einem halben Jahr
aus der Universität davongelaufen bin
Jetzt rächen sie sich und ehren mich
Wir dürfen keine Zeit verlieren
Es ist die letzte Gelegenheit
Aber wohin
Die Zugluft bringt mich um

zur Frau
Was stehst du da und starrst mich an
Mich friert
von unten herauf
Du hättest mir Strümpfe stricken sollen
keine Mütze
plötzlich
Wie viele Ratten in der Falle heute

DIE FRAU
Keine einzige Ratte

WELTVERBESSERER
Keine Ratte
fragt
Mäuse

DIE FRAU
Nur eine einzige Maus

WELTVERBESSERER
Bring sie her
ich will sie sehen
Bring sie her
Die Frau geht hinaus
Weltverbesserer nickt mehrere Male ruckartig mit dem Kopf
Ein eigenartiger Genickschmerz
schaut auf die Tür
Die Frau kommt mit einer Mausefalle, in welcher eine Maus ist, herein
Weltverbesserer ruft ekstatisch aus
Die lebt ja
Wie viele Fallen hast du aufgestellt

DIE FRAU
Dreizehn Fallen
acht unten
fünf im ersten Stock

WELTVERBESSERER
Keine Ratte
nur eine einzige Maus
Das ist merkwürdig
Gibst du auch genug Speck
Vielleicht röstet ihn der Koch
nicht gut genug
Weltverbesserer klopft mit dem Hörrohr an die Mausefalle

Was für ein entzückendes Wesen
klopft mit dem Hörrohr an die Mausefalle
Sensibilität siehst du
ein ganz und gar entzückendes Wesen
Siehst du seine Augen
Wie es das Leben liebt
Aber sie erschrecken und belästigen uns
klopft mit dem Hörrohr an die Mausefalle
Wie sie erschrickt
Warum erschrecken wir
vor einem Tier
das so erschrickt
Wir wissen nie
soll sie ertränkt
oder verbrannt werden
Verbrennen wir sie
ist der Geruch ekelhaft
ersäufen wir sie
ekelt es uns
In diesen Häusern herrschen
nur Ratten und Mäuse
Eines Tages fressen sie uns auf
wenn wir nicht weggehen
der Frau direkt ins Gesicht
Nach Interlaken vielleicht
deiner Lunge wegen
Die Alpen sind widerwärtig
Ich hasse die Schweiz
Aber vielleicht erfülle ich dir den Wunsch
und gehe mit dir in die Alpen
in die Schweiz
nach Interlaken
ich sollte dich belohnen
Du bist aber nicht gänzlich leer ausgegangen
nicht wahr
sag es
daß du nicht gänzlich leer ausgegangen bist
Immerhin
ich bin berühmt
ich bin eine Geistesgröße
Ich bin ein Geschichtemacher

klopft auf die Mausefalle
Wie sie springt
verängstigt
sie ist ganz verängstigt
plötzlich
Gib her
ich will ein gutes Werk tun
Die Frau gibt ihm die Mausefalle und nimmt das Hörrohr
Weltverbesserer hält die Mausefalle so weit als möglich vor sich hin und schaut hinein
Im Prinzip habe ich nichts dagegen
daß wir in die Schweiz gehen
Ich habe auch nichts
gegen Interlaken
Es ist naturgemäß
auch keine Kostenfrage
hält die Mausefalle vor das Gesicht der Frau
Siehst du sie
sie hat Angst
Ausgerechnet der Mensch
ist unmenschlich
Sie weiß nichts
von Interlaken
er öffnet die Mausefalle, die Maus entkommt, die Frau läuft schreiend hinaus
er wendet sich voller Ekel ab
nach einer Pause
laut hinausschreiend
Meine Nudeln
gelangweilt
Jetzt will ich die Nudeln essen

Ende

Über allen Gipfeln ist Ruh

Nietzsche Stieglitz und wieder zurück verstehen Sie . . .

Moritz Meister

Personen

MORITZ MEISTER, *Verfasser einer Tetralogie*
ANNE, *seine Frau*
FRÄULEIN WERDENFELS, *Doktorandin, Brillenträgerin*
HERR VON WEGENER, *Journalist, Brillenträger*
FRAU HERTA, *Hausgehilfin*
HERR SMIRNOFF, *Briefträger*
DER VERLEGER

In den Voralpen
Alte Villa

Erste Szene

Im Freien
Frau Meister und Fräulein Werdenfels (mit einem Fotoapparat am Hals) decken den Frühstückstisch

FRAU MEISTER

Wissen Sie Fräulein Werdenfels
mein Mann ist der korrekteste
er duldet keine Ungenauigkeit
Alles muß seinen Platz haben
Ein Pedant Fräulein Werdenfels
Jetzt wo er die Tetralogie beendet hat
ist er wieder erfüllt von unserer Kretareise
Auf den Spuren des Königs Minos
Fräulein Werdenfels ist zurückgetreten und macht ein Foto von Frau Meister
Am Morgen habe ich keine Hilfe
da muß ich alles allein schaffen
Wenn Sie Kreta nicht gesehen haben
den Ursprung der Geschichte sozusagen
Jedes Jahr die klassische Bildungsreise
darauf legt mein Mann den größten Wert
Alles hat in die Tetralogie Eingang gefunden
Phaestos Fräulein Werdenfels
und natürlich Knossos
das Sir Evans ausgegraben hat
ein Mann mit Marotte
ein verrückter Engländer
Fräulein Werdenfels macht ein Foto vom Haus
Alle wissenschaftlichen Publikationen studiert
Wir bereiten uns immer jahrelang vor
auf die Bildungsreise
vor zwei Jahren in Mexiko
habe ich zwölf Pfund abgenommen
Sie setzt sich
Sie wissen ja gar nicht was es alles zu sehen gibt in der Welt
die heute allen offensteht
ist wieder aufgestanden
Nach Kreta an den Ursprung
an die Geschichtsquelle

Alles für die Tetralogie
Wir studieren was studiert werden muß
Fräulein Werdenfels macht ein Foto von Frau Meister
Die Archäologie hat meinen Mann
schon immer mehr interessiert
als alles andere Wissenschaftliche
zum Fräulein direkt
Er ist ja mehr Wissenschaftler als Schriftsteller
Mit der Zeit verstehe auch ich jetzt schon
eine ganze Menge von Archäologie
Nicht daß ich prahle aber in Knossos
habe auch ich gegraben
unter Leitung von Sir Wallace Green
ruft aus
Was für ein Glücksgefühl wenn die Schaufel auf eine Scherbe trifft
wieder ruhig
Die Scherbe in der Bibliothek oben
dieses prachtvolle Kunstwerk aus dem Protopalatikum
hat mein Mann ausgegraben
Fräulein Werdenfels macht ein Foto von Frau Meister
Waren Sie denn noch nie in Knossos

FRÄULEIN WERDENFELS
Leider nein

FRAU MEISTER
Da sollten Sie doch ruhig einmal hingehen
das ist eine Bildungslücke
wo Sie doch aus einer Wissenschaftsfamilie kommen
aus so gutem deutschem Hause
wo Ihr Herr Vater doch Heidelberger Professor ist

FRÄULEIN WERDENFELS
Natürlich ja
macht ein Foto von Frau Meister

FRAU MEISTER
Reisen bildet Fräulein Werdenfels
die gute Gesellschaft ist gut gereist
und hat sich auf alle diese Reisen gut vorbereitet
nicht wie der Pöbel
Die gewissenhafte Vorbereitung ist die Voraussetzung
wie mein Mann immer sagt
Der Gebildete ist niemals unvorbereitet

plötzlich zum Fräulein direkt
Fürchten Sie nicht daß Sie sich erkälten
Fräulein Werdenfels wickelt sich einen Schal um den Hals
Die Winde hier werden unterschätzt
Über dreißig ist der Sensible anfällig
hier in den Weinbergen besonders
Wie gefällt Ihnen die Gegend
dreht sich nach der Landschaft um
ist es nicht reizend hier
beinahe gänzlich unberührt von dem schrecklichen Jetzt
Fräulein Werdenfels tritt zurück und fotografiert die Landschaft
Gerade so geschaffen für einen Geistesmenschen
Seit wir hier sind ist mein Mann glücklich
seit er die Bibliothekarstelle aufgegeben hat
Nun sind wir frei absolut
Das taugt auch den Lungenflügeln
breitet eine Wolldecke auf einer Bank aus
Fräulein Werdenfels macht ein Landschaftsfoto
Hier sind wir glücklich
Und ein Buch nach dem andern
er ist richtig aufgeblüht mein Mann
Jetzt wo die Tetralogie fertig geworden ist
Aber das erzählt Ihnen mein Mann selbst
atmet tief ein
Nichts Störendes absolut nichts Störendes
rückt nocheinmal die Tassen auf dem Tisch zurecht
Alles im rechten Winkel wissen Sie
Wer in den kleinsten Dingen ohne Disziplin ist
ist es auch in den großen
zum Fräulein direkt
Wielange schreiben Sie denn schon an Ihrer Doktorarbeit
über meinen Mann
Das stelle ich mir als das Allerschwierigste vor
in ein solches Werk einzudringen
das Recherchieren Aufspüren Aufschließen
Der Deutsche hat Tiefe
aber er hat in dieser Tiefe Angst sagt der Professor Stieglitz
in der Tetralogie
das ist doch großartig nicht wahr
Wissen Sie das ist ganz gegen die Regel

daß mein Mann der immer in der äußersten Konzentration lebt
einen Doktoranden noch dazu einen weiblichen Doktoranden
hier übernachten läßt
Wenn ich denke wieviele Doktorarbeiten schon über
meinen Mann erschienen sind
Das ist eine Auszeichnung Fräulein Werdenfels
sonst übernachten die Besucher meines Mannes immer unten
Fräulein Werdenfels macht ein Landschaftsfoto
im Goldenen Drachen
plötzlich
Sagen Sie sind Sie nicht mit dem Generalfeldmarschall
Werdenfels verwandt
der die Intrige am Zarenhof angezettelt hat

FRÄULEIN WERDENFELS
Mein Großonkel

FRAU MEISTER
Habe ich mirs doch gedacht
tatsächlich ist auch etwas Militärisches an Ihnen
etwas Aristokratisches und Militärisches
das wird meinen Mann aber sehr interessieren
etwas über den Generalfeldmarschall Ihren Großonkel zu
erfahren
mein Mann ist nämlich auch Ahnenforscher
und die hohen Militärs haben ihn immer brennend interessiert
Fräulein Werdenfels macht ein Foto von Frau Meister
Ich bin ja nun gar nicht fotogen Fräulein Werdenfels
Sie richtet sich die Haare und das Fräulein macht noch ein Foto von ihr
Ursprünglich hatte mein Mann General werden wollen
Generalfeldmarschall natürlich
setzt sich
Es ist richtig schön hier bei uns nicht
Weg aus der Stadt und von allen Lästigkeiten
Wir zahlen hier nichts keine Miete
Die Stadt schätzt sich glücklich
einen berühmten Mann wie meinen Mann hier zu haben
aber wir zeigen uns natürlich erkenntlich
wir geben den Armen den Einfachen
Schon Monate vor dem Weihnachtsfest nähe ich kleine Jäckchen
für die alten Leute im Altersheim
und zu Weihnachten verfaßt mein Mann jedes Jahr ein Gedicht

das am Heiligen Abend im Rathausfestsaal vorgelesen wird
immer von einem berühmten Schauspieler
Herr Quadflieg der berühmte Faust
hat es voriges Jahr gelesen
Mit Quadflieg sind wir natürlich befreundet
richtet sich hoch auf und bezeichnet eine Stelle in weiter Ferne
Sehen Sie Fräulein Werdenfels dort
ist die Heimat meines Mannes
Fräulein Werdenfels ist vorgetreten
Frau Meister ist aufgestanden
Man kann es sehen das Elternhaus
Zwischen diesen beiden Birken wenn Sie durchschauen
hinter der stillgelegten Ziegelfabrik
Fräulein Werdenfels fotografiert die Ferne
Da wo die Schafe sind im Vordergrund
da ist im Hintergrund das Elternhaus meines Mannes
Vom Dachdeckerlehrling zum berühmten Schriftsteller
Fräulein Werdenfels fotografiert die Ferne
Aus solcher Not hervorgegangen aus dem Nichts
aus dem Garnichts Fräulein Werdenfels
zum Fräulein direkt
Sie haben doch gut geschlafen Fräulein Werdenfels
oder haben Sie die Ziegen im Tal aufgeweckt

FRÄULEIN WERDENFELS
Nein wunderbar

FRAU MEISTER
Hier hört man nichts als das Weinlaub sich bewegen
in der Nacht
Immer ganz leichter Westwind Fräulein Werdenfels
hier von Westen
Beide setzen sich
zum Fräulein direkt
Denken Sie nur der Gemeinderat hat beschlossen
daß eine Straße nach meinem Mann benannt wird
Moritz-Meister-Straße
Wer hätte das gedacht
Nun ist alle Plage nicht umsonst gewesen
Und die Akademie für Sprache und Dichtung
hat meinen Mann zum Mitglied gewählt

FRÄULEIN WERDENFELS
Ach
FRAU MEISTER
Sie haben richtig gehört
Nun ist mein Mann auch noch Akademiker
er gibt es nicht zu
aber er ist ganz stolz auf diese Wahl
Einstimmig Fräulein Werdenfels einstimmig
Und mit meinem Mann ist der Herr Bundespräsident gewählt worden
unglaublich nicht wahr
ein so hoher Staatsmann
und ein so großer bedeutender Dichter gleichzeitig
Es wird eine große Feier geben in Darmstadt
steht auf, das Fräulein will auch aufstehen
Ach bleiben Sie doch sitzen
geht ein paar Schritte und atmet tief ein, das Fräulein ist sitzen geblieben
Plötzlich kommt doch der verdiente Augenblick
plötzlich emporgehoben in die höchste Höhe
Was für ein Glücksgefühl
dreht sich nach dem Tisch um, das Fräulein ist aufgestanden
Nun gibt es natürlich Neider
aber wo sind die nicht
Wie hübsch Sie aussehen
man glaubt Ihnen gar nicht daß Sie so studiert sind
Mein Mann spricht in den höchsten Tönen von Ihnen
er ist ganz begeistert von Ihren Kenntnissen
so ein gescheites Wesen hat er zu mir gesagt
den ganzen Abend hellhörig und aufnahmebereit
den ganzen Abend eine so hellhörige junge Dame
Er sagt Sie hätten jeden Satz den er geschrieben hat
nicht nur gelesen
sondern jederzeit abrufreif im Kopf
Ich bewundere solche Menschen
Ich selbst behalte nichts im Kopf
das bringt meinen Mann sehr oft zur Verzweiflung
sieht sich die Halskette des Fräuleins an
Ein schönes Stück
kostbar
sicher Familienschmuck ererbt

FRÄULEIN WERDENFELS
Ja von meiner Großmutter
es ist von der Königin von Montenegro
FRAU MEISTER
Wie schön ist so alter echter Schmuck
Ich wünsche mir schon lange eine Bernsteinkette
eine ganz bestimmte Bernsteinkette
achja wenn er den Preis bekommt
flüstert dem Fräulein etwas ins Ohr
FRÄULEIN WERDENFELS *ausrufend*
Den Wilhelm-Raabe-Preis
ach ist das schön
FRAU MEISTER
Ich dachte schon lange
eigentlich
müßte mein Mann den Raabepreis bekommen
wo er doch in Braunschweig Bibliothekar gewesen ist
Nun ist es endlich soweit
Aber er weiß es noch nicht
Ich habe es ihm noch nicht gesagt
Der Bürgermeister von Braunschweig hat es mir mitgeteilt
dreht sich nach dem Weinberg und ruft hoch aufgerichtet
Moritz Moritz
Moooritz
zum Fräulein
Wenn er die Bienen nicht hätte
er ist ein richtiger Bienennarr
Ein Insektennarr
aber in erster Linie ein Bienennarr
Er lebt und existiert nur für die Bienen
oft ist er den ganzen Tag im Bienenhaus
Die Bienen und die Literatur
dreht sich wieder nach dem Weinberg und ruft
Moritz Moritz
das Frühstück
zum Fräulein
Er geht ganz auf in den Bienen
er hat eine Studie geschrieben
diese Studie lüftet das Geheimnis der Bienen
Die Biene als Kunstwerk heißt diese Studie
Ach setzen Sie sich doch Fräulein Werdenfels

das Fräulein setzt sich nicht und schaut mit Frau Meister zum Weinberg hinüber
Wie wir hierhergekommen sind
sagte mein Mann
jetzt kann ich wieder dichten
und dann dichtete er Buch auf Buch
ach ich bin so glücklich daß die Tetralogie
endlich fertig ist
es war seine schwerste Arbeit
Das Fräulein macht ein Landschaftsfoto
drei volle Jahre hat er daran geschrieben
wenn man es genau nimmt zwanzig Jahre
Ich mußte ihm täglich daraus vorlesen
er sagt er müsse seine Dichtung h ö r e n
um sie beurteilen zu können
jeden Tag vier bis acht Seiten
vor allem die den Professor Stieglitz betreffenden Kapitel
je nach seiner Verfassung
Das Fräulein macht ein Landschaftsfoto
das ist für mich auch nicht leicht Fräulein Werdenfels
wo es sich doch um einen Menschen handelt bei meinem Mann
der nur den höchsten Anspruch kennt
Er verbesserte nichts mehr
er zeichnete den Professor Stieglitz
wie sich selbst
vollkommen autobiografisch
bei keinem vorangegangenen Buch floß es so vollendet
aus seiner Feder Fräulein Werdenfels
Wie Sie wissen schreibt mein Mann alles
mit der Hand
auf die klassische Art
mein Mann haßt die Schreibmaschine
Die Tetralogie endet mit der Vereinigung der Geschwister
dieser wunderbare Schluß unter der Akropolis
mein Mann ist ein Meister der Schlüsse
Edgar kommt aus New York zurück
und trifft Robert in Konstantinopel
und dann kommen Lynn und Susanne aus Polen
und alle feiern sie ihre Wiederkehr
während sich ein Gewitter ankündigt
Mit welcher Gelassenheit Moritz das ausklingen hat lassen

Robert setzt sich im Hause des Kunsthändlers Zarkis
an den Flügel und spielt Chopin
und der Professor Stieglitz entziffert die Geschichte
die Geistesgeschichte Fräulein Werdenfels
und alle hören zu und sind versöhnt
ein echtes deutsches Buch sagt Moritz
wie es keines mehr seit Thomas Mann gegeben hat
von solcher Geschlossenheit
und in einer ganz ruhig fließenden Sprache
die dem Inhalt der Tetralogie vollkommen angemessen ist
Natürlich ist dies Buch nur für die Anspruchsvollen
unter den Zeitgenossen wie mein Mann sagt
der Gebildete kommt auf seine Rechnung
insbesondere das zentrale Stieglitzkapitel
Ich bewundere Moritz wie er das fertiggebracht hat
Er steht um drei Uhr früh auf und wickelt sich in die
Pferdedecke
die er sich aus Sizilien mitgebracht hat vor zwanzig Jahren
und setzt sich an den Schreibtisch und schreibt bis neun
wie der Professor Stieglitz in der Tetralogie
dann macht er Toilette und geht zu den Bienen
Fräulein Werdenfels macht ein Landschaftsfoto
und um zehn frühstücken wir
wie der Professor Stieglitz in der Tetralogie
das hängt ganz von den Bienen ab natürlich
Wir sind sehr glücklich hier Fräulein Werdenfels

Zweite Szene

Wie vorher
Ein großer Sonnenschirm
Frau Meister und Fräulein Werdenfels auf einer Bank

FRAU MEISTER
Hier sitze ich oft Stunden Fräulein Werdenfels
am Nachmittag
und denke im stillen
ganz im stillen

mein Mann arbeitet
Dann höre ich wie er aufsteht
und zweimal in seinem Zimmer aufundab geht
Dann ist es Zeit für mich
ihm das Nachtmahl zu machen
Wenn er arbeitet verträgt er nur die leichteste Kost
Während er an der Tetralogie geschrieben hat
durfte ich ihm nicht einmal seinen geliebten Schinken auftragen
ein Glas Joghurt sonst nichts
Ach wissen Sie Fräulein Werdenfels
es gibt nichts Schöneres für mich
als wenn ich sagen kann jetzt ist er fertig
Fräulein Werdenfels steht auf, tritt zurück, macht ein Foto von Frau Meister und setzt sich wieder
das Manuskript ist fertig
dann läßt er es noch ein zwei Wochen liegen
ohne es noch einmal anzuschauen
er berührt es ganz einfach nicht mehr
und dann packen wir es ein
und schicken es dem Verleger
Sie werden den Verleger meines Mannes
ja heute abend kennenlernen
es ist ein Glück daß mein Mann
an diesen Verleger gekommen ist
der nur die größten und die bedeutendsten Dichter
und Schriftsteller verlegt hat wie Sie wissen
immer die besten unter den deutschen Schreibenden
und die weltberühmtesten aus Frankreich und England
Von Anfang an war mein Mann unter den allergrößten Geistern gedruckt
in einer Reihe mit den Hervorragendsten
Ich brauche Ihnen alle diese Namen nicht aufzuzählen
Aber doch war mein Mann lange im Schatten
er war immer das Genie das er heute ist
aber im Schatten
wie der Professor Stieglitz in der Tetralogie
Fräulein Werdenfels steht auf und macht ein Foto
und die Welt war ganz einfach blind für ihn
der die bedeutendsten Meisterwerke geschaffen hat
Aber wahrscheinlich ist es so wie mein Mann über den Professor Stieglitz sagt

daß das Genie sich im Abseits und in der Anonymität besser entwickelt
als im Rampenlicht
wo es sehr bald verschlissen ist und erledigt
Es ist etwas Ungeheueres mit dem späten Ruhm sagt mein Mann
Fräulein Werdenfels macht ein zweites Foto und setzt sich wieder
Wenn er eines Tages da ist
und ein ganzes großes Werk beleuchtet
so daß es auf einmal für alle ganz deutlich sichtbar ist
Der bedeutendste Romancier in der zweiten Hälfte des Jahrhunderts
wie die Süddeutsche Zeitung geschrieben hat
ein Blatt das meinen Mann vier Jahrzehnte lang ignoriert hat
Was spät erblüht ist von Dauer
und sehr oft für die Ewigkeit sagt mein Mann
Wissen Sie das ist ein Ereignis
wenn der Präsident der Akademie für Sprache und Dichtung
hier seine Aufwartung macht
und wenn der Herr Bundespräsident ein Glückwunschtelegramm schickt
das zweiundzwanzig Wörter ohne Adresse umfaßt
Haben Sie den Aufsatz meines Mannes in der Neuen Rundschau gelesen
Er ist drei Tage in Knossos gewesen
wortlos und allein
wie der Professor Stieglitz in der Tetralogie
dann setzte er sich in dem Hotel in Heraklion
in welchem wir abgestiegen waren an den Schreibtisch
und schrieb seine Studie über den König Minos
wie der Professor Stieglitz
An ihm ist auch ein großer Archäologe verlorengegangen
Bei den Bienen kommen meinem Mann die besten Gedanken
bei den Bienen und beim Frühstück
wie dem Professor Stieglitz in der Tetralogie
plötzlich springt er auf und läuft ins Haus
um sich Notizen zu machen
Ein Stichwort das möglicherweise gar nichts damit zu tun hat
wenigstens hat es den Anschein
bringt ihn auf einen wichtigen philosophischen Gedanken
Und wieviele Gedichte sind entstanden auf ein Stichwort

während des Frühstücks
Beispielsweise das Gedicht von der Schopflerche
Ich hatte gerade gefragt ob ich ihn nicht kämmen solle
nachdem er sein Ei gegessen hatte
er hatte wieder einen seiner rheumatischen Anfälle
da sprang er plötzlich auf
und rannte ins Haus und kam bald darauf zurück
mit einem Gedicht das er »Die Schopflerche« betitelte
Hören Sie
zitiert
Die Lerche machte bei mir Rast
in einer Welt aus Angst und Hast
Leider kann ich es nicht weiter
das Fräulein notiert sich etwas in ein Notizbuch
Er hat es dem Präsidenten der Akademie für Sprache und Dichtung gewidmet
In den letzten Tagen hat er wieder Gedichte geschrieben
Ja sehen Sie
jetzt entstehen wieder Gedichte aus seiner Feder
nach soviel Philosophischem
entstehen aufeinmal wieder Gedichte
jetzt habe ich wieder Ruhe für das Gedicht sagt er
blickt um sich
Wie anspruchslos wir hier leben
wie bescheiden
wie der Professor Stieglitz in der Tetralogie
Das braucht mein Mann
Er hat Besitz immer gehaßt
wie Stieglitz
Die Leute ersticken in ihrem Besitz sagt er immer
das Fräulein notiert sich etwas
Besitz macht die Menschen krank
schreibt mein Mann in der Tetralogie
er erdrückt sie mit der Zeit
Der denkende Kopf muß frei von Besitz sein
Die Lerche machte bei mir Rast
in einer Welt aus Angst und Hast
Er findet immer den richtigen Reim
finden Sie nicht

FRÄULEIN WERDENFELS

Ja immer den richtigen Reim

das habe ich an seinen Sonetten schon immer bewundert
daß er immer den richtigen Reim gefunden hat

FRAU MEISTER

Mein Mann mogelt nicht
der Reim muß gültig sein sagt er
das Fräulein notiert
Seine Sonette sind neu aufgelegt worden
ein schönes Buch
er hat es für die Jugend geschrieben der Jugend ins Herz
lehnt sich zurück und ruft nach einer Pause plötzlich aus
Bellini natürlich Bellini
Die ganze Zeit habe ich nachgedacht
von wem Norma ist
von Bellini natürlich
Ich habe die Callas gehört
in der Mailänder Scala
Aber ich fand ihre Stimme nicht so außerordentlich
immer etwas belegt
vielleicht sogar etwas vulgär finden Sie nicht

FRÄULEIN WERDENFELS

Ja vielleicht

FRAU MEISTER

Wir waren wegen des Abendmahls nach Mailand
und sind
wenn schon in Mailand
in die Scala gegangen wo gerade Norma gespielt worden ist
Ich bin nicht so sehr für die italienische Oper
mein Mann schwärmt davon
er verehrt Verdi
Für ihn gibt es nichts über La Traviata
Der gebildete Deutsche ist in die italienische Oper vernarrt
Da kann mein Mann sich ganz hingeben
da sollten Sie ihn sehen
Aber natürlich beruht das darauf
daß mein Mann ursprünglich Sänger hatte werden wollen
aber dieser Wunsch ist ihm nicht in Erfüllung gegangen
Jeder außerordentliche Künstler
hat einen geheimen Herzenswunsch
der ihm nicht in Erfüllung gegangen ist
d e r Herzenswunsch
das Fräulein notiert

Man merkt es jeder Zeile meines Mannes an
daß er ein hochmusikalischer Mensch ist
und der sensible Leser erkennt auch
daß mein Mann Sänger hatte werden wollen
wie der Professor Stieglitz
Er wäre ein glänzender Liedersänger geworden
Die Winterreise von ihm gesungen
das wäre das Höchste
aber es sollte nicht sein
aufeinmal war die Stimme weg wissen Sie
das ist schrecklich für einen Künstler
wenn plötzlich sein Instrument versagt
sein Lebensinstrument
das Fräulein notiert
Mein Mann hat eine ganz andere Auffassung
von der Liedinterpretation als das heute Mode ist
Was den Liedgesang betrifft
ist er Romantiker
Schade daß Sie seine Stimme nicht kennen
das erklärte vieles in seinem schriftstellerischen Werk
Man müßte lesen was er geschrieben hat
und gleichzeitig dazu seine Stimme hören
das ist natürlich nicht möglich
so bleibt auch sein schriftstellerisches Werk tatsächlich
unbegriffen
er selbst sieht es so
das Fräulein notiert
Es ist immer erholsam für meinen Mann
nach einem großen epischen Werk
die kleine die leichte Gedichtform zu praktizieren
dann kann es auch sein
daß er sich einen Essay vornimmt
eine kurze geschliffene wissenschaftliche Prosa
etwas über die Bienen oder über die Entstehung des Urgesteins
Es ist so schade daß gerade diese kleinen
Kostbarkeiten nicht gedruckt sind
aber die Zeit kommt wo auch das gedruckt wird
sagt der Professor Stieglitz in der Tetralogie
kleine Meisterwerke Fräulein Werdenfels
die es mit den größten Naturgeschichtsstücken von Goethe
aufnehmen

Oft ist mein Mann ganz erschlagen
wenn er eine Epik beendet hat
Er ist natürlich in erster Linie Epiker
obwohl er jede Dichtform beherrscht
wie Stieglitz in der Tetralogie
aber Epiker in erster Linie
Lyriker Epiker Philosoph Naturgeschichtsphilosoph
niemals die dramatische Form
im Grunde haßt mein Mann die Dramatik
er nennt sie eine schäbige gemeine Kunst
das sagt auch der Professor Stieglitz in der Tetralogie
das Fräulein notiert
Natürlich ist wenn von ihm die Rede ist
von dem Epiker Meister die Rede
aber der Lyriker steckt immer in ihm
es dichtet immer in ihm Fräulein Werdenfels
Ich werde meinen Mann auf seiner Vorlesereise begleiten
Er weiß es noch nicht
daß er diese Vorlesereise machen wird
aber ich habe schon alle Verträge abgeschlossen
von Flensburg bis Berchtesgaden reisen wir
in siebenundvierzig Städte
wir sind zwei Monate unterwegs
von der Nordsee bis zu den Alpen
liest mein Mann aus seiner Tetralogie vor
Er ist der beste Interpret seiner selbst
Wenn wir Glück haben
liest er heute abend
in kleinster Gesellschaft
in kleinstem Kreise wie wir sagen
aus der Tetralogie
wahrscheinlich sogar
der Verleger ist ja doch sehr gespannt darauf
Wir werden im Kamin Feuer machen
und ihm lauschen
mein Mann liest ja nicht gerne das ist die Wahrheit
aber ich bringe ihn schon dazu
schließlich habe ich ihn noch immer dazu gebracht
wenn erst das Feuer im Kamin prasselt
ist er schon weich geworden
Die Männer kann man nur insgeheim

in das Richtige lenken
Er soll den Schluß lesen
wo es endet
wo der Professor Stieglitz ganz plötzlich hereinkommt
wo sich alles in schönster Harmonie auflöst
Der Verleger wird sagen
er wolle das Manuskript mitnehmen
aber ich werde es nicht herausgeben
wir lassen es noch hier werde ich sagen
wir geben es noch nicht aus der Hand
so spannen wir den Verleger noch eine Weile auf die Folter
Die Lerche machte bei mir Rast
in einer Welt aus Angst und Hast
du zeigst dich mir auf grüner Flur
als allerreinste Urnatur
Sehen Sie man muß nur eine Zeitlang warten
dann fällt es einem wieder ein
du zeigst dich mir auf grüner Flur
als allerreinste Urnatur
so lautet die dritte und vierte Zeile
das Fräulein notiert
mit einem Bienennetz über dem Kopf kommt Herr Meister vom Bienenhaus herüber
Na endlich Moritz
das Fräulein ist aufgesprungen und macht ein Foto von Herrn Meister
Fräulein Werdenfels und ich warten schon die längste Zeit
hast du mich denn nicht gehört
Nichts kann dich abbringen von deiner Leidenschaft
Fräulein Werdenfels macht ein zweites Foto von Herrn Meister

HERR MEISTER *will sich das Netz vom Kopf nehmen, aber es gelingt ihm nicht*
Nimm mir doch bitte das Netz ab
Frau Meister nimmt ihm das Netz vom Kopf
Goethe hatte ein gestörtes Verhältnis zu den Bienen
das weiß ich ab heute
Es ist alles falsch was er über die Bienen geschrieben hat
Ein so großer Geist wie Goethe
und alles falsch
gibt seiner Frau das Netz zurück, die es ihm gegeben hat

Wir glauben immer
alles in und an einem großen Geiste stimmt
aber hier irren wir
Jetzt habe ich die Beweise
daß Goethe was die Bienen betrifft geirrt hat

FRAU MEISTER

Aber was macht das schon
Fräulein Werdenfels lacht

HERR MEISTER

Du hast recht
was macht das schon
gibt dem Fräulein die Hand,
das Fräulein macht einen Knicks
Wir studieren das Leben
und dringen immer tiefer ein
und die Finsternis wird immer größer
ist es nicht so Fräulein Werdenfels
nimmt den grünen Schurz ab und gibt ihn seiner Frau
Forscher sind wir alle
Forscher Fräulein Werdenfels Forscher
zu Frau Meister, nachdem er einen prüfenden Blick auf den Tisch geworfen hat
Alles passabel auf dem Frühstückstischchen
aber wo sind die Wahlverwandtschaften
Frau Meister stürzt in das Haus hinein
Die Lektüre die Frühstückslektüre
Bevor wir den Fruchtsaft trinken
lesen wir noch ein paar Seiten
so halten wir es hier im Weinberg
etwas Philosophisches naturgemäß
es ist kein komplettes Frühstück
ohne eine philosophische Lektüre
oder wenigstens philosophische Dichtung
nimmt das Fräulein unter den Arm und atmet tief ein
Wir halten es solange wir zusammen sind
meine Frau und ich
mit den großen Geistern
Wir hätten nicht überleben können sonst Fräulein Werdenfels
Frau Meister kommt mit einem Band der Wahlverwandtschaften zurück
Die Wahlverwandtschaften

was für ein herrliches Buch
Fräulein Werdenfels tritt zurück und macht ein Foto von Herrn und Frau Meister
Wir leben ein Leben in Goethe wissen Sie
wie Professor Stieglitz in meiner Tetralogie sagt
Nun wollen wir aber zum Frühstück schreiten
Fräulein Werdenfels
Er nimmt das Fräulein unter den Arm und alle gehen zu Tisch

Dritte Szene

Wie vorher
Herr und Frau Meister und Fräulein Werdenfels frühstücken

HERR MEISTER
Ja wissen Sie Fräulein Werdenfels
mein größter Herzenswunsch war es gewesen
Sänger zu sein
auf der Bühne zu stehen
als eine zentrale Figur der großen Oper
Otello Fräulein Werdenfels Jago
Aber eine kleine Verkühlung im Halse
merkwürdigerweise auf Ischia denken Sie
machte meinen Traum zunichte
eine möglicherweise unvorstellbare Karriere
plötzlich die Aussichtslosigkeit als Künstler vor sich zu sehen

FRAU MEISTER
Dabei ist mein Mann musikalischer
als jeder Mensch den ich kenne
Er hat alle großen Symphonien Beethovens im Kopf
wie der Professor Stieglitz in der Tetralogie
Schon von Kind an eine hochkünstlerische Begabung
nicht nur ein Steckenpferd Fräulein Werdenfels

HERR MEISTER
Nun übertreibe nicht Anne
aber selbst Mendelssohn höre ich vollständig
wenn ich auf meinem Sofa liege beispielsweise
und eine ganz bestimmte Stimmung meiner Sensibilität haben will

höre ich Mendelssohn
ein absolut Zweitrangiger wenn auch Erstklassiger

FRAU MEISTER

Ach nehmen Sie doch von dem Honig Fräulein Werdenfels
er ist aus dem Bienenhaus meines Mannes
von unseren Bienen Fräulein Werdenfels

HERR MEISTER

Oder Rachmaninow beispielsweise
Ich hatte eine Freundin in früher Jugend
die Pianistin werden wollte
und von der ich zuerst Rachmaninow gehört habe
überhaupt alle bedeutenderen russischen Komponisten
eine hochmusikalische Person
die mir die Musik aufgemacht hat wie eine Schatulle
was danke ich nicht alles diesem Mädchen
plötzlich verstarb es kein Mensch wußte woran
und alle diese außergewöhnlichen Kenntnisse
nimmt dann ein solcher hochmusikalischer Mensch mit ins Grab
diese ungeheuere Musikalität
wie ich keine mehr gefunden habe später
Früher hatte ich immer gedacht ich werde
ein sogenannter interpretierender Künstler
ein Musiker
ich liebte die Baßgeige vor allem

FRAU MEISTER

Wie der Professor Stieglitz

HERR MEISTER

Ich hatte keinerlei Beziehung zum Klavierspiel
das ist doch absurd nicht wahr Fräulein Werdenfels
Meine Frau ist eine richtige Klaviervirtuosin
sie ist eine Klaviersolistin ersten Ranges
sie hat früher selbst Solistenkonzerte gegeben
Einmal hat sie sogar unter Furtwängler im Wiener
Konzerthaus gespielt
aber dann plötzlich war alles aus
stellen Sie sich vor
wie wir geheiratet haben
von da an hat meine Frau keine Konzerte mehr gegeben
nur einer von beiden kann sich der hohen Kunst widmen
haben wir uns gesagt
Die Wahl ist auf mich gefallen

Aber natürlich setzt sich meine Frau jeden Tag an den Flügel
um nicht aus der Übung zu kommen
zu seiner Frau direkt
Sicher werden Sie sie am Nachmittag hören
Nicht wahr du gibst uns doch eine Talentprobe am Nachmittag
Das ist ein Opfer
sich aufzugeben für den Andern den Lebenspartner
Meine Frau hatte Berühmtheit erlangt
und auf dem Höhepunkt
alles aufgegeben
alle diese Reisen
allen Jubel der Menge
Aber es ist wahr ihre Kunst ist heute vollkommener als früher
zu seiner Frau direkt
im stillen bist du gereift zur höchsten Meisterschaft
und ich allein bin Zeuge ich allein
Was mich betrifft so hat es sich herausgestellt
daß ich doch kein interpretierender sondern ein schöpferischer Kopf bin

FRAU MEISTER
Plötzlich war der Dichter in meinem Mann erwacht
Das ist doch sicher für Ihre Doktorarbeit von größter Wichtigkeit
den genauen Werdegang meines Mannes zu erfahren
Dringen Sie ruhig in meinen Mann ein Fräulein Werdenfels
Sie sind da auch dem Professor Stieglitz auf der Spur

HERR MEISTER
Ich erinnere mich genau in Regensburg
ich war mit meinem Onkel ein Güterverwalter des Thurn und Taxis
in die dortige Kathedrale gegangen
übrigens ein Meisterwerk deutscher Gotik Fräulein Werdenfels
Füllen Sie sobald Sie können
diese Bildungslücke
notieren Sie sich Regensburg
Würzburg und Regensburg
aber vornehmlich Regensburg
In der Kathedrale von Regensburg war mir aufeinmal klargewesen
unter dem Netzrippengewölbe
unter einer ganz kleinen Öffnung im Netzrippengewölbe

daß ich zum Dichter bestimmt sei

FRAU MEISTER

Wie der Professor Stieglitz

HERR MEISTER

Gibst du mir nicht noch ein Brötchen Anne
Frau Meister gibt ihm ein Brötchen
Nichts hatte vorher darauf hingedeutet
wenngleich ich natürlich wie alle deutschen Jungen
schon im zarten Alter des humanistischen Gymnasiasten
Gereimtes verfaßt habe
manches davon ist mir heute noch im Kopf und lieb
ja tatsächlich
wenngleich es natürlich noch nicht vollkommen gewesen sein
konnte
vieles ist verloren aus dieser Zeit
beispielsweise ein Sonettenzyklus über die Schafgarbe

FRAU MEISTER

Wie der Professor Stieglitz

HERR MEISTER

Aber ich denke es ist besser so
Dann kommen diese Gelehrten aus dem Heidelbergischen
und aus Marburg an der Lahn
diese frischgebackenen Germanisten
oder Germanistinnen
die der Literatur auf der Spur sind
und ziehen in ihrem Überschwang alles ans Tageslicht
Nein doch nicht Fräulein Werdenfels
alles dieses früher Geschaffene soll für die Nachwelt
verschlossen bleiben
ist es auch nicht gänzlich verloren
so ist es doch für die Literaturwissenschaft verschlossen
Aber ich will damit nicht sagen
daß ich mich meiner Anfänge schämte im Gegenteil
auch Stieglitz in der Tetralogie schämte sich nicht
alles was ein Künstler gemacht hat gehört zu seinem Werk

FRÄULEIN WERDENFELS

Das haben Sie schön gesagt

HERR MEISTER

Viele Kollegen schämen sich ihres Frühwerks
und versuchen mit allen Mitteln es zu verbergen
so bin ich nicht ich bin nicht so

Jeder junge Mensch ist begabt und schreibt Gereimtes
Manchmal in merkwürdig heiterer Stimmung würde Goethe
sagen
sagt Stieglitz
betrachte ich dieses Jugendwerk
Gedichte Novellen Prosa
und ich bin in eine recht melancholische Stimmung versetzt
Aber ich denke natürlich nicht daran es freizugeben
wo mein Spätwerk so geschlossen daliegt
das wäre doch unverantwortlich nicht wahr Fräulein Werdenfels

FRÄULEIN WERDENFELS

Aber eines Tages Herr Professor
wird die Nachwelt auch dieses Werk der Öffentlichkeit
zugänglich machen
Sie haben kein Recht diese Schätze unter Verschluß zu halten
wie ich glaube
eines Tages

HERR MEISTER

Ja vielleicht vielleicht ist es so vielleicht haben Sie recht
Ganze Zyklen über die Sauerkirsche beispielsweise
sind entstanden wie ich fünfzehn war
Aber das steht alles ganz genau bei Stieglitz
Da muß ja wohl schon alles in mir bestimmt gewesen sein
sagt Stieglitz in der Tetralogie
Meine Eltern sind meiner Neigung natürlich nicht unbedingt
mit Verständnis begegnet
zu seiner Frau direkt
wie übrigens die deinigen auch nicht deiner Kunst

FRAU MEISTER

Meine Eltern hatten nichts dagegen daß ich Musik studieren wollte
aber sie sahen es sicher auch nicht so gern

HERR MEISTER

Ich stamme aus einem amusischen Hause
ich bin aus den einfachsten Verhältnissen
wie der Professor Stieglitz
mein Vater war ein ganz kleiner Angestellter in einer
Großziegelei
da hatte ich nicht mit Verständnis zu rechnen
und meine Mutter war die Tochter eines Straßenarbeiters
Das sagt sich alles so leicht
aber es ist die Wahrheit die bittere Wahrheit Fräulein Werdenfels

Sie selbst kommen ja aus einem durch und durch
wissenschaftlichen Hause
aus einer Gelehrtenfamilie
aus einem unendlich reichen Nährboden für Kunst und
Wissenschaft
Und auch aus einer gewissen Wohlhabenheit
aber ich
zeigt in die Ferne
Da drüben sehen Sie wo es ganz karg ist
da bin ich geboren
Zwei Ziegen und vier Morgen Land das war alles
und die Verachtung der Umwelt noch dazu

FRAU MEISTER
Es ist alles so gut gekommen Moritz
du hast es geschafft
wir haben was wir brauchen
und du bist berühmt geworden ein berühmter Mann

FRÄULEIN WERDENFELS
Unser hochgeschätzter
ja schon weltberühmter Autor
über welchen jetzt schon bald mehr Bücher erschienen sind
als er selbst geschrieben hat

FRAU MEISTER
In Paris ist ein Buch über meinen Mann erschienen
bei Gallimard

HERR MEISTER
Eine Arbeit über meinen Stil
sehr interessant

FRAU MEISTER
Sie sprechen doch sicher ein ausgezeichnetes Französisch
Fräulein Werdenfels nicht wahr
und lesen französisch

HERR MEISTER
Das will ich meinen
ein Kind aus solchem Hause

FRÄULEIN WERDENFELS
Ich wußte gar nichts von diesem Buch

HERR MEISTER
Es ist erst vor zwei Wochen erschienen

FRAU MEISTER
Fabelhaft gedruckt

wie alle diese wunderschönen Bücher bei Gallimard
Leider verstehe ich die französische Sprache so schlecht

HERR MEISTER

Meine Frau untertreibt
natürlich spricht sie französisch
besser noch als italienisch das sie sehr gut beherrscht
als Musikerin von hohen Graden
wie Stieglitz an einer entscheidenden Stelle sagt

FRAU MEISTER

Bis zweiundzwanzig hat mein Mann nur Gedichte geschrieben
und dann jahrelang nichts mehr
da wollte er die Sängerkarriere einschlagen
und dann mit zweiunddreißig die erste Prosa
eine Kurzprosa mit dem Titel Die Lilie
die sogar abgedruckt worden ist

HERR MEISTER

In der Allerheiligennummer der Stuttgarter Zeitung
das genaue Datum weiß ich nicht mehr
aber es war über eine ganze Seite gedruckt
ich war sehr stolz auf mich
ich hatte mich obwohl es sehr kalt gewesen war
auf eine Parkbank gesetzt gegenüber dem Schauspielhaus
und die aufgeschlagene Zeitung mit meiner Prosa auf meinem Schoß
und hatte gedacht
daß alle vorübergehenden Leute wissen
daß Die Lilie die in der Zeitung abgedruckt war an diesem Tage
von mir ist
bei Stieglitz ist das genau nachzulesen
So war ich über Nacht zum Dichter geworden
in dieser deutschen Dichterlandschaft
natürlich hatte ich damals eine sehr romantische Auffassung von Dichtung
aber ich hatte von da an regelmäßig geschrieben
Es hat da aber auch noch ein Gedicht gegeben
von einer sich sanft wiegenden Birke im Abendwind
Die Geburt eines Schriftstellers ist ein langwieriger Prozeß mit vielen schmerzhafen Rückschlägen

FRÄULEIN WERDENFELS

Das haben Sie aber sehr schön gesagt Herr Professor

FRAU MEISTER

Bis es dann endlich der große Dichter ist
bis aus dem Ringenden und Suchenden der geworden ist
den alle bewundern
wie Stieglitz sagt

HERR MEISTER

In einem meiner späten Gedichte
übrigens in der Sammlung Nachtfalters Ende
die ich bei Klett herausgegeben habe
kommt diese sich sanft im Abendwind wiegende Birke noch einmal vor
in ganz anderem Zusammenhang natürlich
als philosophisch religiöses Element

FRAU MEISTER

Das hast du in Nürnberg geschrieben
auf dem Katholikentag
da waren wir von Kardinal Frings eingeladen
wir saßen neben Frings
zeigt es
Frings saß da und ich saß neben Frings und mein Mann saß da neben mir
Da hat mein Mann aus Nachtfalters Ende gelesen
Mein Mann ist ein großer Dürerverehrer

HERR MEISTER

Wie übrigens mein Professor Stieglitz auch

FRAU MEISTER

Er liebt das Fachwerk
Und die Meistersinger sind insgeheim deine Lieblingsoper
stimmt es Moritz
oder habe ich ein Geheimnis ausgeplaudert
Schließlich soll das Fräulein Werdenfels doch auch von deinen absoluten Vorlieben im Bereiche der Kunst wissen

HERR MEISTER

Wagner läßt das Herz höher schlagen
sagt Stieglitz in der Tetralogie
Das ist doch sehr interessant Nietzsche und Wagner nicht wahr
Die Prioritäten sind wichtig
auf die Prioritäten kommt es an

FRAU MEISTER

Wie heißt doch das Gedicht
das du auf dem Katholikentag in Nürnberg geschrieben hast

HERR MEISTER
Dürer in Fürth
FRAU MEISTER
Natürlich Dürer in Fürth
Mein Mann liebt die Vokale
das ist sehr wichtig zu wissen
auch Stieglitz liebt die Vokale
HERR MEISTER
Ich sah aus dem Fenster des Hotels
FRAU MEISTER
Zum weißen Raben
HERR MEISTER
Sehr richtig
und sah eine Birke wie die Birke
vor meinem Elternhaus
das inspirierte mich
keine fünf Minuten und das Gedicht war da
Der Künstler weiß nie
wie sein Werk entstanden ist
er bleibt im Stande der Vermutung
der wahre Künstler weiß nichts über seine Kunst
erst nach und nach wird ihm deutlich
was ihm letzten Endes doch vollkommen verborgen bleibt
Am Abend habe ich
in kleinstem Kreise
dem Kardinal Frings das Gedicht vorgelesen
Es ist dann in die katholischen Schulbücher Nordrhein-
Westfalens aufgenommen worden
Ich habe natürlich kein Honorar genommen
zum Fräulein direkt
Und stellen Sie sich vor
die Birke vor meinem Elternhaus
übrigens liebt Professor Stieglitz die Birke
eben diese zum Gedicht gewordene Birke
ist in der Weihnachtsnacht neunzehnhundertachtundsechzig
abgesägt worden
von den Nachbarn meiner Eltern
die damals noch lebten
wegen einer mißlichen Grundstückssache
aus Haß stellen Sie sich vor
plump abgesägt

FRAU MEISTER

Es ist zu einem Prozeß gekommen
der sich drei Jahre hingezogen hat
Meine Schwiegereltern haben diesen Prozeß verloren
Das Gericht hatte sich auf den Standpunkt gestellt
daß die Birke zuviel Schatten auf das Nachbargrundstück
geworfen habe
Eine unerquickliche Geschichte
zu ihrem Mann direkt
nicht wahr

HERR MEISTER

Einer gönnt dem andern nichts
der nachbarliche Haß ist der größte

FRAU MEISTER

Mein Mann war ein richtiger Opernfanatiker
das reizte mich ja
da ich selbst Musikerin war und bin
ich hätte keinen unmusikalischen Mann geheiratet

HERR MEISTER

Ein Opernnarr wie mein Professor Stieglitz

FRAU MEISTER

Je dramatischer desto besser

HERR MEISTER

Mein Vater haßte die Oper

FRAU MEISTER

Das bewirkte den Opernfanatismus meines Mannes
Es läutet am Gartentor
aufspringend
Der Briefträger
sie läuft zum Gartentor und kommt mit dem Briefträger zurück, der eine schwere Tasche trägt
Ach kommen Sie doch näher Herr Smirnoff
wir sind gerade noch beim Frühstück
wir haben einen ganz reizenden Besuch
sie treten an den Tisch

HERR MEISTER

Was haben Sie denn Schönes Herr Smirnoff
Briefträger stülpt die Tasche über einem Sessel um

FRAU MEISTER

Das ist ja unglaublich viel Post

HERR MEISTER
Unglaublich
Nun sehen Sie einmal Fräulein Werdenfels
wieviel Post wir bekommen
FRAU MEISTER
Und das beinahe jeden Tag
nicht wahr Herr Smirnoff
HERR MEISTER
Seit ich doch etwas bekannt geworden bin
FRAU MEISTER
Ach immer diese Untertreibungen
gib doch zu daß du dich freust
sie durchsucht die Post auf dem Sessel, dann
Lauter Anfragen von Universitäten
ob mein Mann vorliest
sie nimmt zwei Briefe
Von der Universität in Nancy
Und von der Deutschen Akademie für Sprache und Dichtung
HERR MEISTER
Setzen Sie sich doch zu uns Herr Smirnoff
FRAU MEISTER
Setzen Sie sich Herr Smirnoff
FRÄULEIN WERDENFELS
Das ist aber ein interessanter Name
für einen Briefträger
FRAU MEISTER
Herr Smirnoff ist von bulgarischen Eltern
er erinnert meinen Mann ein bißchen an Schaljapin
finden Sie nicht
so das ganze Äußere
Was für ein Sangesvolk die Bulgaren
sie bietet dem Briefträger einen Platz neben dem Fräulein an und er muß sich setzen
Der Krieg hat die Menschheit durcheinandergewirbelt
so ist auch Herr Smirnoff nach Deutschland gekommen
als ganz kleines Kind
Aber Sie fühlen sich doch ganz als Deutscher nicht wahr
Herr Smirnoff
BRIEFTRÄGER
Jaja
Fräulein Werdenfels ist aufgestanden, um ein Foto zu machen

FRAU MEISTER

Ganz Schaljapin
Was für ein Sänger
ein Revolutionär der Oper
Der Sänger den mein Mann am meisten bewundert hat
sie schenkt dem Briefträger Tee ein und gibt ihm Gebäck und alle rücken für ein Foto zusammen
Sie sind zum richtigen Zeitpunkt gekommen Herr Smirnoff
Fräulein Werdenfels tritt zurück und macht das Foto
Seine Eltern waren Gärtner
das ist bei den Bulgaren immer so
Fräulein Werdenfels setzt sich wieder
Was machen denn Ihre Kinder Herr Smirnoff
sie haben doch keine Schwierigkeiten in der Schule

HERR MEISTER

Begabte Kinder sehr begabte Kinder

FRAU MEISTER

Eigentlich schon ganz deutsche Kinder
sie haben ganz deutsche Namen
Herr Smirnoff ist mit einer Deutschen verheiratet
Sie haben eine liebe Frau Herr Smirnoff
sie sucht in der Post und zieht noch ein paar Briefe heraus
Lauter Bücher mit Signierwünschen
Das macht mein Mann nach dem Mittagessen
er macht es ungern aber er macht es
Man darf doch die treuen Leser nicht enttäuschen
Was ist ein Schriftsteller ohne Leser
Er ist nichts ohne Leser
zum Briefträger
Was wären Sie Herr Smirnoff ohne Post
Ohne Post Sie Herr Smirnoff
alle lachen auf
Ein Brief von der bayerischen Staatskanzlei
und ein Brief vom Bürgermeisteramt Zürich
und ein Brief aus Stockholm
sie geht zu ihrem Mann hin und hält ihm den Brief aus Stockholm vor die Nase
Aus Stockholm
aus Stockholm
aus Stockholm

Vierte Szene

Bibliothek
Herr Meister in einem Schaukelstuhl, Fräulein Werdenfels auf einem Sessel ihm gegenüber mit Fotoapparat und Notizbuch, in das sie notiert

HERR MEISTER *pfeiferauchend*
Fragen Sie Fräulein Werdenfels
fragen Sie nur
Das Erlebnis des Krieges
ist das fundamentale Erlebnis des deutschen Mannes
Odessa Minsk Sewastopol
schließlich die Westfront die Normandie
Wenn Sie wie ich ihre Kameraden gesehen haben
Fräulein Werdenfels steht auf, um ein Foto von Herrn Meister zu machen
steif erfroren verstümmelt
Der Schriftsteller verarbeitet natürlich alles
was er erlebt hat
die ganze Geschichte schließlich die ihn geformt hat
jeder Schriftsteller jeder Dichter ist das Produkt
der ganzen Geschichte
Natürlich ist es ein Gnadenzustand das Schreiben
in welchem der Tod eine ganz außerordentliche Rolle spielt
vielleicht ist das Todeserlebnis das allererste
Fräulein Werdenfels geht in die Knie und macht ihr Foto
Der Tod das Todeserlebnis das ist Reife
sehen Sie sich diese jungen Schriftsteller an
lauter unendlich begabte junge Leute
die mit der leichtesten Feder schreiben
die so unendlich viel schreiben heute
Fräulein Werdenfels setzt sich wieder
wenn sie um die zwanzig sind und um die dreißig
aber sie haben alle nichts erlebt
was sie schreiben zerfällt dem Leser während er es liest
es ist nichts weil es keine Geschichte ist
wie mein Professor Stieglitz sagt
weil das Todeserlebnis fehlt
weil die Konfrontation mit dem Tod fehlt
weil das Fundament einfach nicht da ist nicht da sein kann

In dem Schreibenden muß alles eingesenkt sein alles
die Anfänge der Menschheit die Anfänge der Kultur
wie gesagt die ganze Geschichte sagt Stieglitz

FRÄULEIN WERDENFELS

Was hat Sie auf den Gedanken der Tetralogie gebracht
und wann ist dieser Gedanke an die Tetralogie zum ersten Mal
aufgetaucht

HERR MEISTER

Der Gedanke an die Tetralogie
mein Opus magnum zweifellos
jedenfalls bis zum heutigen Tage
war schon immer in meinem Kopf gewesen
Die Stieglitzfigur zuallererst natürlich
Ich kann nicht sagen dann und dann an diesem bestimmten
Zeitpunkt
plötzlich war dieser aufregende Gedanke da
und ich habe ihn von diesem Augenblick an mit der größten
mit der allergrößten Besessenheit verfolgt
Der Gedanke ist da und er muß verfolgt werden
er türmt sich immer mehr und mehr vor Ihnen auf
es ist als wenn Sie ein Riesengebirge zu besteigen hätten
die Mutlosigkeit würde alles unmöglich machen
die Mutlosigkeit würde alles schon zunichte machen
bevor Sie überhaupt begonnen haben

FRÄULEIN WERDENFELS

Ein so umfangreiches Werk
ein solches zweitausend Seiten umfassendes Werk
in welchem die ganze Kulturgeschichte verarbeitet ist
wie ist es möglich

HERR MEISTER

Das kann nicht gesagt werden
das kann überhaupt nicht gesagt werden
Der Philosoph kann nicht sagen er philosophiert
der Dichter kann nicht sagen er schreibt
der Schöpfer kann nicht sagen daß er schöpft
sagt mein Professor Stieglitz in der Tetralogie
Diese unendliche Mühsal
mit welcher an jede Zeile herangegangen werden muß
sagt Stieglitz
Das ist ja das Unvorstellbare
In jedem Werk ist das Scheitern

aber wenn wir die Gnade haben bringen wir es fertig
wir dringen ein wie in ein Bergwerk
und schürfen und schürfen und fördern zutage
sagt Stieglitz

FRÄULEIN WERDENFELS

Hatten Sie ein Konzept für die Tetralogie

HERR MEISTER

Natürlich hatte ich ein Konzept
der große Entwurf war da
schon als Gedanke
mein Stieglitzgedanke verstehen Sie
ein Plan genauestens ausgearbeitet im Kopf
der Professor Stieglitz der Geistesdeutsche
aber dann wenn ich daran gehe und hineingehe in das Bergwerk
empfängt mich doch nur eisige Finsternis
wie Stieglitz sagt

FRÄULEIN WERDENFELS

Sie haben soviel Geistesgeschichte in dieser Tetralogie verarbeitet

HERR MEISTER

Ja sehen Sie diese unendliche Arbeit zuerst
diese Tausende Bücher die Sie ja studiert haben müssen
um ein solches Thema der Menschwerdung
wenn ich es so ausdrücken darf
wenn ich meinen Professor Stieglitz zitieren darf
überhaupt anzugehn
es ist ja alles gegen mich am Anfang alles
sagt Stieglitz
ich habe schon gesagt die Vorstellung von einem Riesengebirge
im wahrsten Sinne des Wortes
Und die Gewißheit der Möglichkeit
in jedem Augenblick scheitern zu können
Denn nichts ist Ihnen sicher nichts
Sie leisten eine lebenslängliche Arbeit
und Sie haben nichts in der Hand
der Schriftsteller oder der Dichter
hat keinerlei Garantien
sagt Stieglitz in den Dolomiten ganz für sich allein
Dann sind Sie endlich soweit daß Sie anfangen
daß Sie schreiben können
und dann kommt irgendeine lächerliche Unpäßlichkeit
eine kleine Magenverstimmung eine Blutvergiftung

und es ist wieder nichts
so zahllose Anläufe immer wieder
das erfordert schon die Zähigkeit eines Raubtiers
so das genaue Stieglitzzitat
wiegt sich ein paarmal hin und her
Die Katastrophe ist ja das völlige Alleinsein
und tatsächliche Alleingelassensein mit sich selbst
Nietzsche Stieglitz und wieder zurück verstehen Sie
Niemand kein Mensch nichts hilft Ihnen
nur Sie selbst auf sich selbst angewiesen
mein Sils Maria wie Stieglitz bekennt
gehen in diesen Kampf
und es ist ein Kampf
der Schriftsteller kämpft um sein Leben so ist es
so sagt es mein Stieglitz

FRÄULEIN WERDENFELS

Was sind das für Charaktere in Ihrer Tetralogie

HERR MEISTER

Höchst ungleiche verschiedene Charaktere
Geistescharaktere naturgemäß
Es ging mir darum alle möglichen konträren Charaktere darzustellen
ein Spektrum sozusagen aller Weltmenschencharaktere
sehen Sie zum Beispiel Robert der Naturwissenschaftler
der schließlich an seiner Naturwissenschaft zugrunde geht
zugrunde gehen muß
oder Irma die Gescheiterte die in Paris aufgegeben hat
wahrscheinlich zu dem ungünstigsten Moment
weil sie Stieglitz nicht verstanden hat
Ein Spektrum wie gesagt ein Spektrum
alles Charaktere wie sie in dieser Zeit existieren
es ist ja auch ein Werk dieser Zeit keiner andern
sagt Stieglitz an einer entscheidenden Stelle
in keiner andern möglich
so Stieglitz in Sankt Moritz erschöpft geisteserschöpft
es ist kein Werk irgendeiner Zeit
es ist das Werk unserer Zeit
wie Stieglitz sagt

FRÄULEIN WERDENFELS

Stellt Robert nicht so etwas
wie den negativen Helden dar in Ihrer Tetralogie

HERR MEISTER

So könnten Sie sagen Fräulein Werdenfels
aber das ist auch wieder nicht der Fall
sehen Sie Was ist der negative Held
Es ist der Held an sich
der gescheiterte Mensch
wie der Professor Stieglitz sagt
sozusagen der gescheiterte Gescheiterte

FRÄULEIN WERDENFELS

Der von der Geschichte Überrollte
der in der Geschichte Gescheiterte

HERR MEISTER

Der an der Geschichte Gescheiterte
an sich Gescheiterte in der Geschichte
Aber es ging mir natürlich nicht darum
nur den negativen Helden wie Sie sagen darzustellen
nein es ist mir darum gegangen
die Ausweglosigkeit der Geschichte
in den einzelnen Charakteren sichtbar werden zu lassen
Ich zeichnete einen ganz und gar für diese unsere Zeit
typischen Edgar
der sich mit der Existenz nicht abfindet
nicht abfinden kann
obwohl er alles zu seiner Geistesverfügung hat
gerade deshalb scheitert Edgar ja
Er ist der große Künstler
er ist der große Mathematiker
er ist der bedeutende Naturwissenschaftler
er ist der Weltmann als Weltgeist an sich
und scheitert
wie mein Professor Stieglitz sagt
das habe ich sehr elegant skizziert
vielleicht eine Spur zu elegant vielleicht

FRÄULEIN WERDENFELS

Hatten Sie Stilprobleme im Edgarkapitel

HERR MEISTER

Wie meinen Sie das

FRÄULEIN WERDENFELS

Legten Sie das Edgarkapitel als Gegenkapitel
zu dem Robertkapitel an oder spielte das
eine untergeordnete Rolle

in Beziehung zu Professor Stieglitz

HERR MEISTER

Das ist eine interessante Frage
Ich beschäftigte mich mit der Disposition Edgars
gleichzeitig mit der Gefahr
in die Robert durch Edgar gekommen ist
Sie können die Typologie Edgars
in Beziehung setzen zur Verzweiflung Roberts
das war ein stilistisches Problem
in Beziehung zu dem Professor Stieglitz
wenn Sie das meinen
Ich hatte ein grandioses Erlebnis in Knossos
Ich muß nicht erwähnen was mir Knossos bedeutet
da Sie ja mein Werk einigermaßen gründlich kennen
Ich deutete eine Gesetzestafel die in Gortys gefunden
worden war
anders als Sir Evans
ich deutete sie richtig weil ich unter den richtigen
Voraussetzungen
an meine Deutung herangegangen war
Evans unter völlig falschen
aber das können Sie alles in meiner Tetralogie nachlesen
das wird sehr interessant sein für Sie aufschlußreich
wie ja überhaupt die minoische Kultur in meiner Tetralogie
die größte Rolle spielt
es war notwendig zweimal nach Kreta zu kommen
für längere Zeit
vor allem für das Edgarkapitel
man versteht das Edgarkapitel natürlich nur
wenn man Knossos versteht
aber nur wenn man zu meinen Schlüssen gekommen ist
nicht zu den Schlüssen von Sir Evans
es war für mich die aufregendste Arbeit
die ich jemals gemacht habe
es hat mich jahrelange ununterbrochene Konzentration gekostet
schließlich das Edgarkapitel fertigzubringen
dabei hat mir natürlich meine Frau sehr geholfen
wie ich ja überhaupt meiner Frau sehr viel verdanke

FRÄULEIN WERDENFELS

Die maßgeblichen Kritiker schreiben
die Bücher eins und zwei betreffend

Sie hätten Züge Edgars
ich meine Charakterzüge Edgars
auch in Robert verarbeitet
daß überhaupt das Robertkapitel sehr viel von Edgar hat
stimmt das ich meine kann das stimmen

HERR MEISTER

Sehen Sie Fräulein Werdenfels
naturgemäß ist etwas von Robert in Edgar eingegangen
und von Edgar etwas und gar nicht so wenig in Robert
so erstaunt mich daß die Kritiker tatsächlich zu solcher Beobachtung fähig sind
das erstaunt mich wirklich
denn die meisten haben ja niemals die Fähigkeit
tiefer in ein Werk einzudringen
es ist alles oberflächlich an ihnen alles
hier hatte es sich nun ergeben daß die Kritiker gesehen haben
welcher philosophische Zusammenhang beispielsweise
zwischen Edgars Perspektive auf die Natur
und Roberts Kunstphilosophie besteht
Aber natürlich haben das nur zwei Kritiker erkannt
und wir sind uns doch einig daß es sich bei diesen beiden
um die besten ihres Faches handelt
aber auch diese beiden hatten jahrzehntelang geirrt
Wenn es nach den Kritikern gegangen wäre
hätte ich mich ja längst umbringen müssen
aber ich habe die Verzweiflung jedesmal überwunden
ich habe mich dem Thema gestellt das ist alles
der schöpferische Künstler und vornehmlich der Dichter
oder Schriftsteller hat sich dem Thema zu stellen
alles andere ist unwichtig
sagt Stieglitz im fünften Kapitel
er hat auf sich selbst zu hören
auf sonst nichts
sagt mein Stieglitz
Nicht nur mit den Kritikern in Deutschland ist es eine fatale Sache
Sie loben und sie verdammen
und sie wissen niemals was sie loben
und was sie verdammen
sie haben keine Ahnung von ihrem Gegenstand
wie Stieglitz sagt

je früher sich ein schöpferischer Künstler das klarmacht
desto besser
natürlich ist der junge der werdende Künstler
allen diesen Kritikern ausgesetzt
die Kritiker haben schon viele Genies vernichtet
aber es wachsen immer wieder neue nach
solange die Welt besteht
auch die Genies sind unausrottbar in der Natur
Ich selbst habe inzwischen eine harte Haut
und mein Blick ist immer nur auf den Gegenstand gerichtet
und heute kann ich nicht klagen
wie Stieglitz in meiner Tetralogie auch nicht
er ist der Weltverfüger verstehen Sie
es wird seit Jahren nur Positives über mich geschrieben
seit ich fünfundsechzig gewesen bin kein verletzendes Wort
mehr
lese ich meinen Namen in der Zeitung
ist er immer mit einem hochachtenden Lob verbunden
das beflügelt natürlich
ja hätte ich früher ein solches Echo gehabt
wer weiß was ich noch alles vollbracht hätte

FRÄULEIN WERDENFELS

Wie ist Ihr Verhältnis zur Natur
ist es ein Naturverhältnis an sich wie Sie sagen
oder ist es etwas anderes an sich wie Professor Stieglitz sagt

HERR MEISTER

Ich kann nicht sagen es ist ein Naturverhältnis an sich
es ist das lebenslängliche Interesse
an den Dingen und an der Materie
und an der Philosophie die solches bezweckt
verstehen Sie
es ist ein mathematisches Schicksal das meinige
es ist vollkommen an die Natur gebunden
es ist in jedem Gedicht von mir
es ist in jedem Stück Prosa
es ist in allem worin ich existiere

FRÄULEIN WERDENFELS

Warum ist das Robertkapitel kürzer als das Edgarkapitel

HERR MEISTER

Es hat mit Mathematik zu tun
und mit Statik

und mit Archäologie
Es war durch mein Kretaerlebnis bedingt
es ist die Weltsicht meines Professors Stieglitz auf den Kosmos
Aber es fehlt hier die Zeit
um mich näher mit diesem Problem auseinanderzusetzen
eine sehr interessante Frage
ich bin sie noch nicht gefragt worden
Ich habe ja auch noch mit keinem Menschen außer mit Ihnen
über die ganze Tetralogie gesprochen
außer mit meiner Frau natürlich
Das Edgarkapitel hat etwas mit Beethovens Fünfter zu tun
das Robertkapitel mit Schönbergs Moses und Aron
aber das würde zu weit führen

FRÄULEIN WERDENFELS
Es fällt auf daß Sie das Zeitproblem plötzlich umkehren

HERR MEISTER
Ja sehen Sie

FRÄULEIN WERDENFELS
Warum gerade zwischen dem Edgarkapitel und dem Robertkapitel

Im Nebenzimmer fängt Frau Meister eine Fantasie von Chopin zu spielen an, sehr leise

HERR MEISTER
Ja sehen Sie das ist meine Philanthropie
das ist mein Egos mein Matala wie Stieglitz sagt

FRÄULEIN WERDENFELS
Ja Ihr Matala

HERR MEISTER
Sie wissen doch was Matala ist

FRÄULEIN WERDENFELS
Ja natürlich

HERR MEISTER
Mein Matala mein Matala
Um die Vernünftigkeit geht es
um die Verfügungsgewalt sagt Stieglitz
Wie einfach liegt Zeus quer nicht wahr

FRÄULEIN WERDENFELS
Die Ursache war doch sicher Ihr Verhältnis
zu den Unvereinbarkeiten wie Sie einmal sagen

HERR MEISTER
Sicher ganz sicher

Es gibt ein Märchen das Märchen heißt Tobias
in diesem Märchen können Sie alles nachlesen
was das Robertkapitel betrifft
und wenn Sie das begriffen haben
ist Ihnen auch das Edgarkapitel klar
nicht zufällig reist mein Professor Stieglitz an einem
ersten Januar von Kabul nach Teheran
Aber warum haben wir eigentlich immer nur
über diese beiden Kapitel gesprochen
Wenn ich nicht irre
hat meine Tetralogie vierhundertachtundzwanzig Kapitel
und das wichtigste ist zweifellos jenes
in welchem Professor Stieglitz durch Afghanistan reist

FRÄULEIN WERDENFELS

Ich will mich in meiner Doktorarbeit
auf diese beiden Kapitel konzentrieren
Einerseits auf das Edgarkapitel
schon wegen der Fülle der Begriffe des Logos
andererseits auf das Robertkapitel
wegen seiner Anthroposophie

HERR MEISTER

Ja das ist es wahrscheinlich
blickt zur Nebenzimmertür, durch welche das Klavierspiel
jetzt etwas lauter herauskommt
Wie schön meine Frau spielt
sie ist eine große Virtuosin
In Wahrheit müssen Sie wissen
war ihre Mutter eine geborene Erzherzogin
Habsburgerin müssen Sie wissen
aber davon sprechen wir nicht
ganz leise
obgleich wir solche Wahrheit zu schätzen wissen
das Klavierspiel hat aufgehört

FRAU MEISTER *tritt in die Bibliothek ein und verkündet*

Herr von Wegener ist gerade gekommen

HERR MEISTER *überrascht*

Ach tatsächlich
er steht auf
ans Fräulein Werdenfels gerichtet
Ein Herr von der Frankfurter Allgemeinen Zeitung
der über mich einen Bericht schreiben will

das Fräulein steht auf
ein netter junger Mann
im Schwarzwald gebürtig
mit ganz reizenden Manieren

FRAU MEISTER
Er ist noch frei Fräulein Werdenfels
aus bestem Hause

Fünfte Szene

Speisezimmer
Herr und Frau Meister, Fräulein Werdenfels, von Wegener am Mittagstisch essend und trinkend

HERR MEISTER
Die Funde die in Phaestos gemacht worden sind
sind ja doch viel imposanter als die in Knossos
Knossos ist enttäuschend
Evans hat den Funden mehr geschadet als genützt
Es ist erstaunlich wielange dieser Mann
tatsächlich ein Verrückter im Auftrage der Königin
dort gewütet hat
Andererseits findet Knossos weit mehr Interesse
als Phaestos oder gar die Ajia Triadha

FRAU MEISTER
Mir geht es nicht nur um die Funde
mir ist es immer auch um die Landschaft gegangen
Das bedrückt meinen Mann natürlich

HERR MEISTER
Meine Frau spricht immer nur von alten Scherben
wenn sie von den Funden spricht
nein der Laie ist natürlich von dieser Wissenschaft
absolut ausgeschlossen
die Archäologie ist nichts für den Laien
sagt Stieglitz

FRAU MEISTER
Mein Mann schreibt an einer Schrift
über Knossos unter besonderer Berücksichtigung

der Ajia Triadha
zu ihrem Mann direkt
Jetzt wo du die Tetralogie fertig hast
kannst du dich ganz deiner archäologischen Schrift widmen

HERR MEISTER
Schon als Halbwüchsiger habe ich mich für Schliemann interessiert
ich hatte schon bald alles von Schliemann gelesen
Frau Herta, die Köchin, tritt auf und schenkt allen Wein ein

FRAU MEISTER
Es ist doch absurd
daß Evans der Ansicht war
die Minoer seien alle gleich groß gewesen
nämlich nicht größer als einsfünfzig

HERR MEISTER
Der Gedanke daß man heute auf den gleichen Steinen geht
auf welchen König Minos gegangen ist
Nun sind aber natürlich die kostbarsten Stücke
aus dem Museum in Heraklion in alle Welt verkauft worden
wie immer haben die Amerikaner beinahe alles Kostbare
an sich gerissen
man muß schon nach New York fahren
um die kostbaren Stücke in Augenschein nehmen zu können
zu Fräulein Werdenfels direkt
Ich bewunderte immer die Schrift Ihres Herrn Vaters
die er über Troja geschrieben hat
Da hatten Sie doch sicher entscheidende lebensentscheidende Eindrücke
wie Sie Ihren Herrn Vater nach Troja begleitet haben

FRÄULEIN WERDENFELS
Ja natürlich
es ist mir unvergeßlich

HERR MEISTER
Wielange ist Ihr Herr Vater schon tot sagten Sie

FRÄULEIN WERDENFELS
Vier Jahre
an einer Lungenentzündung ist er gestorben

HERR MEISTER
Es ist doch eine Auszeichnung wenn ein Wissenschaftler
in Ausübung seiner Wissenschaft zugrunde geht
wie Professor Stieglitz sagt

Er hatte sich auf der Akropolis verkühlt wenn ich nicht irre

FRÄULEIN WERDENFELS

Ja im Winter sechsundsiebzig

HERR MEISTER

Aber da hatte er sein Werk über Troja schon fertiggeschrieben
nicht wahr

FRÄULEIN WERDENFELS

Ja gerade als es fertig war verkühlte er sich
und starb drei Wochen darauf

HERR MEISTER

Die Medizin versagt immer
Aber wenn es zu Ende ist ist es zu Ende
nicht wahr Herr von Wegener
Wie geht es denn Ihrer Mutter
krankt sie noch an der Leber

HERR VON WEGENER

Am Pancreas Herr Professor
seit ihrer Kindheit

HERR MEISTER

Das ist schlimm
ich hatte eine Großtante die an Pancreas krankte
sie war nicht zu beneiden
sie konnte alles das nicht essen was wir gegessen haben
Die Medizin steckt in den Kinderschuhen
Und Ihr Herr Vater der Ordinarius

HERR VON WEGENER

Er leitete im Frühjahr eine Arktisexpedition

FRAU MEISTER

Dabei sind doch achtzehn Leute umgekommen nicht wahr

HERR VON WEGENER

Ja wegen einer Unvorsichtigkeit
Der Navigator hatte sich geirrt

FRAU MEISTER

Ein schrecklicher Tod
in der Arktis nicht wahr
Im ewigen Eis zugrunde zu gehen
Wir dachten schon auch Ihr Herr Vater sei unter den Opfern
aber dann atmeten wir auf als wir hörten
daß ihm nichts passiert war

HERR MEISTER

Die Arktis wird immer unterschätzt

vor allem die jungen Leute unterschätzen die Arktis
Nansen Sven Hedin das waren doch Leute
aber das ist eine vergangene Zeit
Wir haben ja die Jugend am Tisch die heutige Zeit
hebt sein Glas auf Fräulein Werdenfels
und ein so hübsches Fräulein
eine so charmante Wissenschaftlerin
das ist doch sehr selten
daß man eine echte eine richtige Wissenschaftlerin
mit solchem Lebensgenuß betrachten kann
alle heben ihr Glas und trinken
Ach ist das Leben doch schön
unter jungen Leuten sagt Stieglitz
Wir hatten es immer mit der Jugend gehalten
je älter wir werden desto intensiver pflegen wir
den Kontakt zur Jugend
Natürlich die Jugend hat auch ihre Schattenseiten
und es gibt ja auch den Begriff der verkommenen Jugend
aber Sie beide sind ja die reine Verkörperung des Begriffs Jugend
Meine Frau und ich sind der Jugend zugewandte Menschen
wir vertrauen der Jugend ist sie doch die Zukunft
wie mein Professor Stieglitz sagt

HERR VON WEGENER

Was für ein prachtvolles Haus ist dies

HERR MEISTER

Es ist das Haus eines Juden
ausgewandert nach Amerika vertrieben von den Nazis
aber das ist eine Zeit von der Sie nichts wissen
von dieser schrecklichen Zeit können Sie nichts wissen
sind Sie froh daß Sie darüber nichts wissen
was für eine schreckliche Zeit nicht wahr Anne
trinkt sein Glas aus
Ein Kaufmann jüdischer Herkunft
wie mein Professor Stieglitz
Wohltäter dieser Stadt
wie mein Professor Stieglitz
sehr gebildete Leute hochkultiviert
wie mein Professor Stieglitz
emigriert zuerst nach Portugal dann in die Vereinigten Staaten
ein echtes Judenschicksal nicht wahr Anne
wie mein Professor Stieglitz

Mein Gott eine böse Zeit eine bodenlose Zeit
Nach dem Kriege sind diese Leute nicht mehr nach
Deutschland zurückgekommen
sie haben dieses Haus der Stadt geschenkt
sie wollten mit Deutschland nichts mehr zu tun haben
wie mein Professor Stieglitz
Lange Zeit war dies Haus das Gästehaus der Stadt
es liegt ja auch zu schön
und ist von erlesenem Geschmack
die Erbauer hatten wohl sehr viel Geschmack
Das Judenproblem ist ja doch immer ein furchtbares Problem
es wird sich nicht lösen lassen
Die Juden sind ja auch selbst an vielem schuld
die Juden haben doch viel verschuldet
aber man hätte das nicht tun dürfen was man getan hat
doch ist man immer wieder an allen Ecken und Enden
an diese furchtbare Schuld der Deutschen erinnert

FRAU MEISTER
Wir haben viele Juden gekannt
alles sehr nette Leute
aber es hat natürlich sehr viele gegeben
die ihre Ausrottung direkt heraufbeschworen haben

HERR MEISTER
Die Judenvernichtung war ein großer Fehler
Aber es war ein unlösbares Problem

HERR VON WEGENER
Hatten Sie dieses Haus so belassen wie es war

HERR MEISTER
Wir beließen es wie es war
Manchmal denken wir ja auch heute noch an diese Leute
die es gebaut haben
auf Schritt und Tritt sind wir daran erinnert
Aber andererseits kann man nicht immer in der Vergangenheit
wühlen
das wollen wir nicht
die Deutschen und die Juden werden immer ineinander
verhaßt sein
sagt Professor Stieglitz in meiner Tetralogie
Frau Herta kommt herein und schenkt ihnen allen ein

FRAU MEISTER
Die Macht ist immer in den Händen der Juden gewesen

HERR MEISTER

Natürlich waren die Juden immer die Drahtzieher
Der Jude ist der Bestimmende sagt Stieglitz
der Jude lenkt die Welt
wenn es auch nicht den Anschein hat
aber der Jude lenkt die Welt
Alle wichtigen Positionen sind in Judenhänden
auch heute
Wo der Reichtum ist da ist der Jude
wo es schön ist da ist der Jude sagt Stieglitz

HERR VON WEGENER

Es ist doch an einem idealen Platz gebaut das Haus

HERR MEISTER

Ja sehen Sie
dieses Haus konnte nur ein Jude bauen
diese Großzügigkeit diese Geistigkeit

HERR VON WEGENER

Es ist ganz ausgezeichnet in die Landschaft gestellt

HERR MEISTER

Für einen Feinschmecker allerdings

HERR VON WEGENER

Als ich hier heraufgekommen bin habe ich gedacht
wie schön Sie es hier getroffen haben
das ist doch ein großes Glück
daß Ihnen die Stadt das Haus zur Verfügung gestellt hat

HERR MEISTER

Zuerst hatten wir gezögert es anzunehmen
weil es uns zu groß schien
und dann ja auch weil es jüdischer Besitz gewesen war
und dann hatten wir es doch bezogen

FRAU MEISTER

Und jetzt haben wir uns schon so daran gewöhnt
daß wir uns gar nicht mehr vorstellen können
von hier wegzugehn
schon wegen des Schauspielhauses und der Oper
Es ist ja auch für die Gesundheit meines Mannes wichtig
daß er hier lebt
seiner angegriffenen Lunge wegen
Nur hier hatte mein Mann die Tetralogie schreiben können

HERR MEISTER

Das glaube ich auch

unter allen diesen idealen Voraussetzungen

FRAU MEISTER

Vor allem sind wir hier absolut unbelästigt
hier herauf dringt kein Lärm und kein Gestank

HERR MEISTER

Wir leben zwar zurückgezogen
aber nicht ausgeschlossen wissen Sie
nicht ausgeschlossen von den Zeitläuften
Wir bekommen alle wichtigen Zeitungen ins Haus
und wir empfangen hier sehr gut die Television

FRAU MEISTER

Zuerst waren wir dagegen
aber dann empfanden wir es doch als notwendig
von den Weltereignissen nicht gleich ausgeschlossen zu sein
aber wir sehen nur was uns wirklich interessiert

HERR MEISTER

Es ist eine Frage der Disziplin
schließlich kann man ja abdrehen

FRAU MEISTER

Und seit mein Mann des öfteren auf dem Bildschirm gezeigt wird
ist es ja eine Notwendigkeit
Frau Herta teilt noch einmal Fleischstücke aus
Wenn ich Sie nicht hätte Frau Herta
so sind wir gerettet
zu den andern
Frau Herta ist der gute Geist des Hauses
sie lebt mit ihrer Familie gleich hinter dem Wald
was für eine tüchtige Person sie ist
Ihr Mann ist Traktorfahrer bei der Elektrizitätsgesellschaft
Allein könnte ich den Haushalt gar nicht bewältigen
Hier leben so reizende Menschen
wir vertragen uns mit allen
vor allem mit den einfachen Leuten
Mein Mann hat eine gute Hand für diese Leute hier
schließlich stammt er aus dieser Gegend und kennt sie durch
und durch
mir ist das alles hier auch schon sehr vertraut

FRAU HERTA

Wann kann das Dessert aufgetragen werden Frau Professor

FRAU MEISTER

Wenn ich läute Frau Herta

wenn ich läute
Frau Herta geht hinaus
Wir haben ein ganz ungebrochenes Verhältnis
zu den einfachen Leuten

HERR MEISTER
Wie Professor Stieglitz

FRAU MEISTER
Wenn Sie auf dem Land leben müssen Sie das haben
Wir sind ja beide nicht kompliziert mein Mann und ich
Wenn es sein muß helfen wir wo Not am Mann ist
Fräulein Werdenfels erzählen Sie doch von Ihrer Indienreise
wie war es denn dort
haben Sie das Klima vertragen
Mein Mann und ich überlegen ob wir nicht doch noch
eine Indienreise machen sollen
in diesem Alter ist das natürlich keine Kleinigkeit
Wielange waren Sie denn in Kalkutta

FRÄULEIN WERDENFELS
Sechs Wochen waren wir da

FRAU MEISTER
Ganze sechs Wochen
Was für ein Elend dort

FRÄULEIN WERDENFELS
Wir hatten nur drei Tage Kalkutta geplant
aber dann war mein Onkel erkrankt
an der Ruhr
und er mußte in ein Krankenhaus

FRAU MEISTER *entsetzt*
In Kalkutta
in ein Krankenhaus entsetzlich

FRÄULEIN WERDENFELS
Er war mit vier andern in einem Zimmer gewesen
das können Sie sich gar nicht vorstellen
welche Zustände dort herrschen
ist es schon auf den Straßen Indiens fürchterlich
wie erst in den Krankenhäusern
das ist absolut unvorstellbar

FRAU MEISTER
Mein Neffe Traugott der Bankier
ist in einem indischen Krankenhaus gestorben in Benares
vor dem Kriege stellen Sie sich das vor

damals herrschten sicher noch entsetzlichere Zustände in Indien
da hatten die noch einen englischen Vizekönig
da war Indien noch Kolonie

HERR MEISTER

Und war es denn die Ruhr

FRÄULEIN WERDENFELS

Die Ärzte sagten es sei die Ruhr

FRAU MEISTER

Da war doch dann Ihr Herr Onkel sicher total abgemagert

FRÄULEIN WERDENFELS

Bis auf das Skelett

HERR MEISTER

Man darf natürlich kein Wasser trinken in Indien
das ist oberstes Gebot
weder Wasser trinken noch Salat essen

HERR VON WEGENER

Auch in Italien nicht

HERR MEISTER

Südlich der Alpen nicht
und erst in Asien
Wir hatten in Ägypten weder Wasser getrunken
noch Salat gegessen
das war eine Selbstverständlichkeit
Aber es ist doch eine Erfahrung nicht wahr
in Kalkutta im Krankenhaus

FRAU MEISTER

Daß Ihr Herr Onkel da wieder herausgekommen ist

FRÄULEIN WERDENFELS

Das war das Wunder
wir hatten zwei Monate in Indien bleiben wollen
aber wie mein Onkel aus dem Krankenhaus entlassen war
reisten wir nach Europa zurück

FRAU MEISTER

Da trägt man doch immer Dauerschäden davon

FRÄULEIN WERDENFELS

Er hat sich sehr gut erholt
in der Schweiz
im Engadin

HERR MEISTER

Da mußte Ihr Herr Onkel dann tüchtig Schokolade essen
nicht wahr

alle lachen auf und trinken

FRAU MEISTER

Mein Mann hatte immer den Wunsch
nach Indien zu reisen
einmal waren wir schon soweit
eine Zeitschrift wollte unsere Reise finanzieren
aber dann hatte mein Mann Angst davor
Indien ist doch sehr gefährlich
gleich wo in Indien man ist doch der größten Gefahr ausgesetzt
über fünfzig ist doch jede Asienreise ein Risiko

HERR MEISTER

Da wäre es schon noch viel wichtiger
nocheinmal nach Persien zu gehn
Persepolis an den Persischen Golf

FRAU MEISTER

Burma stand auch einmal zur Debatte
wir kannten einen Burmesen
der uns nach Burma eingeladen hat
aber dann ist die Cholera ausgebrochen in Burma

HERR MEISTER

Die Krankheiten vereiteln die Weltreisen
sagt mein Stieglitz
Die Krankheiten oder die Kriege
Den europäischen Menschen
drängt es nach Asien sagt er
in die ältesten Kulturen

FRAU MEISTER

Etwas ganz anderes Fräulein Werdenfels
Wenn es Ihnen zu kalt ist in Ihrem Zimmer
und unser Gästezimmer ist leider das Nordzimmer
so nehmen Sie doch bitte eine Wärmflasche
Sie sagten doch Sie hätten sich ein wenig verkühlt
mein Mann und ich sind es nicht gewohnt
im warmen Zimmer zu schlafen
wir haben in der Nacht die Fenster geöffnet
so haben wir immer frische Luft
aber das ist natürlich Gewöhnungssache
In den Weinbergen kann es ganz schön kalt werden
zu Herrn von Wegener
Herr von Wegener ist es richtig
daß der Essay meines Mannes über das Wesen der Künste

gekürzt in der Neuen Zürcher Zeitung nachgedruckt worden ist
Ich finde es unerhört
eine Kürzung vorzunehmen
die den ganzen Aufsatz verstümmelt
die ihn wertlos macht

HERR VON WEGENER

Leider muß ich Ihre Frage bejahen

FRAU MEISTER

Das ist schon unglaublich
was sich manche Zeitungen erlauben
sie läutet Frau Herta
Aber da ist man ja vollkommen machtlos ausgeliefert
jede Zeitung druckt nach was sie will und wie sie es will
andererseits wenn es gar nicht gedruckt wäre
wie man es auch wendet
sie steckt ein Stück Brot in den Mund
Letzten Sommer waren wir in Rom
mein Mann hat im Kulturinstitut eine Vorlesung abgehalten
nichts Literarisches reine Wissenschaft
da waren wir auch vom Papst empfangen worden
in Privataudienz
Mein Mann hat einen päpstlichen Orden bekommen
Rom ist eine so herrliche Stadt
wir waren Staatsgäste
auch im Ausland sind wir Staatsgäste
wir entdeckten in allen Buchhandlungen
Bücher meines Mannes italienische Übersetzungen
Frau Herta tritt mit einer Torte auf und serviert sie
Am meisten hat mich doch
die Sixtinische Kapelle fasziniert
und selbstverständlich Michelangelo
Diese Ausdruckskraft diese Würde
Ich ziehe die römische Kunst der griechischen vor
Aber wie enttäuscht bin ich doch gewesen von Sankt Peter
sicher das Papsttum ist etwas Großes
Der Papst machte auf mich einen müden Eindruck ermüdet
überlastet
er sprach mit uns eine halbe Stunde stellen Sie sich vor
Er wollte wissen wie hoch der Großglockner ist
das konnte ihm mein Mann sofort sagen
Er hatte so schöne Schnallenschuhe an ganz in Weiß

Ich dachte zuerst es sei Leder
aber dann sah ich es war Seide
Schnallenschuhe aus reiner weißer Seide
Das Gesicht des Papstes hat ja doch wirklich königliche Züge
Was dieser Mensch auf sich genommen hat
winkt die Frau Herta heran und flüstert ihr etwas ins Ohr, dann
Diese Torte heißt Caecilientorte
ich weiß nicht warum
Fräulein Werdenfels ist aufgestanden, um ein Foto von allen zu machen
unsere Großmutter machte sie am Caecilientag
Mozart hat ja auch eine Caecilienmesse geschrieben nicht wahr

HERR VON WEGENER *mit erhobenem Zeigefinger*
Haydn Haydn

FRAU MEISTER
Mein Mann liebt die Caecilientorte
zu ihrem Mann
Nicht wahr du liebst die Caecilientorte
gib zu du liebst sie
im Flüsterton
Er ist in Wirklichkeit in die Süßigkeiten vernarrt
wie sein Professor Stieglitz
zu ihrem Mann direkt
Nicht wahr
in alle Süßigkeiten
Fräulein Werdenfels ist in den Hintergrund getreten und macht ein Blitzlichtfoto

Sechste Szene

Wie vorher
Alle Torte essend, Kaffee trinkend

HERR MEISTER
Wissen Sie Herr von Wegener
ein noch nicht vollendetes Werk ist wie Glas
die geringste Unvorsichtigkeit und es zerbricht
sagt mein Professor Stieglitz im Reisezug durch Portugal
Eluard Mallarmé Baudelaire Rimbaud
Goethe Novalis in gewissem Sinne Heine natürlich
Hermann Hesse als unbedingt notwendige Lektüre
vielleicht darf ich auch noch Mörike erwähnen
die Droste mit Sicherheit die Droste sagt Stieglitz
Aber vor den Romantikern mußte ich mich in acht nehmen
Der Deutsche ist bald in der Sentimentalität
sagt Stieglitz zu dem Pianisten Gieseschwind
Aber vornehmlich hatte mich ja die Musik beschäftigt
zuerst die Musik dann erst die Literatur
Die Klassik ist es immer wieder
ich darf Wieland nicht vergessen
und natürlich hatte auf mich auch Klopstock einen
großen Eindruck gemacht
Frau Meister gibt ihm ein großes Tortenstück
Ich liebe Klopstock
lieben Sie auch Klopstock Herr von Wegener
und Sie Fräulein Werdenfels
Und Platen natürlich
genau wie Stieglitz
tatsächlich hatte ich lange Zeit eine Schwäche für George
Schlank und rein wie eine Flamme wissen Sie
Stieglitz zitiert das Gedicht in Los Angeles
steckt ein großes Tortenstück in den Mund, mit vollem Mund
Hofmannsthal natürlich
Es weht der Frühlingswind durch die Alleen
das Lieblingsgedicht meiner Frau
Aber schreiben Sie ruhig daß ich ganz revolutionär begonnen habe
mit wütender Stimme gegen die Verhältnisse in unserem Lande
wie mein Stieglitz

so hält es die Jugend doch nicht wahr
aufsässig arrogant anmaßend revolutionär
Die Anfangsphase
die Auflehnung gegen das Bestehende
wie sie Stieglitz beschreibt
und nicht nur in der Politik was den Staat betrifft
auch was die Kunst betrifft
insbesondere die Literatur
aber es war doch nie gehässig nicht wahr nun
Nein ich leugne es nicht das Frühwerk
Ich hatte es vernichten wollen
es hat so eine Phase gegeben
aber meine Frau die Hüterin meines Werks
hat es verhindert
Und natürlich Hamsun den ich verschlungen habe
Den Hunger und die Mysterien
Aber größten Eindruck hat mir doch sein letztes Buch gemacht
Auf überwachsenen Pfaden so heißt es doch in deutsch nicht wahr
seine Frau gibt ihm wieder ein Kuchenstück
Was die Tetralogie betrifft
so habe ich heute vormittag dem Fräulein Werdenfels
Andeutungen gemacht
es können ja nur Andeutungen gemacht werden
Ein Schriftsteller beschränkt sich auf Andeutungen
er kann sein Werk nicht erklären
Stieglitz ist nur ein Stichwort wie Kuckuck
er weiß was es beinhaltet aber er kann es nicht erklären
Wird er gefragt ist er in der größten Verlegenheit
Sie können einen Marmeladenerzeuger fragen
was alles in seiner Marmelade ist
aber einen Dichter nicht was in seiner Dichtung ist
Nicht wahr Fräulein Werdenfels so ist es doch
Es hat alles sehr viel mit Musik zu tun
vor allem mit symphonischer Musik
ich verweise immer auf Beethoven
dann zwinge ich die Handlungsstränge zum Schluß
ohne Gewaltanwendung
auf die natürlichste Weise
alles ein jahrzehntelanger Arbeitsprozeß
Es ist wichtig daß Sie keinerlei Angst haben

Sie müssen in ihr Werk hineingehen ohne Furcht furchtlos
andererseits müssen Sie auf alles gefaßt sein
Schreiben Sie ruhig
daß ich mein Leben meiner Kunst aufgeopfert habe Herr von Wegener
daß ich nur für meine Arbeit gelebt habe
wie der Professor Stieglitz in meiner Tetralogie
alles auf mich genommen habe
um mein Werk voranzutreiben und es vollenden zu können
es ist mir immer nur um die Sache an sich gegangen
niemals um etwas anderes
so war das eigentliche Lebens- oder Existenzvergnügen
sehr eingeschränkt
Was haben andere für ein Leben

FRAU MEISTER

Aber du kannst nicht klagen Moritz
zu den andern
Mein Mann ist ein glücklicher Mensch schreiben Sie das ruhig
Herr von Wegener
er ist nicht so düster wie die Leute glauben
alle schreiben immer er sei düster
dabei ist niemand so lustig wie mein Mann
Wahrscheinlich weil sich die Leute nicht vorstellen können
daß ein Schriftsteller ein Dichter der Ernstes schreibt
lachen kann
ruft aus
Und wie mein Mann lachen kann
Das sagen Sie doch auch Fräulein Werdenfels
wo Sie meinen Mann doch jetzt kennen
Die Zeitungen schreiben immer nur über einen Düstermann
dabei ist mein Mann alles andere als düster
Mit einem solchen Mann wie ihn die Zeitungen beschreiben
hätte ich nicht einen einzigen Tag zusammengelebt
zu ihrem Mann
Nicht wahr du bist doch nicht düster Moritz

HERR MEISTER

Ich bin natürlich ganz anders
als ich dargestellt werde
tatsächlich ist viel von mir in Stieglitz
Aber die Darstellung ist immer eine andere
Der Schriftsteller ist immer anders als er dargestellt wird

er ist nie der über den die Zeitungen schreiben
Sie wollen einen düsteren haben
also muß ich der düstere sein
ruft aus
Der Dargestellte ist eine Fälschung
Wenn das Werk lacht
weint der Dichter
und umgekehrt
und alles immer wieder umgekehrt
und falsch sagt Stieglitz

FRÄULEIN WERDENFELS

Das haben Sie schön gesagt Herr Professor

HERR MEISTER

Wer sonst als der Dichter
formt das Wort zur Schönheit empor sagt Goethe
Ich finde das hat Goethe sehr schön gesagt
an Goethe kann sich jeder aufrichten
er ist der echte der wahre Dichter der Deutschen
Die Deutschen verehren den universellen Geist
Stellen Sie sich vor Kleist als Dichterfürst
das ist ganz und gar unmöglich
ein Selbstmörder als deutscher Dichterfürst
Der wahre Dichterfürst ist Goethe der Universalmensch
wie Stieglitz in Silvaplana sagt
In jedem von uns ist viel von Goethe
und dadurch entdeckt sich ein jeder als Genie
Und ich habe natürlich auch für die Mathematik viel übrig gehabt
und für die Geometrie natürlich
Denken Sie ein solches Werk wie die Tetralogie
ist doch nichts anderes als Geometrie
Mathematik ist Kunst ist Schriftstellerei Dichtung Genialität
Alle Wege führen zu Goethe und von Goethe auf uns zu
Der gesicherte Deutsche ist Goethe
anders die Engländer die ihren wilden Shakespeare haben
der Deutsche liebt das Geordnete nicht das Ungeordnete
Der philosophierende Dichter ist Goethe
der rätselhafte ist Shakespeare
Das habe ich deutlich in meiner Tetralogie herausgearbeitet
Es gibt die Außengeometrie der Handlung
aber was noch viel wichtiger ist die Innere Geometrie des Geistes

Schopenhauer der absolut nicht meine Vorliebe ist
sagt ähnliches
Nietzsche Schopenhauer das sind die Antipoden der Deutschen
zu Herrn von Wegener
Das Tragische habe ich so herausgearbeitet
daß es die Lust am Denken nicht verdirbt
Die Komödie entstehen lassen aus der Tragödie
das Lustspiel sozusagen in jedem Gedanken wahr gemacht
Sie kommen nur mit der äußersten Konzessionslosigkeit
vorwärts
Es wird Ihre Leser sicher interessieren
daß ich tatsächlich zweiundzwanzig Jahre
an der Tetralogie gearbeitet habe
das heißt nicht daß nicht nebenher andere Arbeiten
entstanden sind
aber alle diese sogenannten Nebenarbeiten
die ich gar nicht als solche Nebenarbeiten bezeichnen will
sind mir natürlich sehr wichtig und beziehen sich
merkwürdigerweise
immer auf die Tetralogie
Es ist ganz wunderbar daß Fräulein Werdenfels
das erkannt hat
zum Fräulein direkt
Ich glaube das sollten Sie in Ihrer Doktorarbeit herausarbeiten
daß nämlich die sogenannten Nebenarbeiten in einem
unmittelbaren Bezug
zur Tetralogie stehen
alles geht auf Stieglitz zu ist auf Stieglitz bezogen
naturgemäß beziehen sich immer alle Arbeiten eines Geistes
auf das Hauptwerk dieses Geistes
und die Tetralogie ist ja zweifellos mein Hauptwerk
Auch mein Verleger sieht es so
Sie werden ihn heute abend kennenlernen
Ich werde zwar das Manuskript nicht aus der Hand geben
auch wenn er es kategorisch fordert
wie das seine Art ist
aber vorlesen werde ich daraus
ein Stück einen kurzen Abschnitt
die Unterredung zwischen Stieglitz und Robert im Reisezug
durch Portugal vielleicht
möglicherweise den Schluß

denn da wird vollkommen klar um was es mir in der Tetralogie geht
Ich habe sozusagen die Geschichte auf den Kopf gestellt
ohne sie im geringsten anzutasten
Die Geschichte als Naturgeschichte als Naturprozeß
Es ist ja doch sehr wichtig daß ein solches Werk
von dem bedeutendsten Verleger herausgebracht wird den wir haben
der ja nur die Besten verlegt
zu Herrn von Wegener direkt
Wenn Sie eine Fotografie von mir haben wollen
es gibt nur gräßliche Fotografien

FRAU MEISTER
Wir werden ein gutes Foto heraussuchen
Oder veröffentlichen Sie doch eines von Fräulein Werdenfels
Es gibt ein so schönes Brustbild von meinem Mann
wie er auf einer Segeljacht am Mast lehnt
in Kiel Herr von Wegener
auf der Segeljacht des Herrn Bundespräsidenten
es ist eine Sonnenuntergangsstimmung
wie sie selten einzufangen ist
Die Sonne fällt gerade so auf das Gesicht meines Mannes
während sein übriger Kopf im Dunkeln bleibt
sehr typisch
alle trinken ihren Kaffee aus

Siebente Szene

Im Freien
Herr Meister in einem Liegestuhl, Bücher signierend

FRAU MEISTER *beobachtet ihn vom Wohnzimmer aus längere Zeit, dann*
Nun kommst du ganz um dein Mittagsschläfchen Moritz
Wieviele Bücher hast du denn heute schon signiert
Laß das doch
ein so anstrengender Tag
Herr von Wegener ist mit dem Fräulein Werdenfels in die Weinberge gegangen

Die Frau Herta ist weg
ihre Kinder haben die Masern
immer sind diese Kinder krank
frage ich sie nach den Kindern sagt sie sie sind krank
alle kränkeln sie in dieser Gegend
ich verstehe das nicht
wo wir hier eine so gute Luft haben
Ich habe die Post durchgesehen es ist nichts Aufregendes
Nach München haben sie dich eingeladen
du sollst in der großen Aula der Universität vorlesen
etwas Dichterisches ganz dir überlassen
Wir sollten wieder einmal nach München
Ich verstehe nicht warum wir so lange nicht mehr in München
gewesen sind
das ist doch Deutschlands wesentlichste Stadt
Sie beißt in einen Apfel
Wo du jetzt berühmt bist
wo dich der Ruhm eingeholt hat
Der Bürgermeister hat angerufen und gefragt
ob wir zur Taufe seines Sohnes kommen
ich sagte ja mein Mann ist mit der Tetralogie fertig wir
kommen
nächsten Dienstag
Dann habe ich auch in Mainz zugesagt
wir sollten auch nach Karlsruhe fahren
jetzt wo du die Tetralogie beendet hast
Der Verleger der im richtigen Augenblick kommt
Wie findest du das Fräulein
die wäre doch etwas für den Herrn von Wegener
vielleicht stifte ich noch eine Ehe
ich denke die beiden passen recht gut zusammen
sind aus dem gleichen Milieu aus Wissenschaftskreisen
Ich habe ihm noch einige Ratschläge gegeben
für seinen Aufsatz dem jungen Wegener
es erscheint alles in zwei Wochen in der Wochenendausgabe
mit dem Bild das dich in Kiel zeigt
Er wird es sehr sorgfältig machen sagt er
eine ganze Seite möglicherweise darüber hinaus
Er liebt übrigens auch Tannhäuser
weißt du daß sein Vater auch am achten Dezember geboren ist
Etwas weich findest du nicht

aber das sind sie alle heute
geht zu ihrem Mann hin und nimmt ihm die Bücher weg,
zuerst die signierten und dann auch die unsignierten
Die Leute wissen ja gar nicht was sie dir auflasten
Manchmal denke ich wie unverschämt das doch ist
dir Bücher zum Signieren zu schicken
du kennst doch diese Leute gar nicht
geht mit den Büchern ins Haus hinein
Herr Meister wickelt sich in eine Decke ein und will schlafen
Frau Meister kommt mit einer Zeitung zurück und sagt, in der Tür stehengeblieben
Ich finde wir sollten nach München fahren
Wo du jetzt so gut beisammen bist
und die Tetralogie fertig hast
Du kannst aus der Tetralogie vorlesen
Eine so schöne Reise
Mit kleinem Gepäck
wir steigen in den Vier Jahreszeiten ab
Du magst München nicht ich verstehe das nicht
Nach dem Frühstück durch den Englischen Garten
setzt sich auf einen Korbsessel
Wo du doch in München so glücklich gewesen bist
Die Stadt München hat dich zu dem gemacht
was du heute bist
Du hast in München deine beste Zeit verbracht
Not Elend natürlich aber
Das Böse Der Abschaum der Großstadt
da hast du dich aber entwickelt
in dem Bösen im Abschaum der Großstadt
wenn du hier geblieben wärst wäre nichts aus dir geworden
ohne München wärst du nichts
wir wären nichts ohne München
Der Herr Verleger holt uns vom Bahnhof ab
er hat uns die schönsten Zimmer in den Vier Jahreszeiten reservieren lassen
wir werden vom Präsidenten der Universität empfangen
und vom Oberbürgermeister
und wir tragen uns ins goldene Buch der Stadt ein
das machst du alles schon sehr routiniert
Die Stadt als Zeuge des Aufstiegs
dein Wort

Die Stadt ist nicht mehr die die sie vor zwanzig Jahren gewesen ist
die gegen dich grausame
und du bist auch nicht mehr wie vor zwanzig Jahren
Du mußt dich freimachen von dieser Zwangsvorstellung
alles hat sich geändert seither und wie
Früher bist du ja nichts gewesen ein Ringender
jetzt wo du berühmt bist
der berühmte Dichter den die Akademie für Sprache und Dichtung
zum Mitglied gewählt hat
Jetzt weiß ich was Stolz ist Moritz
gerade jetzt solltest du nach München fahren
es ihnen zeigen
Jetzt staunen sie dich an
Onkel Wanja im Residenztheater erinnerst du dich
unser beider erster Schauspielpremiere
liest in der Zeitung
Kein Tag an dem du nicht in der Zeitung stehst
ich könnte jeden Tag wetten und ich gewänne
Die Akademie für Sprache und Dichtung
hat Moritz Meister zu ihrem Mitglied gewählt
mit dieser Wahl hat die Akademie ihre Jahrestagung

immer wieder möchte ich diesen Satz lesen
Du hast recht ich muß mich beherrschen
legt die Zeitung weg
Fährst du oder fährst du nicht

HERR MEISTER
Nur wenn sie mir dreitausend Mark zahlen

FRAU MEISTER
Du bekommst dreitausend
und alle Spesen
wir haben nichts auszugeben

HERR MEISTER
Das muß ich schriftlich haben

FRAU MEISTER
Ich habe schon den Vertrag unterschrieben
Für deine Berühmtheit zahlen sie dreitausend
und sie bringen dich auch in den Vier Jahreszeiten unter
auf ihre Kosten und natürlich auch mich deine Ehefrau

steht auf und geht zu ihrem Mann hin und küßt ihn auf die Wange
Für dich weil du der Größte bist
Du hast sie alle überflügelt
zuerst eingeholt und dann überflügelt
Das Feuilleton gehört dir
meinem Moritz gehört es
Moritz Meister Akademiemitglied
der vom Bundespräsidenten beglückwünschte Dichter
Nun ja
sie blickt sich nach den Weinbergen um

HERR MEISTER
Ich habe mich doch wirklich gequält herauf
aus dem Nichts aus dem Garnichts
wie mein Professor Stieglitz

FRAU MEISTER
Natürlich mein Lieber
es ist ein schrecklicher Weg gewesen

Achte Szene

Bibliothek
Herr Meister, Herr von Wegener, Fräulein Werdenfels

HERR MEISTER *mit einer großen Vase in Händen*
Eine Nachbildung allerdings
wenn auch nur eine Nachbildung der Schnittervase aus der Ajia Triadha
sehen Sie nur
Wegener und das Fräulein treten näher und betrachten die Vase
Was ist alles Spätere
alles ist in dieser Kunst
alles was nachher entstanden ist ist nichts
Das Original finden Sie in Heraklion im Museum
Das ist es ein Kunsthöhepunkt
unwiederholbar allerdings
Goethe schrieb über diese Vase eine profunde Abhandlung

Schade daß Sie diese Abhandlung nicht kennen
Bei Goethe können Sie ja alles nachlesen
was wissenswert ist
Goethe war der universale Geist
der Logos universalis
Wegener und das Fräulein stecken ihre Köpfe ganz nahe an die Vase heran
Es war nicht leicht diese Nachbildung zu bekommen
er stellt die Vase auf dem Boden an der Wand ab
Natürlich liebe ich mehr das Original
welcher unbestechliche Geist nicht
Aber natürlich konnte ich das Original der Schnittervase
nicht in meinen Besitz bringen
Und nun sehen Sie hier
er nimmt eine Scherbe aus einem Regal und zeigt sie den beiden
Aus dem Präpalatikum sehen Sie
Evans verfaßte eine Dokumentation über diese Scherbe
die in den Schriften der Universität London veröffentlicht
worden ist neunzehnhundertachtundzwanzig übrigens
aufsehenerregend
Diese Scherbe ist eine Originalscherbe
Sie hat mich ein Vermögen gekostet
genaugenommen mein ganzes Honorar an dem Germaniaroman
der übrigens gerade jetzt wieder neu aufgelegt worden ist
In diese Schüssel hatten die Minoer
die Oliven eingelegt
die Oliven die aus der Messara gekommen sind
Evans glaubt diese Schüssel ist zweitausendvierhundert
vor Christi entstanden
Eines meiner kostbarsten Stücke
nehmen Sie es doch in die Hand nehmen Sie es
zuerst nimmt Fräulein Werdenfels die Scherbe, dann Wegener, der die Scherbe Herrn Meister zurückgibt
Was ist der Mensch
nach Jahrtausenden gezählt
Wir sind nichts wir sind absolut nichts Fräulein Werdenfels
er legt die Scherbe auf das Regal zurück
Es ist zu unvorsichtig diese Scherbe
ganz einfach auf das Regal zu legen
aber ich hasse Glasstürze wissen Sie

Diese Regale dürfen von Frau Herta nicht abgestaubt werden
nichts darf hier von Frau Herta berührt werden
Wie der Herr Bundespräsident hier gewesen war
im Frühjahr
am Ende der Frühjahrsmanöver an welchen er teilgenommen hatte
gab ich ihm die Scherbe
er hatte sie über eine halbe Stunde in Händen gehalten
er war von größter Bewunderung erfüllt
Nun ja diese Kunstwerke sind ja auch nur für die
außergewöhnlichen Menschen
dreht sich um und zieht einen Lederband aus dem Regal
Hier haben Sie die Originalausgabe des Menetekels von
Garnichäus
eine Kostbarkeit
blättert darin
Sie kennen das Buch doch Fräulein Werdenfels

FRÄULEIN WERDENFELS
Ja natürlich

HERR MEISTER
Eine Selbstverständlichkeit für einen gebildeten Menschen
zu Herrn von Wegener
Und Sie kennen das Buch doch sicher auch

HERR VON WEGENER
Möglicherweise Herr Professor
es ist schon ziemlich lange her

HERR MEISTER
Schließlich kann man nicht alles kennen
er stellt das Buch wieder in das Regal zurück
Ich sage den jungen Leuten immer
es ist gut sich immer mehr Wissen anzueignen
aber schließlich muß man sich auch noch einiges aufsparen
selbst in hohem Alter weiß man noch recht wenig
und erst wenn man so jung ist wie Sie beide
Wollen Sie denn nicht Platz nehmen
er setzt sich in den Schaukelstuhl, Wegener und das Fräulein lassen sich auf Sesseln nieder
Mein Verleger kommt gegen sieben
er ist ein pünktlicher Mann
Sie werden sehen hochgebildet
von unglaublichem Kunstverstand
Ein Gespräch mit ihm ist ein Vergnügen

gleich welches Thema Sie anschlagen
es ist sein ureigenes
das ist eine Seltenheit
Die deutschen Verleger sind ja wie man weiß
nachgerade nicht unbedingt die gescheitesten
dieser ist eine Ausnahme
Schließlich verlegt er ja auch die Geistesspitzen
Nun sehen Sie durch Ihren eigenen Augenschein
wir sind hier absolut nicht allein gelassen
Selten habe ich Gelegenheit mit einem solchen gebildeten Manne
eine Konversation zu führen
Ein Gücksfall daß ich an diesen Verleger gekommen bin
und wie so oft im Leben ein Zufall
Ich hatte ihn als noch völlig unbekannter Autor
in einem Hotel in Zürich kennengelernt
er suchte einen Skatspieler
da hatte er mich angesprochen
offensichtlich war er allein
ich konnte Skat spielen
zu meinem Glück muß ich sagen
nach und nach stellte sich aber erst heraus
daß er der bedeutende Verleger ist
und ich der bedeutende Autor
Er hatte mich als erster erkannt
bevor ich an ihn gekommen bin war ich völlig unbekannt
außer acht gelassen möchte ich sagen
er hatte den Blick für meine Arbeit
er hob sie aus der Finsternis empor ins Licht

FRÄULEIN WERDENFELS

Nun leuchtet Ihr Werk

HERR VON WEGENER

Und strahlt in alle Welt aus

HERR MEISTER

Meinem Verleger danke ich tatsächlich
einen Großteil meiner Berühmtheit
Wissen Sie die Stadt Zürich
hat mir immer Glück gebracht
wie übrigens meinem Professor Stieglitz auch
Sie hat mich mit meinem Verleger zusammengebracht
Sie hat viel Insgeheimes in meinem Leben gestiftet
ich kann es nicht aufzählen

so ist Zürich die Stadt die ich am meisten liebe
jeder hat seine Lieblingsstadt
Die Schweiz überhaupt war für mich schicksalhaft
ich liebe die Schweiz
meine Frau versteht das nicht
aber das ist sehr fraulich gedacht
die Schweiz ist kein Land für den Geschmack der Frauen
ein Herrenland sicher ein Herrenland

FRÄULEIN WERDENFELS

Wie sind Sie denn auf die Idee gekommen
Robert in der Sprache Edgars sprechen zu lassen
im achten Kapitel
Edgar jedoch in der Sprache Roberts in Kapitel neun
Ich würde das doch einen genialen Einfall nennen Herr Professor
Wo es plötzlich umkippt in die Robertsprache
beziehungsweise in den Edgarakzent

HERR MEISTER

Wissen Sie wenn ich darüber sprechen würde
was ich naturgemäß nicht kann
zerfiele mir noch im nachhinein meine Konzeption
Ich kann es nicht sagen warum auch
Nun ist das Werk vollendet und es wird seinen Weg gehen
Jetzt sollen sich alle darüber die Köpfe zerbrechen
möglichst viele Köpfe
zu Herrn von Wegener
Ich bewundere vor allem den außenpolitischen Teil Ihrer Zeitung
natürlich gibt es an allen Blättern etwas zu bekritteln
aber die Frankfurter Allgemeine hat doch den
intelligentesten Auslandsmitarbeiterstab aller
deutschen Blätter
finden Sie nicht

HERR VON WEGENER

Ja das glaube ich auch Herr Professor

HERR MEISTER

Über das Feuilleton läßt sich streiten
über alle Feuilletons läßt sich streiten
möglicherweise vor allem über das Feuilleton der
Frankfurter Allgemeinen
Sie sind mir doch nicht böse daß ich das sage

HERR VON WEGENER

Aber nicht im geringsten Herr Professor Meister

HERR MEISTER

Tatsächlich sind die Zeitungen mein Schicksal
gäbe es die Zeitung nicht ich existierte gar nicht
das kann wohl jeder Schriftsteller von sich sagen
wenn er ehrlich ist
Gäbe es kein Feuilleton
es gäbe gar keine Schriftsteller
Das Feuilleton ist gut sagen sie
wenn sie darin gelobt werden
das Feuilleton ist schlecht
werden sie kritisiert
so einfach ist das
Warten Sie
steht auf und zieht einen dicken Band aus dem Regal und setzt sich wieder
Mein Großvater hat mir diese Ausgabe geschenkt
Ein Werk das nur in drei Exemplaren erschienen ist
ich glaube neunzehnhundertdreiundzwanzig
und das Der Trichter heißt
von Manuel Leiterstrasser
absolut eine Kostbarkeit
Die zwei anderen Exemplare sind von ihren Besitzern vernichtet worden
weil sie mit dem Inhalt des Buches nicht einverstanden waren
das Buch ist aber weder obszön noch das Gegenteil
es beschreibt nichts anderes als eben die beiden
die ihre Exemplare vernichtet haben
mit gutem Grund wie Sie feststellen können
wenn Sie das Buch gelesen haben
Aber Sie werden es nicht lesen können
denn ich gebe es nicht aus der Hand
und bevor ich sterbe
werde ich es vernichten
Ein schöner Gedanke nicht wahr
Merken Sie sich den Titel Der Trichter
und der Autor heißt Manuel Leiterstrasser
er steht auf, nachdem er es für sich durchgeblättert hat, und steckt das Buch wieder in das Regal und dreht sich um
Leiterstrasser
das klingt mir sehr schweizerisch
oder nicht

Neunte Szene

Salon
Frau Meister spielt auf dem Flügel Liszt
Fräulein Werdenfels und von Wegener auf Sesseln

FRAU MEISTER *nachdem sie aufgehört hat zu spielen*
Es ist nicht leicht
mit einer Berühmtheit verheiratet zu sein
Nicht umsonst heißt mein Mann Der Schwierige
Mein Mann ist schwierig das muß ich sagen
Er ist immer schwierig gewesen
Aber mit der Zeit gewöhnt man sich daran
Bitte Herr von Wegener schreiben Sie
daß mein Mann auch den päpstlichen Sylvesterorden
bekommen hat
Ich bin meinem Mann immer treu geblieben
auch in schlimmster Zeit ich stand immer zu ihm
Wir hatten es so schwer die ersten Jahrzehnte
wir hatten ja mit allen Leuten gebrochen
selbst mit den engsten Verwandten
weil es für die Entwicklung meines Mannes notwendig
gewesen war
Ein Künstler muß seinen Weg allein gehen
er darf nicht links und nicht rechts blicken
wie Professor Stieglitz sagt
Und was für Schwierigkeiten in Deutschland
Sehr oft hat mein Mann an Selbstmord gedacht
er hat noch heute die Pistole unter seinem Kopfpolster liegen
jahrelang fürchtete ich mich vor dem Schuß in seine Schläfe
damit hat er mir immer gedroht
er werde sich umbringen wenn alles so weiterginge
Aber bitte schreiben Sie das nicht Herr von Wegener
Natürlich haben wir auch glückliche Zeiten zusammen gehabt
sie spielt ein paar Takte
Die Jugend ist immer schön
Dann hatte ich ja meine Kunst aufgegeben für seine Kunst
das ist das schwierigste
der eine opfert sich auf für den andern
wir sind hin und her gezogen durch ganz Deutschland
durch ganz Europa

aber mein Mann ist ein Heimatmensch
kein Auswanderertypus verstehen Sie
Ach Fräulein Werdenfels Sie wissen nicht
was das bedeutet mit einem Wissenschaftler oder Künstler
verheiratet zu sein mit einem Genie
Aber uns rettete doch immer wieder unsere Anspruchslosigkeit
Die Genügsamkeit
Wir leben ja auch hier sehr einfach
Dreißig Jahre was heißt fünfunddreißig Jahre ohne Echo
Dann plötzlich mit dem Germaniaroman der Erfolg
jetzt war die Presse aufgewacht
Aber auch der Ruhm macht Schwierigkeiten
Manchmal ist es meinem Mann schon lästig
wenn sie in ihm nur den berühmten Dichter sehen und sonst nichts
da kommt der Mensch zu kurz
Aber mein Mann ist ein Menschenfreund

FRÄULEIN WERDENFELS

Es hat Ihrem Mann doch sehr geholfen
daß er nach Berlin eingeladen worden war vom Senat

FRAU MEISTER

Ja das hat ihm wohl sehr geholfen
Der Staat war aufeinmal auf ihn aufmerksam geworden
Sehen Sie doch
steht auf und nimmt das große Foto des Bundespräsidenten vom Flügel und hält es gegen das Licht
Der Herr Bundespräsident
Mit Unterschrift und Widmung eigenhändig
Der Herr Bundespräsident hat sich für ihn eingesetzt
er hat gesagt er kenne keinen größeren Dichter in Deutschland
Wenn er gefragt werde wen er für den bedeutendsten Dichter deutscher Zunge halte
so sagte er immer ohne nachdenken zu müssen Herr Meister
stellt das Foto wieder auf den Flügel
Mein Mann verabscheut Publizität
aber andererseits entzieht er sich doch ihr nicht
er haßt Empfänge
aber er geht doch immer wieder hin
er mag Vorlesungen nicht er sträubt sich mit Haut und Haaren
aber er absolviert sie doch
Er haßt Macht Fräulein Werdenfels

setzt sich wieder an den Flügel
Es liegt ihm nichts an Geld
aber er verdammt es auch nicht
tatsächlich liegt ihm auch nichts am Erfolg
aber er läuft ihm nicht davon das nicht
Er liebt seine Leser Fräulein Werdenfels
Diese schweren Krankheiten die mein Mann gehabt hat
Dann die Psychiatriephase von der Sie ja wissen
die Psychiater haben meinem Mann gesagt
gehen Sie in den Süden wo es warm ist
wo es noch die unverpatzte Luft gibt
und atmen Sie dort regelmäßig ein und aus
gehen Sie nach Italien
Aber das konnten wir nicht
weil mein Mann als deutscher Dichter
doch an den deutschen Sprachraum gebunden ist
so siedelten wir nach Süddeutschland
und natürlich war es naheliegend
in die Heimat meines Mannes zu gehen
Das hätte natürlich schiefgehen können
aber da hat uns die Stadt dieses Haus angeboten
Ein Vorschlag seines Verlegers
und die Stadt bot uns dieses Haus an
Zuerst war es uns zu groß
zu luxuriös
und auch weil es ein Judenhaus war
aber dann nahmen wir doch an
und empfanden es bald als das ideale
Die Tetralogie hätte mein Mann nicht geschrieben
wenn wir nicht in dieses Haus eingezogen wären
es inspirierte meinen Mann von Anfang an
er war durch die Räume gegangen eines Abends
von oben bis unten und wieder von unten bis oben
und er hat tief eingeatmet und gesagt
Jetzt fange ich mit der Tetralogie an
Und von diesem Augenblick an hatte er an der Tetralogie geschrieben
In der Tetralogie ist der Atem dieses Hauses
der Atem des Professors Stieglitz
Wir sind ja nicht ausgeschlossen vom Geistesleben
Wir haben nicht weit in die Oper

die Oper braucht mein Mann
ohne Opernhaus kann er nicht leben
wenngleich wir die Opernbesuche doch auch sehr
eingeschränkt haben
Hier haben wir doch ein ausgezeichnetes Ensemble
hervorragende Gäste
Und dann ist mein Mann auf die Bienen gekommen
von Kindheit an liebte er die Bienen
wie Professor Stieglitz auch
er baute sich das Bienenhaus selbst
er ist ja auch ein guter Handwerker
da sieht man bei jedem Handgriff den er macht
seine Herkunft
wie Sie wissen war sein Vater ja ein gelernter Tischlermeister
deshalb hat mein Mann ja auch immer ein ausgezeichnetes
Verhältnis
zur Arbeiterklasse gehabt
aber das wird meistens übersehen
Die Zeitungen schreiben immer
mein Mann sei ein Egozentriker
dabei ist er ganz und gar auf das Volk konzentriert
das ist ganz außergewöhnlich für einen Geistesmenschen

FRÄULEIN WERDENFELS

Hat Ihr Mann nicht auch ein geometrisches Lehrbuch verfaßt

FRAU MEISTER

Ja natürlich
das ist in Fachkreisen doch sehr bekannt
und geschätzt
aber das bleibt alles doch sehr im dunkeln

FRÄULEIN WERDENFELS

Die Herkunft ist das Entscheidende

FRAU MEISTER

Ja natürlich
Ich habe mich sehr schwergetan Fräulein Werdenfels
wegen des Milieus aus dem ich komme
mein Mann kommt ja aus einem ganz anderen Milieu
Aber die gemeinsame Liebe zur Kunst und zur Dichtkunst
vor allem
hat dann alle Gegensätze überbrückt
Es ist nicht leicht natürlich aus einem wohlhabenden Hause zu
kommen

aus einem sehr anspruchsvollen Hause
und einen Menschen zu heiraten der aus dem
Arbeiterstande ist
auch wenn er ein Künstler ist Schriftsteller Dichter
Aber ich erkannte sofort was in meinem Manne ist
das hatte ich sofort gesehen im ersten Augenblick
und es bestätigte sich ja dann nach und nach
und es dauert natürlich Jahrzehnte
bis das auch der Welt bekannt wird
sie spielt ein paar Takte Liszt

HERR VON WEGENER
Liszt in Weimar
das war doch sehr fatal nicht wahr Frau Meister
Wagner einerseits
Liszt andererseits

FRAU MEISTER
Ich liebe Liszt
ich liebe seine Musik
ich verstehe seine Musik
ich verstehe den Menschen Liszt nicht

HERR VON WEGENER
Bülow Wagner Liszt die Wesendonk
das ist doch ein sehr Deutsches nicht wahr
inkommensurabel

FRAU MEISTER
Der interpretierende Künstler
wie mein Mann sagen würde
der sich an den schöpferischen herangetraut
und von diesem schöpferischen Künstler vernichtet wird

HERR VON WEGENER
Eine tragische Konstellation zweifellos

FRAU MEISTER *leise spielend*
Sehr tragisch
tragisch romantisch

HERR VON WEGENER
Urdeutsch

FRAU MEISTER
In gewissem Sinne

HERR VON WEGENER
Das ungarische Wesen und das deutsche
als Symbiose als Musiksymbiose

FRAU MEISTER
Ich hatte geweint
wie ich durch Liszts Haus in Weimar gegangen bin
ich konnte es beinahe nicht ertragen
ich glaubte ersticken zu müssen
erst als ich zu Goethe und Schiller zurückgefunden hatte
war ich befreit
sie klappt den Flügel zu
Die deutschen Künstlerschicksale sind alle viel zu tragisch

HERR VON WEGENER
Dazu fällt mir Kierkegaard ein
Enten Eller
Entweder Oder
selbst ein derartig im Norden Ringender
hier haben wir den Liszt als Philosophen
Ästhetiker und Ethiker und Verzweiflungsmenschen
Ich glaube die Kierkegaardbeziehung Ihres Mannes
hat ihn zu dem Außerordentlichen gemacht
der er heute ist
An irgendeiner Stelle im Germaniaroman steht ja auch
Mein Kopenhagen des Geistes

FRAU MEISTER
Das sagt auch der Professor Stieglitz in der Tetralogie

HERR VON WEGENER
Da ist es dann auch zu Strindberg nicht weit
zu Fräulein Werdenfels direkt
Nicht wahr Fräulein Werdenfels

FRÄULEIN WERDENFELS
Ja das glaube ich auch
das glaube ich ganz und gar

HERR VON WEGENER
Wir hintergehen die Apokalypse sagt Meister
wir hinterfragen sie nicht
wir hintergehen sie
das ist die Tragödie der Deutschen

FRAU MEISTER *vom Flügel aufgestanden*
Das haben Sie sehr schön gesagt Herr von Wegener

Zehnte Szene

Bibliothek
Der Verleger betrachtet die Regale und liest verschiedene Titel, er nimmt einen Band heraus und stellt ihn wieder zurück, einen zweiten Band und stellt ihn wieder zurück
Er betrachtet die große Vase und versucht, sie aufzuheben gibt aber gleich wieder auf
Er entdeckt eine kretische Scherbe und nimmt sie vom Regal
In diesem Augenblick hört man Herrn Meister dreimal Anne rufen
Der Verleger stellt die Scherbe in das Regal

HERR MEISTER *kommt und tritt mit dem Bienennetz über dem Kopf auf, er ruft, während er schon in der Bibliothek ist*
Anne Anne
plötzlich erschrocken
Ach Sie sind es
Sie sind schon da

DER VERLEGER *auf Herrn Meister zutretend*
Der Verleger ist immer pünktlich
beide schütteln sich die Hände

HERR MEISTER
Das ist mir aber peinlich
hier sehen Sie
ich habe mich im Bienennetz verfangen
und meine Frau ist nicht da
will sich das Bienennetz vom Kopf nehmen
Ich rufe und sie ist nicht da
Ich weiß gar nicht
zieht am Bienennetz
wo sie ist

VERLEGER
Warten Sie
er nimmt Herrn Meister das Bienennetz vom Kopf, sehr sorgfältig
Sehen Sie

HERR MEISTER
Diese Netze verfangen sich immer
an den Knöpfen
Verleger hat ihm das Netz abgenommen

Wenn ich gewußt hätte
daß Sie schon da sind
Hat Sie denn meine Frau nicht gesehen

VERLEGER
Sie wollte sich nur
ein wenig schön machen

HERR MEISTER
Das ist mir aber peinlich
Bitte setzen Sie sich doch setzen Sie sich
er rückt dem Verleger einen Sessel zurecht, dann einen zweiten, dann den Lehnstuhl
Ach bitte nehmen Sie doch Platz
Ich habe Besuch
einen jungen Herrn von der Frankfurter Allgemeinen
Herrn von Wegener
den Sie ja vielleicht kennen
und ein Fräulein aus Heidelberg eine Doktorandin
nette Leute sehr nette Leute jung und nett

VERLEGER *setzt sich*
Der Ruhm bringt es mit sich

HERR MEISTER
Ja der Ruhm

VERLEGER
Vor allem die jungen Leute beschäftigen sich mit Ihrem Werk
wo ich auch hinkomme
sofort werde ich nach dem berühmten Meister gefragt
Moritz Meister das ist heute ein Begriff
Alles wartet auf Ihre Tetralogie
heute steht der Name Moritz ganz oben
Herr Meister hat entdeckt, daß die Vase nicht auf dem rechten Platz steht und rückt sie zurecht
Die Jugend ist völlig mit Ihrem Werk beschäftigt
mit keinem zweiten in dieser Weise
mit der größten Wissenschaftlichkeit und Leidenschaft
Herr Meister wirft einen Blick auf die Scherbe und rückt auch diese zurecht
Das ist das Phantastische an dieser Jugend
daß sie sich an den besten Werken orientiert
Soviele Arbeiten über Sie
über keinen andern
Haben Sie den Aufsatz von Lenk gelesen

Professor Lenk der Ordinarius in Marburg
der sich mit Ihrem Germaniaroman auseinandersetzt
ungeheuerlich tief durchdrungen von Ihrer Sicht auf die Dinge
ich schätze Lenk seit Jahren
ich ermunterte ihn für uns ein Buch zu schreiben
über den Zeitungeist
Mein lieber Herr Meister
ich hoffe Sie haben eine gute Zeit gehabt
Sie wissen was ich sagen will

HERR MEISTER
Ich weiß

VERLEGER
Die Tetralogie

HERR MEISTER
Sie ist fertig
ich habe das Unvorstellbare vollbracht

VERLEGER
Wir werden ein bedeutendes Echo haben
auf Ihr Buch
wir werden es in einer großen Auflage herausbringen
weltweit
sagen wir in hunderttausend Exemplaren
vielleicht auch in hundertfünfzigtausend
soviele Nachfragen
niemals vorher hat es soviele Nachfragen gegeben
Dazu ist die Wahl in die Akademie für Sprache und Dichtung
gerade recht gekommen
und selbstverständlich spüren wir auch
daß Sie jetzt in ganz Deutschland reisen

HERR MEISTER
Nur einen Augenblick wenn Sie gestatten
nur einen Augenblick
ich bin gleich wieder da
entfernt sich
Verleger zieht ein Papier aus seiner Brusttasche, liest es durch und steckt es wieder ein und betrachtet die Bibliothek
Er steht auf und geht noch einmal zur Scherbe und betrachtet sie, dann setzt er sich wieder, streckt die Beine aus, zieht sie an und streckt sie wieder aus
Herr Meister kommt zurück, gekämmt, in einer langen grauen Weste, und geht zu den Getränken

Ich darf Ihnen doch etwas anbieten

VERLEGER

Ja natürlich sehr gern
Herr Meister füllt zwei Gläser und tritt an den Verleger heran, der aufgestanden ist, und sie leeren die Gläser
Ein guter Tropfen

HERR MEISTER

Wir sind hier sehr glücklich meine Frau und ich
sie setzen sich
Es war ja alles offen
wie wir hier eingezogen sind
schließlich hatte ich keinerlei Garantie
ob ich hier arbeiten kann
in die Heimat zurückzugehn ist das gefährlichste
Meine Frau drängte allerdings an einen Ort
an welchem wir bleiben
Nun bleiben wir hier
Das tut meiner Lunge ja auch gut
Ich habe die gute Luft
ich habe die Bienen
ich habe die größte Arbeitslust

VERLEGER

Nun ist die Akademie an mich herangetreten
Sie zu bitten
ob Sie nicht einen Vortrag halten
über den Roman a n s i c h
es bleibt Ihnen natürlich völlig selbst überlassen
wie Sie das Thema angehen
Da Sie ja jetzt mit der Tetralogie fertig sind
ja so habe ich gedacht
es wäre zum Erscheinen der Tetralogie natürlich äußerst vorteilhaft
wenn Sie auch mit der nächsten Akademietagung
in Erscheinung treten
man wartet gewissermaßen auf nichts anderes als auf Sie
man empfindet Ihr Auftreten in der Akademie
als etwas durchaus Sensationelles

HERR MEISTER *lehnt sich zurück*

In gewisser Hinsicht
wäre ich ja jetzt frei
und es wäre mir nicht so schwierig
mich einem solchen vorgeschlagenen Thema

anzunähern
Der Roman *an sich* sagten Sie

VERLEGER

Ja

HERR MEISTER

Das könnte mich packen
dazu wäre ich vielleicht in Stimmung
Ich könnte mir vorstellen daß ich mich jetzt
nach der Tetralogie
nach der jahrelangen Beschäftigung mit dem Professor Stieglitz
auf ein wissenschaftliches Thema stürze
sozusagen zur Ablenkung und neuerlichen Konzentrierung
sozusagen

VERLEGER

Ich soll Sie sehr herzlich von meiner Frau grüßen
Sie schätzte sich glücklich
wenn Sie bald wieder unser Gast wären

HERR MEISTER

Ja wenn ich plötzlich wieder frei atmen kann
jetzt nach der Tetralogie

VERLEGER

Es läßt sich alles sehr gut an
auch die andern Bücher setzen wir durchaus gut ab
es gibt keine Klage es geht aufwärts
Nun haben wir Verträge auch mit Skandinavien abgeschlossen
mit Schweden was ich für sehr wichtig halte
und mit Norwegen und mit Finnland
es braucht alles seine Zeit
wer hätte gedacht vor fünf Jahren noch gedacht
daß Sie heute schon ein berühmter Autor sind in Amerika
es ist ja doch erstaunlich wie genau Sie
Ihr Thema und Ihre Zeit getroffen haben
aber man kann das nicht planen vorausberechnen
Die Sorbonne hat angefragt ob es möglich ist
daß Sie im Herbst dort eine Vorlesung machen
in französischer Sprache
Sie hatten doch einmal angedeutet
daß es Sie interessieren würde etwas über Voltaire
in Beziehung zu Ihren Ansichten über Frankreich zu sagen
oder vielleicht etwas über Ihren Professor Stieglitz in
bezug auf Voltaire

Aber ich will Sie nicht drängen
der Verleger dränge nicht
beobachte nur
warte ab

HERR MEISTER

In gewisser Hinsicht bin ich ja Frankreich sehr verbunden
Schon als Zwanzigjähriger habe ich Baudelaire übersetzt
aber dann habe ich die Übersetzerarbeit aufgegeben
weil ich der Ansicht war es schade meiner eigenen Arbeit

VERLEGER

Sehr schade daß Sie die Übersetzertätigkeit aufgegeben haben
gerade die Baudelaireübersetzungen die es gibt
sind nicht gelungen
es ärgert mich jedesmal wenn ich Baudelaire übersetzt lese
aber ich lese grundsätzlich die französischen Autoren im Original
Baudelaire Verlaine Mallarmé Rimbaud Proust
lehnt sich zurück
Die Franzosen müßten ja alle neu übersetzt werden
aber von wem das ist die Frage
ich bin jahrelang auf der Suche nach guten Übersetzern
aber ich finde keinen akzeptablen

HERR MEISTER

Proust beispielsweise ist schon zweimal oder dreimal übersetzt
und jedesmal sagt man es sei eine geniale Übersetzung
aber nach zehn Jahren spätestens stellt sich heraus
daß diese geniale Übersetzung nichts als dilettantisch ist
Und mit Joyce ist es dasselbe

VERLEGER

Der Verleger ist immer auf der Suche
nach dem Neuen

HERR MEISTER

Der Verleger ist das Gewissen der Nation

VERLEGER *schaut sich in der Bibliothek um*

Wie es sich hier doch verändert hat
in den letzten Jahren
Das ist Größe denke ich das ist Größe
Hier ist die Größe

HERR MEISTER

Hier kann ich doch vieles unterbringen
das ich früher nirgends unterbringen konnte
vor allem meine archäologische Sammlung

VERLEGER
Ja ja die Archäologie
meine Frau und ich
wir planen eine Mexikoreise
und wir wollen auch nach Peru
da werden wir zuerst Ihre Informationen einholen
HERR MEISTER
Die lateinamerikanische Geschichte
ist mir natürlich nicht so vertraut
VERLEGER
Wir haben jetzt einige großartige lateinamerikanische
Autoren im Programm
alles Weltliteratur das Beste das es heute gibt
auf die Vase blickend
Wie alt ist die Vase
HERR MEISTER
Zweieinhalbtausend vor Christi etwa
VERLEGER
Ach das ist ja doch imposant
das ist ja doch von ungeheuerlichem Wert
HERR MEISTER
Natürlich ist es eine Nachbildung
ganz selbstverständlich
aber ich hänge sehr an dieser Vase
ich könnte ohne diese Vase nicht sein
VERLEGER
Der Autor muß immer mit der gesamten Geschichte
in Zusammenhang sein
verliert er diesen Zusammenhang einmal
und ist es auch nur auf die kürzeste Zeit
hat er auch seine Größe verloren
HERR MEISTER
Die Geschichte und der Autor sind
eine Einheit
VERLEGER
Der Denkende bezieht alles aus der Geschichte
und die Geschichte bezieht alles aus dem Denkenden
das ist ein Novalisgedanke denke ich
HERR MEISTER
Es könnte Novalis sein
aber es ist ein Satz aus meiner Tetralogie

Professor Stieglitz sagt diesen Satz
Seite achthundertdrei unten

VERLEGER *ruft aus*
Phänomenabel

HERR MEISTER
Mein größter Vorzug ist es immer gewesen
ein präzise speicherndes Gedächtnis zu haben

VERLEGER
Den Germanienroman bringen wir im Herbst
als Taschenbuch heraus
wir haben die Rechte jetzt nach China verkauft
mit Japan verhandeln wir
Korea zieht mit
Ich glaube in China liegt Ihre Zukunft

HERR MEISTER
Das hatte ich immer gewünscht
Chinesisch zu können das blieb aber unerfüllt

VERLEGER
Meine Frau ist ganz begeistert von der Idee
daß Sie uns das Vergnügen machen
mit Ihrer Frau
mit uns nach England zu fahren
wenn die Tetralogie erschienen ist
das wir Ihnen guttun
Das fehlt Ihnen ja England
Sie waren doch nie in England

HERR MEISTER
Ich war nie in England im Land Shakespeares

VERLEGER
In Cornwall haben wir ein Haus
da könnten Sie unter Umständen sogar arbeiten
Man weiß es ja vorher nicht
plötzlich geht es auch im Ausland wie denken Sie darüber

HERR MEISTER
Ich habe niemals im Ausland arbeiten können
ich habe es immer versucht
es ging aber nicht
wie meinem Professor Stieglitz
ich war immer an den deutschen Sprachraum gebunden
In Ägypten beispielsweise glaubte ich es geht
aber dann ging es nicht

wir wohnten in der Nähe der Pyramiden
die beste Voraussetzung für das Schreiben dachte ich
aber nicht eine Zeile nichts
aber natürlich war der Archäologe in mir der Stärkere
der Schriftsteller hatte zurückzutreten

VERLEGER

Wir werden nur mit leichtem Gepäck nach England reisen
Die englische Luft wird Ihnen guttun

HERR MEISTER

In Frankreich bin ich immer deprimiert

VERLEGER

In England sind Sie sicher nicht deprimiert
ich glaube Sie sind ein Mann für England
das englische Wesen entspricht Ihnen
Der Verleger hat immer darauf zu achten daß er seine Autoren dahin bringt
wo sie schöpferisch werden
Aber Sie sind ja so schöpferisch Meister
derartig schöpferisch
Ich bin ja so gespannt auf die Tetralogie
Jetzt habe ich Kierkegaard gelesen
das ist ein Mann den ich nicht besonders gut kannte
jetzt ist es mir aufgegangen was für ein Mann das ist
Vieles in Kierkegaard erinnert mich doch an Sie
Es steckt ein Kierkegaard in Ihnen
und vielleicht wissen Sie das gar nicht
tatsächlich ein Kierkegaard

HERR MEISTER

In gewissem Sinne
habe ich eine Beziehung zu Kierkegaard
und zu Strindberg

VERLEGER

Ich bringe jetzt Strindberg heraus
vielleicht schreiben Sie ein Vorwort
zu dieser Ausgabe
Das wäre doch schön
Nach und nach
bringen wir alle nordischen Dichter heraus
ruft aus
Ibsen was für ein Geistesmensch
Ich reiste vor einem Jahr nach Schweden

und fand etwas Unveröffentlichtes von Ibsen
Eine Komödie
vor dem Peer Gynt geschrieben
phänomenabel
das bringe ich im nächsten Jahr
mit gesammelten Kommentaren
Übrigens plane ich eine neue Reihe
etwas für die Jugend für die studierende Jugend
da könnten wir Ihre Schrift über das Kosmische herausbringen
ich habe schon sechs Manuskripte
Ich suche neue Lektoren
zwei sind krank
einer ist gestorben
von Zeit zu Zeit muß ich alle diese Leute auswechseln
ich suche einen jungen Mann
der sich mit Wieland intensiv beschäftigt hat
kennen Sie jemanden
Ich versuche eine neue Kantausgabe auf die Beine zu stellen
das ist schwierig
Kant der sich den ganzen deutschen Geist
untergeordnet hat
Ist Ihnen Möbius ein Begriff
Herr Meister verneint
Möbius hat eine Ethik geschrieben
ein Jahrhundertbuch
das bringe ich im Frühjahr
Und etwas sehr Schönes von Engels völlig unbekannt
eine zarte Erzählung im Grunde eine Weihnachtsgeschichte
Es läuft alles sehr gut im Verlag
auch wenn wir jetzt allgemein im Verlagswesen
eine Krise haben
zugegeben der Buchhandel befindet sich in einer Krise
aber davon bin ich nicht betroffen ich nicht
zieht das Papier aus seiner Rocktasche
Es sieht gut aus Meister
Ihre Bilanz ist ausgeglichen
Das ist doch etwas durchaus Erfreuliches
Wir haben achtzigtausend abgesetzt vom Germanienroman
Wenn erst die Tetralogie erschienen ist
man ist gespannt darauf
ein so bedeutendes Buch im richtigen Moment

Drei Bände in Kassette
in Schwarz wie Sie es wünschen
und mit dem Untertitel
Stieglitz oder die Weltordnung
Herr Meister ist aufgestanden und hat wieder eingeschenkt und hat sich wieder gesetzt
Es wird viel gesprochen von schlechter Bilanz
aber das betrifft u n s nicht
wir sind gut in Fahrt
Wenn die Tetralogie auf dem Markt ist
werden Sie um ein paar Vorlesungen auch in Berlin
nicht herumkommen
das ist notwendig daß sich der Autor zeigt
das Publikum hat ein Recht auf den Autor
es muß ihn von Zeit zu Zeit zu Gesicht bekommen
steckt das Papier wieder ein
Ich war nicht unbeteiligt
was Ihre Aufnahme in die Akademie betrifft
von selbst ist nichts
Nun warten alle Leute darauf
daß Sie sich auch dem Theater zuwenden
Herr Meister bewegt ungläubig den Kopf
Ein Drama wissen Sie
von Ihrer Feder
aufgeführt an einer ersten Bühne
mit den besten Schauspielern
auf dem Hamburger Schauspielhaus beispielsweise
oder auf dem Schillertheater in Berlin

HERR MEISTER

Es drängt mich nicht auf die Bühne
aber man kann nie wissen

VERLEGER

Ein neuer deutscher Shakespeare wer weiß
Es ist ja geradezu explosiv vor Dramatik Ihr Werk
es sind so viele Dramen in Ihrer Prosa
einzelne Kapitel Ihres Germaniaromans
sind wie Dramen
merkwürdig

HERR MEISTER

Das sagten schon einige

VERLEGER
Es strotzt vor Drama Ihr Werk
HERR MEISTER
Wer weiß was die Zeitläufte bringen
VERLEGER
Übrigens werden Sie in England
natürlich auf den Spuren Shakespeares wandeln
und ich und meine Frau sind Ihre Begleiter
Ein deutscher Geist gehört einige Zeit
in die englische Luft
blickt sich in der Bibliothek um
Die Tradition dieses Hauses
Sie stellten sie wieder her
Dem Judentum verdankt der deutsche Geist
beinahe alles
Wir brauchen ein paar gelungene neuere Fotos von Ihnen
ich werde einen jungen Fotografen schicken
in nächster Zeit
einen ganz unaufdringlichen jungen Mann
Zehn Freiexemplare von der Tetralogie genügt das
HERR MEISTER
Zehn oder zwölf
VERLEGER
Wir schicken zwölf
wir schicken vierzehn
Es ist schon erstaunlich
daß es aufeinmal in Deutschland wieder Dichtung
von europäischem Format gibt von Weltformat
ich spreche von z w e i Dichtern Sie wissen um wen es geht
aber wenn ich hier bin denke ich
S i e sind doch der größte
zwei solche hervorragenden Geister deutscher Zunge
die augenblicklich die Welt beherrschen
aber I h r Werk ist das gesicherte das größere
das mit dem höchsten Anspruch
d a s deutsche mit Weltanspruch
Auf zwei Dichtern beruht in ganz Deutschland alles
aber noch mehr auf I h r e m Werke allein
Sie sind absolut eine Ibsen- oder Strindberggröße
wenn nicht noch viel höher als diese beiden einzuschätzen
was Strindberg auf dem Gebiet des Dramas

sind Sie was die Prosa betrifft
nicht im goethischen Sinne
ein Strindberg der Prosa
Mit welchem Mut Sie an Ihr Werk herangegangen sind
und mit welcher Ausdauer Sie es in die höchste Höhe
getrieben haben
Alleingegangen vorwärts geradeaus
Wielange haben Sie denn an der Tetralogie geschrieben

HERR MEISTER *der sich inzwischen eine Pfeife angezündet hat*
Genaugenommen zweiundzwanzig Jahre

VERLEGER
Das ist Größe
das ist es
Zweiundzwanzig Jahre
welch eine Jahrhundertleistung
Das spürt man in jedem Wort Ihres Werkes
daß es alle Prüfungen des Geistes durchgemacht hat

HERR MEISTER
Stieglitz oder die Weltordnung
das ist ungeheuerlich
Ich danke sehr viel meiner Frau
Jahrzehntelang habe ich ja nur von ihr gelebt
Sie hat alles aufgegeben für mich
alles beinahe alles
Sie hat mir über alle Unsicherheiten hinweggeholfen
Sie war es die mich gelenkt hat
ohne sie wäre ich nichts

VERLEGER
Eine Existenz in bitterster Kargheit
nur so konnte sich natürlich entwickeln
was jetzt da ist feststeht fest begründet ist
unauslöschlich

HERR MEISTER
Ich brauche den Weinberg
ich brauche meine Ruhe
hier kann ich mich konzentrieren

VERLEGER
Und dann und wann eine Reise in die Welt nicht wahr
Zu den klassischen Stätten des Altertums
Persien Griechenland Ägypten
man spürt es in jeder Zeile Ihres Werkes

alles was Sie geschrieben haben
ist davon durchdrungen
Aber die Luft ist sehr dünn auf dem Höhepunkt

HERR MEISTER
Sehr dünn sehr dünn

VERLEGER *nachdem er sich in der Bibliothek umgesehen hat*
Am Abend werde ich ja dann
etwas zu hören bekommen aus der Tetralogie nicht wahr
eine Kostprobe nicht wahr

HERR MEISTER
Ich werde aus meiner Tetralogie vorlesen
Ihnen zu Ehren
meinem Verleger zu Ehren
Der Professor Stieglitz im Reisezug durch Portugal
nach Coimbra ans Ziel

Elfte Szene

Salon
Alle, auch die Frau Herta und der Briefträger, auf Sesseln und in Fauteuils
Herr Meister gegenüber an einem Tischchen mit einem Manuskript
Applaus, wenn der Vorhang aufgeht

HERR MEISTER *nach einer längeren Pause, immer wieder sein Manuskript umblätternd*
Nun lese ich noch etwas aus dem Edgarkapitel
den Schluß
Robert ist aus Triest gekommen
geschichtsträchtig Die Stadt im Dunkeln der Hafen verödet
Marlene erfährt nichts von seiner Tragödie mit Edmund
der in London geblieben ist
Die Affäre mit Cyrus ist vergessen
Die Zeitungen haben sich entschlossen über Cyrus nichts mehr
zu berichten
Der Artikel von welchem Edgar mit Robert gesprochen hatte

ist nicht erschienen weil die Times derartige Artikel nicht
druckt
In Deutschland weht ein heftiger Sturm zu dieser Zeit
Es ist Robert ganz einfach nicht möglich
sich mit Edgars Entschluß abzufinden
Man muß sich vorstellen Edgar war überrascht gewesen daß
Robert
aus freien Stücken den Professor Stieglitz getroffen hat und
zur Selbstaufgabe bereit gewesen war seinem Werk zuliebe
Er hatte ja die Theologie studiert um die Chirurgie zu
vergessen
England litt unter der Pfundschwäche
So gelang es schließlich Friedrich nicht
die Zeitung zu bekommen in welcher von Edgars Entschluß
geschrieben war
gegen die Annahme Roberts der sich sicher gewesen war
daß Friedrich an diese Zeitung herankommen würde
Die Schiffe in Aden konnten nicht auslaufen
Professor Stieglitz litt an seiner Erkältung in Caracas
In London selbst hatte der Premierminister Order gegeben
mit Stieglitz nicht mehr zu verhandeln
Die Königin war in Neuseeland
So bereitete sich Friedrich ohne Hoffnung auf Erfolg
allerdings
auf seine Mexikoreise vor
währenddessen Robert noch immer mit seinem Plan
beschäftigt gewesen war
mit jenem Plan nämlich der Edgar zum Verhängnis werden
sollte
den Blick auf die Zuhörer gerichtet
hier gibt das Bürgerliche Gesetzbuch Auskunft
Robert begleitete schließlich Lynn in den Centralpark
und verabredete mit ihr ein Treffen in Oxford
Professor Stieglitz vollendete seine Schrift über
Schopenhauer
Die beiden waren sich einig daß es ohne Edgar nicht geht
Aber man kann natürlich nicht von einem Komplott sprechen
Hier ist der Stil ganz dem Thema angemessen ganz
leicht ganz rhythmisch getragen
eben angemessen der Aussichtslosigkeit noch einmal in
England

jene Verhältnisse herzustellen
von welchen Robert geträumt hatte
die Edgar hatte verhindern wollen
Und in Deutschland hatte man die Konsequenzen nicht
gezogen
Stieglitz war in Frankfurt absolut unerwünscht
Fräulein Werdenfels macht ein Blitzlichtfoto von Herrn Meister
In Deutschland ging alles seinen trägen unmenschlichen Weg
es ist etwa die Stimmung wie im Germaniaroman ab Kapitel
fünf
auch da hatte ich natürlich das Zeitproblem
Die Dreidimensionalität die dazu führte daß ich den
Edgarstrang
schließlich doch mit dem Robertkapitel vereinigen konnte
Also die Beziehung Goethe Wittgenstein Kierkegaard
Aber hören Sie
nach einer Pause vorlesend
Als Edgar aus London nach Paris gekommen war
amerikamüde
förderte nichts mehr den Plan sein Werk zum Abschluß zu
bringen
er war durchdrungen von der Liebe zu Deutschland
aber nichtsdestoweniger gelang ihm der Sprung nach
England nicht
Robert verzichtete auf die Chinareise und verhinderte
dadurch
die Gegenposition Edgars der sich mit Stieglitz besprochen
hatte
In Nizza war es zu dieser Zeit merkwürdig grau
Fräulein Werdenfels macht ein Blitzlichtfoto von Herrn Meister
Das Meer lag im Schatten der Ereignisse Mitteleuropas
von welchem keinerlei Initiative mehr ausging
es war ein Engpaß eingetreten
Der dritte Weltkrieg lag in der Luft
Woran hatte Robert gedacht als Lynn ihn begleitete
wir wissen es nicht
Professor Stieglitz verweigerte die Aussage vor dem
Schwurgericht

Fräulein Werdenfels macht ein Blitzlichtfoto von Herrn Meister
Wieviele Briefe hatte Robert an Edgar geschrieben aus London
wir wissen es nicht
Wir vermuten daß die Katastrophe schon sehr viel früher
eingetreten sein mußte nämlich in dem Augenblick
in welchem Edgar auf sein Vermögen verzichtete
und in die Schweiz zurückkehrte um seine Mutter zu treffen
Fräulein Werdenfels macht ein Blitzlichtfoto von Herrn Meister
Diese einsame Frau die an Lungenentzündung krankte
wartete auf Edgar in einem Hotel in Lausanne
das
welch merkwürdiger Zufall
Professor Stieglitz gehörte
So schloß sich endlich der Kreis der Geschwister
schließt das Manuskript
alle applaudieren

VERLEGER *mitten in den Applaus hinein*
Das ist ja groß
wendet den hocherhobenen Kopf
artig

Ende

Am Ziel

Les misères de la vie humaine ont fondé tout cela;
comme ils ont vu cela, ils ont pris le divertissement.

Pascal

Personen

DIE MUTTER
DIE TOCHTER
EIN *dramatischer* SCHRIFTSTELLER
EIN MÄDCHEN

In Holland

Erster Teil

In der Stadt
Am frühen Morgen
Großes Zimmer im ersten Stock, anschließend eine Küche
Zwei Türen, zwei Fenster. Ein Sofa
Mehrere noch offene oder schon fest verschlossene Gepäckstücke, ein großer Rohrkoffer offen
Die Mutter in einem Ohrensessel, eine Rechnung studierend
Die Tochter kocht in der Küche Tee

MUTTER *mit einem Lorgnon und in einem langen warmen Reisemantel*
Es war meine Idee
es war mein Wunsch
es war meine Idee
Warum sind wir überhaupt hingegangen
Jetzt rächt es sich
daß wir das Abonnement genommen haben
Wir hätten nicht solange warten sollen
Warum habe ich ihn nur eingeladen
Ein großer Fehler
R e t t e s i c h w e r k a n n kein schlechter Titel
Ein Talent habe ich gesagt
Sie sind ein großes Talent
dabei bin ich gar nicht so überzeugt
Erfolge sind auch nur Zufall
irgend etwas macht den Erfolg
kein Mensch weiß was
auch wenn alle Voraussetzungen gegeben sind
kein Mensch weiß was
Es hätte auch schiefgehen können
Ich dachte schon es wird nichts
Dieses Bohren diese Unnachgiebigkeit
Sind das denn Menschen habe ich mich gefragt
Dann applaudierten sie plötzlich wie die Wilden
Ich gönne ihm das natürlich
Zuerst dachte ich es wird nichts
im Elend zu wühlen
den Leuten ihren eigenen Dreck ins Gesicht werfen
von der Bühne herunter

Ich dachte es wird nichts
Immer mehr Dreck auf der Bühne
bis die ganze Bühne voller Dreck ist
dann geht der Vorhang zu
wenn die ganze Bühne voller Dreck ist
Was ist das anderes als Dreck
Ja natürlich die haben Talent
die jungen Leute
und die alten Künstler die Theaterschmierfinken
Findest du nicht
daß das gemein ist den Leuten
nichts als ihren Dreck zu zeigen
ruft hinein
Mach ihn stark
ich will den Tee stark haben
Hörst du der verlangt achtzigtausend
Alle sind größenwahnsinnig
eine vollkommen größenwahnsinnige Gesellschaft
Die ganze Gesellschaft ist mit sich selbst
durchgegangen
legt die Rechnung weg
Ich hätte die Gruft nicht erneuern lassen sollen
ich hätte sie lassen sollen wie sie ist
der umgestürzte Obelisk war ja doch eine Originalität
achtzigtausend nur für die Aufstellung des umgefallenen
Obelisken
und ein bißchen Beton
Ein dramatischer Schriftsteller
was ist das schon
die Leute haben Erfolg und nützen gleich alles aus
Veröffentlichte Gedanken
alles abgenützt auf dem Papier und insgesamt eine
Gemeinheit
Sie bilden sich ein sie sind weltbewegend
Er behauptet er sei Anarchist
ein dramatischer Schriftsteller sei ein Anarchist
Eine ganze Stunde über Schauspieler
und dabei hat er nicht ein einziges Mal an mich gedacht
daß ich alt bin und schwer höre
Tochter kommt mit dem Tee herein
und daß mich im Grunde nichts mehr interessiert

jedenfalls nicht die Schauspielkunst
jedenfalls nicht das Theater
Tochter serviert den Tee
Die Steinmetze
sind unverschämt
alle Handwerker sind unverschämt
Die ziehen jetzt die Intellektuellen aus
vollkommen
Der Triumph der Handwerker mein Kind
die Arbeiter triumphieren
aber das haben die Unsrigen noch nicht begriffen
seit vierzig oder fünfzig Jahren
triumphieren die Arbeiter
die haben das Heft in der Hand
die diktieren die bestimmen
sie machen uns den Garaus
Tochter will den Tee einschenken
Mutter hindert sie daran
Er ist noch nicht soweit
Wie du keine Ahnung vom Tee hast
hast du auch keine Ahnung von Weltgeschichte mein Kind
Du mußt ihn ziehen lassen
zwanzig Jahre bemühe ich mich
dir das beizubringen
Dein Vater wünschte einen Obelisk
er hat ihn sich selbst ausgesucht
das war schon damals lächerlich
Die Zeit hat sich von Grund auf verändert
alles hat sich verändert umgekehrt
alles ist auf den Kopf gestellt
virtuos mein Kind sehr virtuos
Nun schenk ein
Tochter schenkt Tee ein
Nun rächt es sich
daß ich unser Abonnement nicht aufgelöst habe
es ist nur noch eine Gewohnheit
wir lieben ja das Theater schon lange nicht mehr
wir geben nur vor es zu lieben
wir hassen es
weil es uns zur Gewohnheit geworden ist
Aber wir hassen auch Shakespeare

und wir hassen uns selbst
wenn wir hineingehen
Noch bevor es angefangen hat
haben wir es durchschaut
nimmt die Rechnung wieder in Augenschein
Ich bezahle nicht so schnell
zwei Jahre hat es gedauert
bis der Obelisk aufgestellt war
über zwei Jahre bis alles fertig war
ich bezahle zwei Jahre nicht
Gleiches mit Gleichem vergelten mein Kind
So einfach darf man es den Leuten nicht machen
Sie drohen mit einer Klage
sie drohen ein zweites Mal mit einer Klage
dann zahle ich
und ich ziehe natürlich zwanzig Prozent ab
dann ist es noch immer viel zu teuer
Die Leute sind ja schon von sich selbst überrascht
wenn es ihnen gelungen ist
einen Nagel einzuschlagen
Überall herrscht der Dilettantismus
aber am widerwärtigsten bei den Handwerkern
trinkt
Wenn wir Glück haben
regnet es nicht
andererseits reise ich gern an Regentagen
Es wird regnen
Ich weiß warum ich nichts machen lasse hier
alles gehörte geändert
aber mir kommt kein Handwerker ins Haus
hier wird nichts mehr geändert
Ja wenn einmal das Licht ausfällt
aber sonst nichts
Es ist schon alles sehr brüchig
wenn du gehst denke ich immer
das Haus fällt zusammen
du hast dir einen so ungeschickten lauten Gang angewöhnt
andererseits ist es deine Natur
Ich sage bitte geh nicht so laut
aber das ändert nichts an deinem Gang
Wir hätten das Gußwerk früh genug verkaufen sollen

und ans Meer gehen
niemand kein Mensch hätte uns hindern können
aber wir haben den richtigen Zeitpunkt versäumt
dann kaufte niemand mehr ein Gußwerk
nicht ein solches veraltetes Gußwerk
es war eine große Chance mein Kind
achtzehn Millionen
aber das war mir zu wenig
Wenn wir den richtigen Zeitpunkt versäumen
kommt er nie wieder
Ich dachte ich könnte den Preis noch in die Höhe treiben
dann war plötzlich alles aus
So an die fünfundzwanzig Millionen habe ich gedacht
ich habe verspielt
trinkt
Die einen trinken Tee
die andern Kaffee
in diese zwei Kategorien kann man sie einteilen
Du bist eine Kaffeetrinkerin
Er wagte es nicht mehr
mich anzurühren
es ekelte mich vor ihm
ich bin sehr konsequent gewesen
nachdem wir aus Rom zurückgekommen waren
hatte er mich nicht mehr angerührt
Da warst du schon zweiundzwanzig
mein Gott habe ich gedacht
was ist das für ein Kind
unansehnlich etwas zurückgeblieben
aber liebenswert
Du warst mehr ein Vaterkind
Es hätte irgendein anderer sein können
Nun es war dein Vater
das Gußwerk hat eine große Rolle gespielt
ich war nicht sicher
heirate ich den Mann oder das Gußwerk
ich habe nie wirklich gewußt
ist es das Gußwerk oder der Mann
dem das Gußwerk gehört
und das Haus am Meer
das reizte mich ungeheuer mein Kind

ein Mann ein nicht einmal häßlicher Mann
mit einem Haus am Meer
Das habe ich mir immer gewünscht
ein Haus am Meer das mir gehört
Einerseits war es das Gußwerk
und das Haus am Meer
und die Sicherheit die von dieser ganzen Konstellation ausging
mein Kind

Ich kann nicht sagen
ich hatte keine andere Wahl
nein das nicht
Er war aufgetaucht
und erzählte mir von seinem Gußwerk
und daß er allein sei
daß seine Eltern umgekommen seien
beide in einem einzigen Augenblick
das rührte mich wie er mir sagte
daß sie augenblicklich tot gewesen seien
zwischen Florenz und Bologna
das hatte mich gerührt mein Kind
und daß er ein Haus am Meer habe
Vielleicht hätte mich eine andere Geschichte nicht so gerührt
wir hören etwas Rührendes
von einem Mann der dadurch daß er uns etwas Rührendes erzählt
selbst rührend ist und heiraten ihn
Ich wollte den Mann gar nicht
Das Gußwerk und das Haus am Meer
und dann auch noch ein Kind dazu
dein Bruder der Arme
zweieinhalb Jahre und weg
trinkt
Er hatte ein Gesicht wie ein uralter Mensch
ich wollte ihn nicht er war mir zu häßlich
kannst du dir das vorstellen
er hatte ausgesehen wie ein Greis
unter drei Millionen passiert das
eine uralte Haut
alles verkrüppelt an ihm
Das ist die Strafe habe ich gedacht
jetzt bist du bestraft
ich habe pausenlos nur darüber nachgedacht

wie ich ihn wegwerfen könne
einmal hatte ich die Idee
ihn im Ofen zu verbrennen
aber was dann
ich wickelte ihn wieder ein und sang ihm ein Lied
ich machte mich sentimental
und machte mich dadurch noch viel gemeiner
Ich redete mir gut zu
insgeheim wünschte ich den Tod meines Kindes
unausgesetzt
Ich getraute mich mein Kind nicht herzuzeigen
alle wollten es sehen
aber ich zeigte es nicht her
ich sagte immer der Zeitpunkt wird schon kommen
Ich hatte mich verrechnet mein Kind
Das Gußwerk und das Haus am Meer
und das Kind
ich hatte mich verrechnet
Dann fuhr ich ans Meer und glaubte es würde dort besser
aber dort war es am schlimmsten
ich wollte die Decke über das Gesicht ziehen
und es ersticken
aber ich getraute mich nicht
ich dachte dann habe ich mich selbst ruiniert
wegen eines Menschen der gar kein Mensch ist
ein kleines unansehnliches Tier
ich haßte Richard
Dein Vater war der unglücklichste Mensch
der sich denken läßt
er kam immer aus der Stadt heraus und fragte
was macht unser Kind
das haßte ich wenn er das fragte
ich dachte du hast das Kind gemacht du gemeiner Mensch
und jetzt fragst du mich noch immer
was der Krüppel macht
ich mußte mir ausmalen was dann ist
wenn der Krüppel fünfzehn ist oder zwanzig
oder fünfundzwanzig
Aber dazu ist es nicht gekommen
ich hatte so inständig seinen Tod gewünscht
daß er gestorben ist

wie immer ekelte mich
wenn ich den kleinen Vorhang zurückzog
er war noch im Korbwagen
aber da war er auf einmal tot
plötzlich hatte er ein schönes Gesicht
uralt aber schön
weil ich ganz inständig an seinen Tod gedacht habe
Richard verstehst du
dein Vater der Wagnernarr
gerade als ich mein Kind herzeigen wollte
so sagte ich es mir selbst
war es tot
Ich sagte den Leuten immer
ein so schönes Kind hätte ich nie gesehen
ich hätte es nicht hergezeigt solange
um seine Schönheit nicht zu beeinträchtigen
die schmutzigen Blicke wollte ich fernhalten von meinem schönen Kind
ja sagte ich gerade da wie ich es euch zeigen wollte
war es auf einmal tot
es regnete in Strömen
verrückt nicht wahr
die Leute konnten nicht wissen
was in dem Sarg lag
etwas Entsetzliches
etwas Uraltes
ein weißer Sarg
und soviel frische Blumen
Unser Richard
ließ ich in den Stein meißeln
trinkt
Plötzlich hatte ich Angst
Alles war Angst
und ich haßte deinen Vater
ich ging ihm aus dem Weg
ich versperrte die Zimmertür
zeigt auf die Tür
Wochenlang jahrelang
starrte ich auf diese Tür
und fürchtete mich
er könnte durch die abgesperrte Tür hereinkommen

er klopfte aber ich machte nicht auf
er trommelte auf die Tür
aber ich machte nicht auf
wenn er sich schon halb zu Tode getrommelt hatte hörte er auf
dann nahm ich meine Tabletten
In der Frühe war er schon weg
das Gußwerk brauchte ihn
Ich fuhr nach Katwijk
ein ganzes Jahr hielt ich es dort aus
Ebbe Flut
Flut Ebbe
trinkt
dann fuhr ich zurück
und dann kamst du
Wir entkommen nicht mein Kind
trinkt
Nur das Notwendigste einpacken
sage ich mir immer
nur das Allernotwendigste
und dann haben wir wieder so viel Gepäck
Tochter steht auf und geht wieder ans Packen
Ich hätte dir geholfen
auch mit meinen Schmerzen
aber du hast es abgelehnt
Immer kommt es von der Ferse
und dann zieht es über den Rücken herauf
Tochter öffnet den großen Rohrkoffer
Der Rohrkoffer hat eine lange Geschichte
das ist das einzige das ich mitgebracht habe in die Ehe
den Rohrkoffer
Und weißt du was in dem Rohrkoffer war
Habe ich es dir schon einmal gesagt
hab ich es dir nicht gesagt

TOCHTER

Nein Mama

MUTTER

Eine alte Pferdedecke
von meinem Großvater
sonst nichts
das war alles
Deine Urgroßeltern hatten überhaupt nichts

er war Spaßmacher Spaßmacher mein Kind
seine Frau war völlig taub ganz und gar taub
trinkt und stellt die Tasse gleich wieder weg
Er schmeckt nicht
wenn du ihn machst schmeckt er nicht
Teekochen ist eine Wissenschaft
natürlich das Wasser
aber es ist eine Kunst
Ich will doch Cognac
den Cognac mein Kind
Tochter holt ihr Cognac
Völlig taub verstehst du
und er war ein Analphabet
ein richtiger Analphabet
sie hatten fünf Kinder zustande gebracht
die armen Leute machen die meisten Kinder
zwei haben überlebt
darunter meine Mutter
deine Großmutter
Tochter schenkt der Mutter Cognac ein
Sie hat mich irgendwo in Holland abgelegt
in einem Gasthaus
sie ist in das Gasthaus hinein
auf die Toilette
und hat mich abgeschnitten
und ist mit mir wieder herausgegangen
zu einer Freundin
die sie aufgenommen hat eine Woche
dann ist sie wieder arbeiten gegangen
Nur einer darf trinken
nur ich darf trinken
trinkt
Aus dem Nichts verstehst du
plötzlich in ein solches Haus
ein Gußwerk
ein Haus am Meer
ganz abgesehen von allem andern
Aber natürlich ist es nicht von heute auf morgen gegangen
Da kam dieser häßliche Mensch
mit seiner häßlichen Stimme
und erzählte mir von seinem Gußwerk

dein Vater hatte damals die Angewohnheit
das erste Wort eines jeden Satzes
zweimal zu sagen
es war unerträglich mein Kind
ich habe mich vor diesem Menschen gegraust
wie er da gesessen
und von seinem Gußwerk geredet hatte
Und dann hatte er gesagt
wenn ich vom Gußwerk genug habe
fahre ich ans Meer
da habe ich ein schönes Haus in Katwijk
das war mir natürlich kein Begriff gewesen
trinkt
Ich hatte ja das Meer noch nie gesehen
Immer schon hatte ich das Meer sehen wollen
wer das Meer noch nicht gesehen hat
ist noch kein Mensch habe ich immer gedacht
und ich denke das auch heute
Da packe ich meine Sachen
und fahre nach Katwijk ans Meer
ein großes Haus und Ebbe und Flut
die hatte ich noch nie gesehen Ebbe und Flut
er machte es mir vor
er beugte sich ganz vor
und machte mir mit beiden Händen Ebbe und Flut vor
Ich hatte ihn für einen Verrückten gehalten
Ein Verrückter habe ich gedacht
Aber dann hatte sich herausgestellt
daß alles stimmte was er sagte
das mit dem Gußwerk stimmte
und das mit dem Haus am Meer
und auch das mit Ebbe und Flut
und das mit dem Geld auf der Bank
Ich hab zu meiner Freundin gesagt
würdest du das tun
obwohl du den Mann nicht ausstehen kannst
wie er von Ebbe und Flut erzählt und das vormacht
wie er immer von seinem Gußwerk erzählt und es ausmalt
und von seinem Haus am Meer
das sein Großvater gekauft hat
er hat einen so fürchterlichen Geruch habe ich gesagt

aus dem Mund
und seine Finger gefallen mir nicht
überhaupt seine Hände
sein Gesicht ist häßlich
aber wie er von Ebbe und Flut erzählt
würdest du das tun
trinkt
da hat sie nur Ja gesagt
Und was für ein Ja
ich höre dieses Ja noch genau
ich habe es fünfundvierzig Jahre im Ohr
ich kann es nicht nachmachen
ich sollte es nachmachen können
ich kann das Ja nicht nachmachen
Ja hat sie gesagt sonst nichts
sie hat mich angehört und Ja gesagt
Und dann tat ichs
verstehst du
ich haßte alles an dem Mann
ich haßte auch die Art wie er ging
sein Gehen haßte ich
und wie er sich hinsetzte
und wie er aufstand
und wie er die Hände übereinanderlegte
und die Nasenlöcher ganz weit öffnete
wenn er Ebbe sagte
und ebensoweit aufmachte wenn er Flut sagte
trinkt
Diese Freundin verstehst du
die ich gebeten habe
daß sie mich mit dir aufnimmt
sie hatte den Mann nie gesehen und hat Ja gesagt
Tochter legt ein graubraunes Kleid in den Rohrkoffer
Den Rohrkoffer habe ich schon gehabt
wie du auf die Welt gekommen bist
den habe ich überallhin mitgenommen
Ich bin ja noch nicht viel herumgekommen damals
und ich hatte das Meer noch nicht gesehen
Aber das Gußwerk interessierte mich
und wie der Mann Ende gut alles gut sagte
das sagte er alle Augenblicke

auch wenn es gar keinen Sinn hatte
Ende gut alles gut
trinkt
Das war seine Gewohnheit
Er schneuzte sich zu laut
Ende gut alles gut
bei jeder Gelegenheit
Andererseits hatte er so gute Manieren
wie sie die besitzenden Leute haben
aber doch nicht ganz gute Manieren
es war immer auch ein wenig lächerlich
wenn er sich bemühte
beispielsweise wie er eine Champagnerflasche aufmachte
das war sehr komisch
das konnte er nicht
und ich verlangte es immer von ihm
dein Vater war ungeschickt
ein durch und durch ungeschickter Mensch
Wie er Gußwerk sagte
das faszinierte mich
er sagte das Wort Gußwerk
als wenn es ihm ein Genuß gewesen wäre
Wenn du das Wort Gußwerk sagst
erinnert es mich ein bißchen an ihn
ein bißchen
trinkt
ein bißchen
Er hatte die Angewohnheit
bei geschlossenen Fenstern zu schlafen
das vertrug ich nicht
ich machte die Fenster immer auf
aber da erkältete er sich
da zog ich einfach aus
Zuerst hatten wir ein gemeinsames Schlafzimmer
aber schon bald nicht mehr
Es war dumm von mir
ihm andauernd vorzuhalten
daß es nicht gesund ist
bei geschlossenen Fenstern zu schlafen
ich hätte es zwei dreimal sagen sollen
aber ich habe es immer wieder gesagt

immer wieder
und vieles andere auch immer wieder
lauter Sachen die ihm auf die Nerven gingen
ich predigte und er hörte zu
aber er verstand mich überhaupt nicht
Ende gut alles gut
Wenn er zum Frühstück hereinkam
sagte er Ende gut alles gut
und wenn er aus dem Gußwerk kam sagte er
Ende gut alles gut
Wir gingen die See entlang mein Kind
und plötzlich blieb er stehen und sagte
Ende gut alles gut
Eines Tages wollte er einen Hund haben
das wollte ich ihm nicht abschlagen
aber es war ein Unsinn
er sagte zu dem Tier immer Ende gut alles gut
das hielt ich nicht mehr aus
ich vergiftete das Tier
daran kannst du dich nicht mehr erinnern
es ist zu lange her
da warst du aber schon da
aber du warst so klein daß du dich
an den Hund nicht mehr erinnern kannst
ich duldete keinen Hund kein Tier neben dir
Wenn wir dich im Park zwischen uns hatten
und gar kein Grund dazu war
sagte er plötzlich Ende gut alles gut
das sagte er auch zu deinem Bruder
Ende gut alles gut
Ich gab ihm Bücher zum Lesen
aber er las sie nicht
ich verlangte eine Nacherzählung
aber ich quälte ihn nur damit
Ich gehe ins Gußwerk sagte er
und dazu immer Ende gut alles gut
Er liebte Manschettenknöpfe
er hatte große goldene Manschettenknöpfe von seinem Vater
aber ich konnte keine Manschettenknöpfe vertragen
er wollte auch immer so bestimmte Sandalen anziehen am Meer
die ich haßte

weil da seine häßlichen Zehen zum Vorschein kamen
er begriff nicht daß er keine Füße für Sandalen hatte
Er liebte keine Literatur
ich hatte ja immer gelesen
weil ich sonst nichts gehabt habe
aber er haßte die Literatur
und das Theater
Nur Andersen war eine Ausnahme
da setzte er sich ans Fenster
zeigt es
dahin siehst du
und las das Märchen von den Schwefelhölzchen
Hunderte Male
das ließ ich ihm
ich hätte mich schuldig gemacht
ich verachtete ihn wie er da saß und las
und ich verachtete ihn so tief verstehst du
trinkt, dann
Du mußt die Mäntel getrennt von den Kleidern
einpacken das weißt du ja
und die schweren Stücke zuunterst
die leichten oben
Wenn ich diese Schmerzen nicht hätte
würde ich dir helfen
versucht aufzustehen und setzt sich gleich wieder
Es ist die Feuchtigkeit in diesem Haus

TOCHTER
Am Meer ist es auch feucht

MUTTER
Ja aber nicht ungesund
am Meer ist es nicht ungesund
am Meer ist es feucht
aber nicht ungesund
aber hier ist es feucht
und macht krank
alles macht hier krank
wir müssen schauen
daß wir wegkommen hier
es ist höchste Zeit
Als ich deinen Vater einmal fragte
warum er in das Gasthaus gegangen sei

in welchem er mich kennengelernt hat
sagte er er wisse es nicht
es sei ein Zufall
Da habe ich ihn aufgeklärt
daß es keine Zufälle gibt
Ich ertrug es nicht wenn er sagte
es sei ein Zufall gewesen
daß er mich kennengelernt habe
Es war kein Zufall sagte ich
es war Berechnung
das verstand er natürlich nicht
Wie ich das Gußwerk zum erstenmal gesehen habe
war ich entsetzt
was sollte ich als die Frau des Gußwerkbesitzers
ich hatte mich an den Kopf gegriffen
trinkt
aber plötzlich hatte ich Gefallen daran gefunden
an dem Lärm dort
und an den Leuten in diesem Lärm
und an dem Geruch
wie es schmolz und zischte verstehst du
Sie hatten ihn ausgenützt
dein Vater war dumm
er hätte mit diesen Leuten ganz anders umgehen sollen
er hatte einen Direktor
der ihn jahrelang betrogen hatte
der Millionen auf die Seite geräumt hatte
aber ich habe dem allen ein Ende gemacht
ich habe aufgeräumt mit den Leuten
ich habe die Hälfte aller Leute entlassen
ich hätte es auf einen Prozeß ankommen lassen
aber es ist gar nicht zu einem Prozeß gekommen
Du bist der Betrogene
du bist der Dummkopf
habe ich gesagt
du wirst ausgenützt übers Ohr gehauen
Wenn man neu dazukommt
hat man einen unbestechlichen Blick
Wenn er nachhause kam war er erschöpft
Ende gut alles gut
trinkt

Ich setzte Zierpflanzen
um die Hallen herum
alles sah auf einmal ganz anders aus
freundlich verstehst du
Die Gewerkschaft hatte ihn in der Hand
Aber da kam *ich*
und regelte alles
wie es sich gehörte
wir sind die Dummen sagte ich
nicht sie
wir sind die Ausgenützten
nicht sie
Es kam zu Protesten
aber die erstickten in sich selbst
Ich verstand mich mit den Leuten
Immer mehr Forderungen
und er erfüllte sie
das mußte ein Ende haben
Du bestimmst was mit dem Gußwerk zu geschehen hat
nicht *sie* sagte ich
es ist *dein* Gußwerk
nicht das *ihrige*
es ist *dein* Leben
unsere Existenz
nicht *ihre*
Ich hatte eine gute Hand
Wir mußten die Hälfte entlassen
um zu gesunden mein Kind
Die Krankheit war ausgebrochen
da warst du siebzehn Jahre alt
In Katwijk waren wir
da ist sie ausgebrochen
Du hattest noch ein Jahr Gymnasium
Da dachte ich
als es noch gar nicht ernst genommen worden war
das ist sein Ende
Es zog sich hin mein Kind
zuerst unmerklich jahrelang unmerklich
bis es dann endgültig ausgebrochen war
Habe ich dir erzählt
wie ich zu dem Doktor gesagt habe Das ist sein Tod nicht wahr

und der Doktor geantwortet hat
Ja das ist sein Tod
Es war so selbstverständlich
Es berührte mich nicht einmal sonderlich
ich war so mit dem Gußwerk beschäftigt
Damals ließ ich ihn ein paarmal ins Zimmer
aber es wurde nichts
auch damals ekelte es mich vor ihm
Wenn er hinausging
wenn es nichts geworden war und wenn er hinausging
drehte er sich an der Tür um
zeigt es
da an der Tür
in dem sauberen Nachthemd das er so liebte
und sagte Ende gut alles gut
es ekelte mich aber ich sagte gute Nacht
ich wußte er wird bald tot sein
er wußte es nicht
er war so naiv mein Kind
er sah nichts auf sich zukommen
er sah die Revolution nicht
und er sah seinen Tod nicht
aber ich sah beides
die Revolution und den Tod
seinen Tod
Ende gut alles gut es hörte sich so hilflos an
und doch schmutzig
darauf durfte ich nicht hereinfallen
ich sagte gute Nacht und haßte ihn
Er wollte immer diese gleichen knöchellangen Nachthemden
mit der grünen Rosenborte am Kragen
Wie ich diese Nachthemden haßte
trinkt
Aber ein paar solcher Kleinigkeiten
durfte ich ihm nicht auch noch wegnehmen
Frierend stieg er in mein Bett
aber er war nicht warm zu kriegen
Von Samstag auf Sonntag bettelte er
aber da ließ ich ihn nicht herein
Tochter faltet ein schwarzes Kleid zusammen und will es in den Rohrkoffer legen

Mein Trauerkleid
Zwanzig Jahre schleppe ich es mit
und ich habe es in den zwanzig Jahren am Meer
nicht ein einziges Mal angezogen
Zeig her ist es nicht schon kaputt
Tochter bringt ihr das Kleid und hebt es gegen das Licht und die Mutter begutachtet es
Es hatte seine Berechtigung
Aber es ein zweites Mal anzuziehen
wäre verlogen gewesen
Aber pack es ruhig ein
wer weiß
plötzlich habe ich Lust es anzuziehen
Tochter geht mit dem Kleid zum Rohrkoffer und packt es ein
Jedes Jahr haargenau dieselben Stücke
Und jahrelang nichts dazugekauft
weil ich dich habe
mit deiner Nähkunst
Das meiste ist aus der Mode gekommen
Nimmst du dein blaues Kostüm mit

TOCHTER
Ja Mama

MUTTER
Das liebe ich
wenn du mit mir in Katwijk am Meer entlanggehst
und du hast das blaue Kostüm an
das liebe ich
Und die schwarzen Schuhe von Mutter

TOCHTER
Ja Mama

MUTTER
Du solltest neue Schuhbänder kaufen
die alten haben schon einen Knopf
In Katwijk kaufst du neue Schuhbänder

TOCHTER
Ich freue mich schon so auf Katwijk

MUTTER
Ja ich auch
es ist jedes Jahr das gleiche
ich habe nur ein Ziel das ganze Jahr
Katwijk

TOCHTER *zeigt ein graues Kleid*
Soll ich es noch bügeln
hebt es hoch

MUTTER
Nein
nein nicht
Tochter legt das Kleid in den Rohrkoffer
Tagsüber gehe ich in meinem Strandkleid
und am Nachmittag habe ich den plissierten Rock
Den hast du schön gebügelt
Wenn ich dich nicht hätte
Und wir machen natürlich den Ausflug nach Amsterdam
selbstverständlich
Vielleicht ist heuer unser Violinvirtuose schon da
Warum diese Leute immer verkühlt sind
Aber du hast ja deinen dramatischen Schriftsteller
Es war meine Idee
es war mein Wunsch
Einen Augenblick werden wir schwach
und begehen eine Dummheit

TOCHTER
Wieso eine Dummheit

MUTTER
Daß ich den Schriftsteller eingeladen habe nach Katwijk
du wolltest es
du wolltest daß er mit uns nach Katwijk reist
ich wollte es nicht
wie kann ich es wollen
nein ich liebe diese jungen Leute nicht
und schon gar nicht diese Intellektuellen
diese Leute mit ihren Geistesambitionen
diese Leute habe ich nie geliebt
die bringen nur alles durcheinander
und stellen alles auf den Kopf
Es war ein Fehler ihn aufzufordern mitzukommen

TOCHTER
Aber er bleibt doch nur ein zwei Tage

MUTTER
Ja das sagt sich so ein zwei Tage

TOCHTER
Er hat sich so gefreut

er bewundert dich Mama

MUTTER

Das war ein Fehler ihn aufgefordert zu haben
Aber es war ein Gefühl im Augenblick
ein merkwürdiges Gefühl
der Treue zu dir verstehst du

TOCHTER

Ein so großer Erfolg Mama

MUTTER

Das besagt doch nichts
die Leute waren in Laune und machten einen Erfolg
aber es hätte auch das Gegenteil und kein Erfolg sein können
es war bis zuletzt nichts entschieden
nichts gar nichts
dann war Stille
und die Leute haben geklatscht

TOCHTER

Und wie geklatscht Mama

MUTTER

Mir ist es unverständlich
daß sie geklatscht haben
wo es sich doch um ein Stück handelte
in welchem sie alle bloßgestellt worden sind
und auf die gemeinste Weise
zugegeben mit Witz auch
aber mit einem bösartigen Witz
mit Niedertracht sogar
mit absoluter Niedertracht
Und dann klatschten sie aufeinmal

TOCHTER

Es war ein richtiger ein ganz großer Erfolg

MUTTER

E i n Erfolg was sagt das
dann gehen die Leute hinaus auf die Straße
und alles ist vergessen
das sagt doch nichts ein Erfolg an einem Abend
Und ob es zu einem Lebenswerk reicht

TOCHTER

Was heißt Lebenswerk Mama
Die Leute haben geklatscht es hat ihnen gefallen
die Schauspieler haben ihnen gefallen

es hat ihnen alles gefallen

MUTTER

Die Schauspieler haben gefallen
die Schauspieler waren großartig
aber das Stück

TOCHTER

Ich finde es ein ganz außerordentliches Stück

MUTTER

Als ob du von der dramatischen Literatur
auch nur das geringste verstündest
die Leute verstehen nichts
und klatschen sich zu Tode
weil sie gerade zum Klatschen aufgelegt sind
aber sie beklatschen auch das Unsinnigste
Sie beklatschen auch ihr eigenes Begräbnis
sie beklatschen jede Ohrfeige
die sie bekommen
sie werden von der Rampe herunter geohrfeigt
und beklatschen das
Es gibt keine größere Perversität
als die Perversität des Theaterpublikums
Es war ein Unsinn
daß wir uns noch getroffen haben
mit deinem Schriftsteller
Ein Autogramm
was für eine Perversität
Was haben wir jetzt davon
jetzt sind wir aus dem Gewohnten
wer weiß

TOCHTER

Er hat sofort eingewilligt

MUTTER

Ich habe nicht gesagt
wir fahren ans Meer kommen Sie mit
das wollte ich ja gar nicht
Ich habe gesagt wir fahren ans Meer
da hat er gesagt er würde auch gern
ans Meer fahren
Kennen Sie denn Katwijk habe ich gesagt
und er hat verneint
er kenne Katwijk nicht

da hast du gesagt wie schön Katwijk ist

TOCHTER

Es ist wahr Katwijk ist schön

MUTTER

Da habe ich gesagt
sie hat recht Katwijk ist schön

TOCHTER

Katwijk ist sehr schön habe ich gesagt
weil es dort ein Haus nur für uns allein gibt
und man kann stundenlang allein am Meer entlanglaufen

MUTTER

Und dann habe ich gesagt
waren Sie überhaupt schon am Meer
und da hat er gesagt natürlich
ein dramatischer Schriftsteller
muß das Meer kennen
muß Ebbe und Flut kennen hat er gesagt
der dramatische Schriftsteller muß vor allem das Meer kennen
wenn er das Meer kennt
kennt er auch die Gesetze seiner Kunst
Ich fand das alles sehr verwirrend
und anmaßend was er sagte
Plötzlich sagte ich mehrere Male zu ihm
dramatischer Schriftsteller
das war mir absurd vorgekommen aber ich sagte es
Ein dramatischer Schriftsteller
muß das Meer kennen und sich immer
während er schreibt
während er sein Kunstwerk vorantreibt
von Ebbe und Flut

TOCHTER

Ebbe und Flut hat er gesagt
immer wieder Ebbe und Flut

MUTTER

Es war ziemlich unsinnig was er sagte
er war aufgeregt
verständlich
die Leute hoben ihn in die Höhe
Aber sie hätten ihn ebensogut vernichten können
mit einem Schlag
an diesem einen Abend

sie entschieden sich für den Applaus
nicht für die Vernichtung
Es ist aber ein Theater
in dem fortwährend beides möglich ist
der Applaus
oder die Vernichtung
und am Ende auch
der Applaus
oder die Vernichtung
unser dramatischer Schriftsteller hat glaube ich
doch mehr Glück als Verstand gehabt
Wir sehen etwas das wir nicht entschuldigen
das wir hassen
und applaudieren dann
Ich hatte zuerst nicht applaudiert
aber dann habe ich doch applaudiert
ich konnte nicht anders
Aber dann wie wir aus dem Theater heraußen waren
schämte ich mich
ich beklatschte eine Unverschämtheit
Und dann dieses arrogante Gesicht

TOCHTER
Er ist doch nicht arrogant

MUTTER
Ein dramatischer Schriftsteller
ist von Natur aus arrogant
größenwahnsinnig
sie werden beklatscht und sind größenwahnsinnig
oder sie gehen mit eingezogenem Kopf
durch die Hintertür ins Freie

TOCHTER
Wie es nach und nach
in die Katastrophe führte

MUTTER
Ja
und fortwährend umzukippen drohte
Wenn man solche Schauspieler agieren läßt
die eine solche Perfektion entwickeln
mit solcher Hingabe aber auch an das Kunstwerk
wobei ich mir nicht sicher bin
ob es sich tatsächlich um ein Kunstwerk handelt

Mit dieser Schamlosigkeit ohnegleichen
hingeben sich an das Publikum
Am Ende stehen sie alle erschöpft da
und kein Mensch weiß mehr was das gerade gewesen ist
und werden mit Applaus überschüttet
Deinen Vater konnte man unter keinen Umständen
in ein Theater hineinbringen
Er hatte sein Gußwerk
Deine Liebe zum Theater hast du von mir

TOCHTER
Ja Mama

MUTTER
Aber meine Leidenschaft hat etwas nachgelassen
trinkt das Glas aus und schenkt sich wieder ein
Ich bin doch etwas skeptisch geworden gegen das
was von der Bühne herunterkommt
früher war ich das nicht
jetzt frage ich mich
ob das noch nützlich ist
ob ich nicht das Abonnement auflösen soll
es wiederholt sich alles
wir haben schon alles gesehen
alles gesehen und alles gehört
was von der Rampe herunterkommt
Mein Gott was ist es anderes
als daß alles krank ist und stirbt
gewaltsam oder nicht
es muß aufgeben
wird erstochen oder nicht
vergiftet oder nicht
oder es dämmert ganz einfach so hin
und ist dadurch unheimlich
Und an den Kostümen haben wir uns doch auch
schon satt gesehen ist es nicht so
trinkt

TOCHTER
Nein nein es ist immer wieder etwas Neues
es ist immer ganz neu
Wenn wir den Willen haben dazu
wenn wir das Neue sehen wollen

MUTTER

Wenn wir das Neue sehen wollen
Wer sagt denn
daß ich das Neue sehen will
Vielleicht will ich das Neue nicht mehr
trinkt
Weil ich genug habe

TOCHTER

Er hat sich angeboten
uns die Koffer hinunterzutragen

MUTTER

Hat er das

TOCHTER

Er hat sich angeboten
Ein paar Tage am Meer
das wird ihm sicher guttun
Wo wir so viel Platz haben in unserem Haus

MUTTER

Ja
Und wo wird er untergebracht sein

TOCHTER

Ich denke neben dir

MUTTER

Das geht nicht

TOCHTER

Das wäre das einfachste

MUTTER

Nein nein das geht nicht
er wird oben schlafen oben unter dem Dach
oder unten

TOCHTER

Oben oder unten das ist doch gleichgültig

MUTTER

Es ist gleichgültig
ja natürlich ist es gleichgültig
Er wird nur eine kleine Tasche mitbringen
für zwei Tage

TOCHTER

Er wird mich in der dramatischen Kunst unterrichten
Er wird mir den Zerbrochenen Krug vorlesen

MUTTER

Das Stück von Kleist

TOCHTER

Ja das hat er mir versprochen

MUTTER

Du wirst ihm zuhören
du wirst vor ihm sitzen und ihm zuhören

TOCHTER

Ja Mama

MUTTER

Und er wird dir die Komödie von Kleist
vielleicht sogar im Freien am offenen Meer vorlesen
mit lauter Stimme damit du es auch hörst was er vorliest
Und weiter

TOCHTER

Es werden schöne Tage sein Mama
es wird alles viel unterhaltsamer sein

MUTTER

Unterhaltsamer
so nennst du es

TOCHTER

Aber vielleicht hat er gar keine Lust auf den Kleist
und liest mir etwas Eigenes vor
etwas Neues von ihm

MUTTER

Ach mein Gott wie du dir das vorstellst
Wie wenn du schon genau wüßtest
was dort geschieht
was da sein wird
trinkt

TOCHTER

Ich weiß nicht
was dort sein wird

MUTTER

Ich kann es mir vorstellen

TOCHTER

Vielleicht schläft er sich auch aus
und bleibt im Bett liegen
bei offenen Fenstern in der Meerluft
er hat es notwendig
Ein ganzes Jahr mit dem Stück

mit der Komödie wie er es nennt

MUTTER

Da tut ihm die Meerluft sicher gut
Ich frage mich oft warum ein Mensch etwas macht
das im Grunde nichts ist
Was ist es das er macht
Ich frage mich ja auch was ist es
das ich mache
Und du
und alle andern
Es ist nichts absolut nichts
und alle verzehren sie sich in dieser Sinnlosigkeit
die die ureigene ist und machen sich kaputt
vernichten sich
und mit was für einer Konsequenz
Was habe ich davon wenn ich sage
ich bin ein dramatischer Schriftsteller
oder wenn ich sage
ich bin der Gußwerkbesitzer
oder wenn ich sage
ich bin die Gußwerkbesitzerswitwe
und du wenn du sagst
ich bin die Tochter der Gußwerkbesitzerin
Was ist das alles
das frage ich mich
Oder wenn einer behauptet er sei der Papst
und sei notwendig für die Menschheit
das frage ich mich
das sind alles nur ureigene Sinnlosigkeiten
und alle zusammen sind die menschliche Gesellschaft
mich überzeugt das alles nicht
hat mich nie überzeugt
Aber warum soll es unter lauter Sinnlosigkeit
nicht auch dramatische Dichter geben
trinkt
Findest du daß er ehrlich ist
Ich meine in dem was er schreibt
was er aussagen will
der dramatische Schriftsteller
will doch eine Aussage machen
oder nicht

TOCHTER

Der ist ehrlich Mama

MUTTER

Aber es ist sinnlos was er macht
Natürlich weil alles ehrlich ist
auch das Verlogene ist ehrlich
wir sagen wir sind ehrlich und lügen auch schon
wir lügen und sagen auch schon die Wahrheit
vielleicht ist es das
Wenn ich so rede komme ich ganz schön in Schwung
aber es ist sinnlos
Wir gehen ins Theater und schauen uns ein Stück an
und gehen hinaus und sagen uns es ist sinnlos
und wir gehen nicht ins Theater hinein
und schauen uns kein Stück an und sagen es ist sinnlos
Und wenn er dir den Zerbrochenen Krug vorliest
ist es auch sinnlos oder nicht

TOCHTER

Der Zerbrochene Krug ist sein Lieblingsstück

MUTTER

Natürlich der Zerbrochene Krug ist sein Lieblingsstück
aber dein Lieblingsdramatiker ist dein dramatischer
Schriftsteller habe ich recht

TOCHTER

Aber der Zerbrochene Krug hat auch dir gefallen

MUTTER

Ja vor zwanzig Jahren
vor fünfzehn Jahren noch
damals hat mir alles von Shakespeare gefallen
aber auch die Operette hat mir gefallen
War das nicht schön
wie wir noch mehr in die Operette gegangen sind
weniger ins dramatische Theater

TOCHTER

Ich weiß nicht

MUTTER

Das war viel schöner
ehrlich

TOCHTER

Wir haben uns wegentwickelt

MUTTER

Wir haben uns von der Operette wegentwickelt
und nicht von der Operette in die Oper
sondern von der Operette direkt ins dramatische Schauspiel
das ist doch sehr merkwürdig

TOCHTER

Das ist doch besser
von der Operette zum Schauspiel
als nur in die Oper

MUTTER

Du sagst das wie wenn du davon etwas verstündest
Es hört sich sehr gut an
es ist außerordentlich
außergewöhnlich
aber es ist doch abgeschmackt
es ist sehr abgeschmackt mein Kind
es ist alles unter dem Einfluß
deines dramatischen Schriftstellers gesagt
Auch wenn du sagst
die Oberschicht gehört abgeschafft
und zwar radikal abgeschafft
so ist das doch nicht von dir
daraus spricht dein dramatischer Schriftsteller
der die unterdrückte Masse aufpeitscht wie du sagst
Sag es nur sag es nur mein Kind
den größten Unsinn sag ihn nur
trinkt
Die Menschheit aufrütteln
das ist sehr komisch wenn du das sagst
wenn du sagst die Wahrheit verkünden
Das ist so wie dein Vater Ende gut alles gut gesagt hat
hier spricht der dramatische Schriftsteller
hier spricht der Anarchist
hier spricht der Wegweiser
Aber weiß denn dein dramatischer Schriftsteller den Weg
gibt es einen einzigen Menschen der den Weg weiß
das ist alles abgeschmackt alles Betrug
alles Selbstbetrug
trinkt
Es ist das größte Unglück mein Kind
daß du an die Literatur gekommen bist

Hätten wir nur nie ein Theater aufgesucht
jetzt haben wir die Rechnung
für unsere Bildungsbeflissenheit
schlägt sich auf die Stirn
das ist ja wahnsinnig
was du treibst das ist ja verrückt
plötzlich in anderem Tonfall
hörst du ab und zu noch etwas von Johannes
Tochter verneint stumm
Diese Leute bringen es auch zu nichts
treten ganz großartig an
machen Karriere
gehen mit frischem Wind heran
lauter Beifall wohin man schaut
und aufeinmal ist es still
sie sind nichts geworden
Und Raimund
hast du von Raimund was gehört
Tochter legt ein grünes Tageskleid zusammen und in den Rohrkoffer
Nichts
Er hat dir doch geschrieben
Wie war es denn in Paris

TOCHTER
Er hat nicht geschrieben

MUTTER
Ich weiß doch daß er geschrieben hat
Raimund hat dir geschrieben

TOCHTER
Er hat mir nicht geschrieben

MUTTER
Alle zogen sich zurück
weil du immer alles falsch gemacht hast
die Falschen das ist es
Was habe ich alles versucht
aber du warst zu dumm dazu
mein einfältiges Kind
das nie etwas begriffen hat
Raimund gefiel mir
er war immer im richtigen Moment schweigsam
dann wieder gesprächig

und elegant war er immer elegant
und wenn man sich mit ihm unterhielt
brauchte man sich nicht zu schämen
mich störte nur immer wie er Nachtmahl sagte
das hatte so etwas Perverses an sich
aber sonst
ich hatte auch seine Eltern gern
Du hättest dich bemühen müssen
aber du hast dich nie bemüht
Und Ludwig ging nach Amerika
das war vorauszusehen
der Unruhestifter der Schwarmgeist
hast du etwas von ihm gehört

TOCHTER

Nein nichts

MUTTER

New York ist die Hölle mein Kind
zuerst scheint es es sei eine vergnügliche Stadt
aber dann ist es die Hölle
Du bist kein Auswanderertyp du nicht
ich auch nicht
Ich hätte dich vielleicht laufen lassen
wenn ich gesund wäre
aber es ist besser für dich du bist da
an meiner Seite
von mir geschützt
Ich frage mich oft ob du schützenswert bist
ich weiß es nicht
ich schütze dich
Vater glaubte nicht an dich
die verkommt hat er immer gesagt
die wird nichts
die hat nur Unsinn im Kopf
die ist zu wenig wendig
die sieht nichts
die ist unmusisch unmusikalisch
und die hat auch keinen Geschäftssinn
Mein Gott wie sich das alles leicht gesagt hat
Wir nehmen den Menschen zuviel übel mein Kind
Wir sehen und sehen nichts
aus dem einen wird etwas

und wir haben es nicht für möglich gehalten
und aus dem andern wird nichts
und wir haben die ganze Hoffnung hineingesteckt
Jeder hat eine tückische Entwicklung
Ende gut alles gut
Dein Vater war kein Hellseher
das Gußwerk hat ihn erdrückt
manchmal stürzte er in der Nacht an meine Tür
die gottseidank verschlossen war und schrie
er könne nicht mehr weiter
da antwortete ich nicht
und ich wartete so lange bis er ruhig war
kein Wort von mir nichts
dann ging er wieder
er winselte an der Tür
ich hörte es an aber machte nicht auf
immer tiefer sank er nieder ich hörte es
er klopfte noch ein paarmal
dann war er still
ich schlich mich ans Schlüsselloch und sah ihn daliegen
aber ich öffnete nicht
Jeder muß mit sich selbst fertig werden mein Kind
Alle wollen sie sich entziehen
aber es gibt kein Entkommen
Tochter räumt das Teegeschirr weg
Immer die gleichen Bewegungen
immer der gleiche Gesichtsausdruck
Du veränderst dich nicht
aber du alterst wie wir alle
aber ich beobachte es an dir
wie schnell du alterst
Das ist nur eine Feststellung
entfliehen und alt werden
trinkt
Wenn er nur pünktlich ist
dein dramatischer Schriftsteller
Was ist das Geheimnisvolle
an den Künstlern
das Besondere
Sie sind anders das ist wahr
Schauspieler dramatische Schriftsteller

wir sprechen ganz anders mit ihnen als mit unseresgleichen
wir hören ihnen aufmerksamer zu
wir beobachten sie eindringlicher
wenn wir sie durchschauen sind wir enttäuscht
was bleibt ist ein verdorbener Magen
und ein verstörter Kopf
Wir stopfen das Außerordentliche und das Außergewöhnliche
in sie hinein
und reißen es wieder aus ihnen heraus
bis daß es uns ekelt
Ja einmal hatte ich gedacht
ich werde einen Künstler heiraten
keinen Schauspieler einen wirklichen Künstler
ich hatte keine genaue Vorstellung davon
aber ein Künstler sollte es sein
ich verachtete die Kaufleute die Geschäftswelt
Aber es war anders gekommen
Als ich völlig am Ende gewesen war
setzte sich dieser Mann mit dem Gußwerk an meinen Tisch
ich hatte geheult vorher
meine Augen waren noch ganz naß
wo weiter ich wußte es nicht
Ende gut alles gut ich höre es noch
das Wort Gußwerk das Wort Meer
Ich war abgestoßen und angezogen zugleich
abgestoßen von dem Mann
aber angezogen von dem Wort Gußwerk
Die Wahrheit ist daß ich in das Wort Gußwerk
verliebt gewesen war
Ich dachte ich habe es mit einem Verrückten zu tun aber nein
Ein vollkommen fremder Mensch und dein Vater
Er war ein fauler Mensch
sein Charakter ich weiß nicht
aber er hatte keine andere Wahl
ich ließ ihn nicht mehr aus
ich hielt mich fest an ihm
ich umklammerte ihn
es gab für ihn kein Entkommen
Ende gut alles gut sagte er im Park zu mir
wie ich ihm gesagt habe daß ein Kind kommt
du bist stumpfsinnig sagte ich

du bist dumm du bist nichts wert
Tochter geht mit dem Geschirr hinaus
Mutter ruft ihr nach
Ich sagte du bist idiotisch
einen Verrückten habe ich geheiratet
Und dann dieses Kind
Er war in Richard Wagner vernarrt
Richard sagte er zu dem Greis in der Wiege
Er hatte sich erbrochen als er das Kind gesehen hatte
Wessen Schuld ist es fragte ich mich
Ich werde es erdrücken dachte ich
Tochter kommt mit mehreren Mänteln herein
Die Briefe die er mir geschrieben hat
waren zu einfältig
er überredete mich mit ihm nach Basel zu fahren
wo er zu tun hatte
es ekelte mich vor den Leuten mit denen er zusammenkam
Aber ich lief nicht davon im Gegenteil
sie trinkt
wir waren in Neapel in Florenz
wir waren in Rußland
ich langweilte mich mein Kind
Ich hatte mich bald an den Luxus gewöhnt
an die neuen Kleider an die großen Räume
ich richtete mich in Katwijk ein
ich lief am Meer auf und ab
Ich hatte soviel erreicht
wie ich nicht geträumt hatte
Tochter hängt die Mäntel an einem Haken auf, um sie einzupacken
Merkwürdigerweise konnte er nicht tanzen
ich brachte es ihm bei
mühselig ein paar Schritte
bis er den Tango konnte
Dein Vater war nie in einer Gemäldegalerie
ich auch nicht
also gingen wir hin und schauten die Bilder an
aber es langweilte mich
die hohe Kunst langweilte mich
Ich lernte schreiben
lesen und schreiben

denn in Wahrheit konnte ich das nicht
wie ich deinen Vater kennengelernt habe
zuerst war er mir in allen Geistesdingen überlegen
aber auf einmal hatte ich ihn überflügelt
er bemerkte es zuerst nicht
das war mein Trumpf
Er ging mir immer mehr in die Falle
Ich konnte schon Briefe schreiben
ich besserte Geschäftsbriefe aus
Ich wußte bald wie ich mich zu kleiden hatte
zur Tochter direkt
Zuerst hatte ich ein einziges Kleid
und jetzt habe ich so viele Kleider
daß es mich beinahe verrückt macht
Es mußte ausarten
ein Paar Schuhe
und jetzt
immer mehr und mehr
aber wir verlieren dann bald die Lust
Der Überfluß wird zum Überdruß
Es war ein Vorteil
daß seine Eltern nicht mehr am Leben waren
die Geschichte von ihrem Unglück
rührte mich natürlich nicht
er erzählte sie immer gleich
und wartete auf ein Zeichen meiner Rührung
aber ich war nie gerührt
Gut daß sie nicht mehr da sind dachte ich immer
Dann hätten wir nicht heiraten können
Richard dieses schreckliche Gesicht
wie wenn es achtzig Jahre alt gewesen wäre schon am ersten Tag
es gab keine Erklärung dafür
Er war nicht davon abzubringen gewesen
an jedem Samstag auf den Friedhof zu gehn
eines Tages sagte ich zu ihm
daß ich ihn verlasse
wenn er die Friedhofsbesuche fortsetze
du machst dich ganz verrückt mit deinen Friedhofsbesuchen
sagte ich
die ganze Woche hörte ich von ihm nur
am Samstag gehe ich zu den Eltern

damit meinte er den Friedhof
das mußte ein Ende nehmen
Aber ich weiß daß er sie heimlich aufgesucht hat
In dem Moment in welchem Richard begraben war
ging er nie mehr hin
das kommt alle drei- oder viermillionenmal vor
daß ein Neugeborenes wie ein Greis ist
Kinder sind in jedem Fall ein Unglück
sei froh daß du kein Kind hast
Du warst ein häßliches Kind
mit gutmütigen Augen aber sehr häßlich
es hat lange gedauert bis in diesem häßlichen Fleisch
ein Mensch sichtbar geworden ist
du hast gelächelt das war es
was mich mit dir versöhnt hat
aber alle sind entsetzt gewesen ich weiß es
sie belogen mich
aber ich sah daß sie entsetzt waren
Du hättest ein Sohn sein sollen
Wir fahren nach Amsterdam und kaufen uns Kopftücher
nicht wahr
Ach wenn wir erst in Katwijk sind
Ich weiß ja gar nichts von unserem dramatischen Schriftsteller
ist er vom Land oder von der Stadt
ich weiß überhaupt nichts
Ich kenne diesen Menschen gar nicht und sage
kommen Sie doch mit uns ans Meer nach Katwijk

TOCHTER

Er ist ein Stadtmensch

MUTTER

Aus Amsterdam

TOCHTER

Nein aus Rotterdam

MUTTER

Von armen Leuten wahrscheinlich

TOCHTER

Sein Vater war auf einem Fischkutter

MUTTER

Wie wird man ein dramatischer Schriftsteller
eine dumme Frage
wie wenn ich sagte

wie wird man alt
Dann muß er ja auch musikalisch sein

TOCHTER
Das ist er
er hat einmal Geige gespielt

MUTTER
Einmal Geige gespielt
alle haben einmal Geige gespielt
Rotterdam ist kein schlechter Boden
Ich kenne einige die aus Rotterdam sind
und es zu etwas gebracht haben

TOCHTER
Er ist früh aus Rotterdam weggegangen

MUTTER
Was hat er denn studiert

TOCHTER
Das weiß ich nicht

MUTTER
Theater
kann man Theater studieren
die dramatische Kunst ich weiß es nicht

TOCHTER
Er lebte eine Zeitlang von einem Stipendium
aber ich weiß nicht was für ein Stipendium

MUTTER
Ein Theaterstipendium wahrscheinlich
aber was ist das
trinkt
Man geht zu einem berühmten Dichter wahrscheinlich
und bittet ihn
daß er einem beibringt
wie man Theaterstücke schreibt
Unsinn
Man geht in das Theater und schaut sich an wie Theater gespielt wird
Unsinn
Niemand weiß wie einer ein dramatischer Schriftsteller wird
Man sagt er ist aufgeführt und hat Erfolg gehabt
aber wie ist es dazu gekommen
Er könnte das ja sagen
es mir klarmachen

Es sind diese Stücke
die alles kaputtmachen
die alles heruntermachen bis es kaputt ist
Der Mann tritt auf und schon mit dem ersten Wort
das er sagt hat er selbst sein Todesurteil gesprochen
und die Frau die er anspricht
reißt er mit sich
es ist alles so rücksichtslos
alle treten auf und sind zum Tod verurteilt
und er nennt sein Stück ja auch Rette sich wer kann
weil es klar ist daß sich niemand rettet
es ist lächerlich an Rettung zu denken
es steuert alles auf die Katastrophe zu
alle richten sie sich zugrunde
indem sie alles daran setzen sich zu retten
sie reden und gehen zugrunde
sie sitzen herum und richten sich zugrunde
sie lieben sich sie hassen sich und gehen zugrunde
es gibt keinen Ausweg
Glaubst du das Leben ist so wie das Stück
Rette sich wer kann das ist zynisch
stellt ihr Glas hin und steht auf und geht zum Rohrkoffer hin und schaut hinein
Das war immer der Mantelkoffer
nimmt einen Mantel heraus und legt ihn zusammen und hinein
Am Meer hängt sich alles so leicht wieder aus
sie hilft der Tochter einpacken
Ich wünschte immer
nach Peking zu fahren ich weiß nicht warum
ich hatte eine Vorliebe für die Chinesen
jetzt ist es zu spät
jetzt habe ich auch die Lust dazu verloren
vor ein paar Jahren noch da hätten wir hinfahren können
jetzt nicht mehr
Ich träumte mein Leben lang von Schiffsbekanntschaften
von einem richtigen Abenteuer auf hoher See
einen Kapitän habe ich einmal gedacht
einen Weltreisenden
einen der die Welt kennt
aber im Grunde hat es nicht gereicht
Wenn das Gußwerk nicht gewesen wäre

und dein Vater machte das immer unmöglich
Wie schnell wir uns angleichen
assimilieren heißt dieses hübsche Wort
hebt einen Wintermantel hoch
Noch ein ganz schönes Stück nicht wahr
Soviel Naphtalin
das halte ich gar nicht aus

TOCHTER

Setz dich Mama
ich kann alles allein machen
Mutter geht zum Sessel und setzt sich
Tochter schaut auf die Uhr
Wenn er kommt sind wir fertig

MUTTER

Ich habe das Einpacken immer gehaßt
aber auch das Auspacken
wir müssen ja alles das wir einpacken
wieder auspacken
trinkt und ruft
Mach einen Schluck
ein Schluck für dich komm
Tochter geht zu ihr hin und macht einen Schluck aus ihrem Glas
Was danke ich dir nicht alles mein Kind
Und jetzt
willst du mich verlassen
Nein
du wirst mich nicht verlassen
das kannst du gar nicht
du bist gar nicht lebensfähig ohne mich
du kommst um ohne mich
wenn du weggehst kommst du um
Aber du bist völlig frei natürlich
Du kannst tun was du willst
das habe ich dir immer gesagt
frei frei mein Kind
Nun pack schön weiter ein
damit du fertig bist bis unser Freund kommt
unser dramatisches Genie unser Erfolgsschriftsteller
der das Drama Rette sich wer kann geschrieben hat
Tochter geht zum Rohrkoffer und packt die Mäntel ein

Wenn wir dann in Katwijk bei offenen Fenstern
den Bolero hören was sagst du
freust du dich darauf

TOCHTER

Ja Mama

MUTTER

Wenn wir nebeneinander sitzen
und uns den Bolero spielen
wie wir das immer gemacht haben
oer ich lese dir etwas vor
oder du liest mir etwas vor
wenn wir es auslosen du mir oder ich dir
Das ist doch schön wenn ich dir zuhöre
wie du mir vorliest
oder wie ich dir vorlese
und du hörst mir zu
So viele Bücher in Katwijk
Oder freut dich das alles nicht

TOCHTER

Ja Mama

MUTTER

Ich weiß nicht ob es mich freut
ich hatte so große Sehnsucht nach Katwijk
und jetzt auf einmal
ekelt es mich bei dem Gedanken hinzufahren
ich hasse diese Fahrt
diese öde Landschaft
dieses fürchterliche Haus
trinkt
Aber es ist eben eine Gewohnheit
Wir können nicht anders
An diesem Tage reisen wir ab
seit dreiunddreißig Jahren
Aber wir sind jetzt zwanzig Jahre allein gefahren
wir zwei allein

TOCHTER

Zwanzig Jahre sind genug
Und er bleibt ja auch nur zwei Tage

MUTTER

Wer weiß
Er kommt auf den Geschmack und bleibt länger

oder du kommst auf den Geschmack
Es war ein Fehler von mir
ich bin voreilig gewesen
Ich hätte sagen sollen junger Mann Ihr Stück ist ein
außerordentliches Stück
und es hat uns sehr beeindruckt
und dann hätten wir gehen sollen
Wir hätten uns das Autogramm geben lassen sollen
und hätten verschwinden sollen auf der Stelle
Da bin ich schwach geworden
Kommen Sie doch mit uns nach Katwijk habe ich gesagt
Jetzt nach diesem Erfolg
können Sie sich ein paar Tage am Meer leisten
Du warst nicht dagegen

TOCHTER
Ich war nicht dagegen

MUTTER
Ich hätte ihn nicht einladen müssen

TOCHTER
Es ist doch nur eine gute Idee
ihn nach Katwijk einzuladen

MUTTER
Das sagt sich so leicht
Es war keine gute Idee
Wir müssen immer etwas gegen uns tun
plötzlich
wir wissen nicht warum
Wir gehen mit ihm auf den Markt
Wir hören gute Musik mit ihm
wir essen in einem guten Restaurant mit ihm
Wie alt ist er

TOCHTER
Weiß ich nicht

MUTTER
Knapp über dreißig
habe ich recht

TOCHTER
Ja vielleicht

MUTTER
Er verbeugte sich nicht am Ende der Vorstellung
das ist doch üblich daß sich der Autor verbeugt

am Ende der Vorstellung
noch dazu wenn es ein so großer Erfolg ist
Dann hat er doch zu erscheinen
das ist er doch dem Publikum schuldig
er stellt sich dem Publikum und verbeugt sich

TOCHTER
Das ist nicht seine Art

MUTTER
Nicht seine Art
Es ist seine Art sich durch die Hintertür
ins Freie zu verdrücken
Durch den Hintereingang zu gehen
als wenn er ein schlechtes Gewissen hätte
Wahrscheinlich hat unser dramatischer Schriftsteller auch ein schlechtes Gewissen
Es ist ein solches Stück
es ist konsequent wenn er ein schlechtes Gewissen hat
er muß es haben
er hat keine andere Wahl
also muß er sich durch den Hinterausgang verziehen
und er verbeugt sich natürlich nicht
Das wäre nicht konsequent
und genaugenommen eine Geschmacklosigkeit
trinkt
Und verdient er auch Geld
ich meine trägt das etwas

TOCHTER
Ich glaube schon

MUTTER
Wie wohnt er denn
Wo wohnt er

TOCHTER
In Rotterdam

MUTTER
Das sagt nichts in Rotterdam
Wer weiß wie er wohnt

TOCHTER
Ich denke daß alles in Ordnung ist
was er macht

MUTTER
Woher kannst du das wissen

diese Leute sind gefährlich
jung und gefährlich
sie horchen einen aus
sie machen sich an einen heran
und bringen dann etwas zur Explosion

TOCHTER
Was

MUTTER
Irgend etwas
Es ist immer unheimlich in Gesellschaft solcher Menschen
Man nimmt sie mit offenen Armen auf
und sie bringen einen um

TOCHTER
Du dramatisierst alles Mama

MUTTER
Vielleicht
vielleicht sind wir selbst
ein dramatischer Stoff für ihn
wir sind eine Fundgrube
tatsächlich eine Fundgrube für einen Dramatiker
für einen Dramatiker wie ihn
der alles heraufholt
aus der tiefsten Tiefe

TOCHTER
Vielleicht

MUTTER
Vielleicht du sagst es
Er hat Blut geleckt
er hat uns nur ein paar Augenblicke gesehen
und hat Blut geleckt
Katwijk was für ein Stoff für ihn
und erst dein Vater und alle andern
woraus und wie wir geworden sind
Er kommt nach Katwijk und schlägt Kapital aus uns
Er nimmt was man ihm gibt
hast du seine Augen gesehen
unheimlich nicht wahr

TOCHTER
Findest du

MUTTER
Finde ich

finde ich
Er sagte übrigens
er wäre gern unser Gast
gern unser Gast wörtlich
das heißt doch daß wir ihm
die Reise bezahlen müssen

TOCHTER
Ja das heißt es

MUTTER
Ist das nicht ungewöhnlich
einem Menschen die Reise zu bezahlen bis nach Katwijk
den man kaum kennt

TOCHTER
Aber er ist doch bekannt
er ist eine Berühmtheit

MUTTER
Vielleicht ist er eine Berühmtheit kann sein
aber ich kann ihm doch nicht die Reise bezahlen bis nach Katwijk

TOCHTER
Natürlich bezahlen wir ihm die Reise Mama

MUTTER
Diese Absicht habe ich nicht
andererseits
in welches Licht komme ich
wenn ich ihm die Reise nicht bezahle
wenn ich ihm nicht alles bezahle
wo ich ihn doch eingeladen habe nach Katwijk
Kommen Sie doch mit uns nach Katwijk
habe ich gesagt ich habe nicht gesagt
kommen Sie zu uns nach Katwijk
also muß ich ihm wahrscheinlich die Reise nach Katwijk bezahlen

TOCHTER
Er wird uns eine große Hilfe sein
Du weißt wie schwierig es immer ist
mit dem Gepäck nach Katwijk

MUTTER
Wenn er kräftig ist und geschickt

TOCHTER
Er ist geschickt

MUTTER
Aber kräftig ist er nicht

TOCHTER

Er ist geschickt und er ist kräftig

MUTTER

Ein dramatischer Schriftsteller muß nicht kräftig sein

TOCHTER

O doch Mama

MUTTER

Woher weißt du das

TOCHTER

Er ist kräftig

MUTTER

Diese Leute sind größenwahnsinnig
aber kräftig sind sie nicht
eine kräftige Ausdrucksweise sagt ja noch nicht
daß er kräftig ist
Und wer weiß vielleicht ist er faul
Schriftsteller sind faule Menschen
vielleicht sind dramatische Schriftsteller noch faulere
Vielleicht ist er uns nicht nur gefährlich
sondern auch unterhaltend
das wäre ja kein Nachteil
Aber wenn man sein Stück gesehen hat
muß man vor diesem Menschen Angst haben
Nun haben wir ihn eingeladen

TOCHTER

Du hast ihn eingeladen

MUTTER

Ich habe ihn eingeladen
Ich habe gesagt
kommen Sie mit uns nach Katwijk
Er hat die Einladung sofort angenommen
darüber war ich verwundert
ich dachte nicht daß er annehmen wird

TOCHTER

Er hat sofort ja gesagt

MUTTER

Obwohl er gar nicht wußte wo Katwijk ist

TOCHTER

Das finde ich schön
daß er die Einladung angenommen hat ohne zu wissen wo Katwijk ist

MUTTER

Solche Menschen sind gefährlich
die sich augenblicklich zu etwas entschließen
ohne einen Augenblick zu zögern
diese Menschen erschrecken mich
Man müßte mehr wissen über ihn
über seine Eltern undsofort
Hat er Geschwister

TOCHTER

Vielleicht

MUTTER

Wir nehmen einen Menschen in unser Haus
von dem wir nichts wissen
von dem wir nur ein Theaterstück gesehen haben
das den merkwürdigen Titel hat Rette sich wer kann
er ist ein Zyniker
Aber er ist noch sehr jung
aber das ist das Gefährliche
Schreiben Sie wieder an einem neuen Stück habe ich ihn gefragt
und er hat mir nicht geantwortet
Es wäre doch so leicht gewesen eine Antwort zu geben
wenigstens Ja oder Nein
aber nein gar nichts
Die Frage war ihm lästig
studiert die Rechnung
Aufstellen eines Obelisken
Maurerarbeiten etcetera
Achtzigtausend
legt die Rechnung wieder weg
Das ganze Jahr denke ich nur an den Augenblick
in welchem wir von hier wegkommen
aber sind wir am Ziel
ist alles das Verkehrte
zur Tochter direkt
Komm schenk mir ein
ich brauche das
ich halte das sonst nicht aus
Tochter geht zu ihr und schenkt ihr ein
Daß du das ertragen kannst
ohne einen Tropfen
Du bist mein reines Kind

ich bin deine unreine Mutter
deine furchtbare Mutter nicht wahr
Tochter geht zum Rohrkoffer zurück
Die Mutter die ihr Kind fest an sich drückt
und es nicht mehr ausläßt
bis es erstickt ist
Habe ich nicht recht

TOCHTER
Du peinigst dich nur selbst

MUTTER
Meine Lieblingsbeschäftigung
die Selbstpeinigung
indem ich dich peinige
indem ich dich verunstaltet habe jahrzehntelang
habe ich mich selbst verunstaltet
in Liebe verstehst du
aneinandergekettet in Liebe
in wahrer Mutterliebe mein Kind
trinkt
Die Mutter will ihr Kind nicht hergeben
sie kettet es an sich
und läßt es nicht mehr los
und wenn es sich wegreißt
wird es mit dem Tode bestraft
auf das Wegreißen folgt die Todesstrafe
Du verstehst mich doch
Du bist für mich bestimmt
ich habe dich f ü r m i c h auf die Welt gebracht
Du bist nicht Richard
der Entkommene
du bist für mich
für mich ganz allein
Du zweifelst doch nicht daran
daß du mir gehörst mir allein nur mir allein
du gehörst mit Haut und Haaren mir
Tochter geht hinaus und kommt mit einem Arm voll Röcke herein und legt sie am Fenster ab
Ich hasse den Naphtalingeruch
blickt sich im Zimmer um
Das ganze Jahr ist dieser Geruch in diesem Zimmer
Weil wir keine Luft hereinlassen

Aber sind wir dann am Meer ist alles offen
Tag und Nacht ist alles offen
und die Meeresluft strömt in alle Zimmer
Immer wenn wir abreisen
bin ich zur Untätigkeit verurteilt
dann kann ich nicht mehr
dann bin ich auf deine Hilfe angewiesen
Eines Tages ist das Gußwerk aufgegessen was dann
Dann ziehen wir ganz nach Katwijk
und geben alles hier auf
und von dem Geld das wir für dieses Haus bekommen
leben wir in Katwijk
Ich lebe ja nicht mehr lang
Und für dich werden wir schon eine Lösung finden
Aber denke nicht an Entkommen
Du hast es schon so oft versucht
aber es ist dir nicht gelungen
Ich gebe dich niemals frei
Ich habe dich für mich auf die Welt gebracht
für mich allein
solange ich da bin gehörst du mir
Du hast alle Freiheiten das weißt du
aber du bist mir bis an mein Lebensende verpflichtet
Du kannst dir alles leisten
ich habe dir noch nie einen Wunsch abgeschlagen
jedenfalls keinen vernünftigen Wunsch
aber ich lasse dich nicht weg
Jetzt wo du dich schon vollkommen an mich gewöhnt hast
Wir haben uns so gut eingespielt
Ach mein liebes Kind
du darfst mich nicht traurig machen
winkt sie heran
Komm her
Komm schon her
Ich will daß du herkommst
Tochter geht zu ihr hin
Mutter nimmt ihre Hand
Wenn du es auch schwer gehabt hast
vielleicht ist es doch das einzig Mögliche
Knie dich hin
Bitte knie dich hin

wie früher
Du warst ein kleines Mädchen
Da habe ich dich gezwungen dich vor mich hinzuknien
Jetzt bitte ich dich
Tochter kniet sich hin
Mutter küßt sie auf die Stirn
Wir sind an allem selbst schuld
Wir haben keine andere Wahl
Wir ziehen die Konsequenz
So hab ich dich immer geliebt
auf den Knien vor mir
Diese königliche Haltung meinerseits
Und wartest bis ich dir erlaube aufzustehn
Sekunde um Sekunde
Mein kleines Mädchen
mein kleines Mädchen aus Katwijk
komm steh auf
Genug steh auf
Tochter steht auf
Ich ertrage es nicht wenn du vor mir kniest
Aber ich kann nicht anders
Ich will es sehen
Tochter geht an ihre Arbeit
Du hast nie etwas getan
was ich dir nicht erlaubt habe
Du hättest nie etwas getan ohne meinen Befehl stimmt es
Du brauchst nicht zu antworten
Er sagte immer du seist s e i n Geschöpf
aber du bist m e i n Geschöpf
du bist aus mir
sie haben dich aus mir herausgezogen
Ich hätte noch ins Gußwerk fahren sollen
aber ich habe keine Lust
Wenn dein Vater weitergelebt hätte
wäre es auch schrecklich gewesen
so haben wir beide nicht mitmachen müssen
Was aus ihm geworden wäre
eine fatale Entwicklung
Das Gußwerk wäre ihm zu Kopf gestiegen
und da er von Literatur nichts wissen wollte
und von Musik nichts hören

und sein Kopf immer müde gewesen war
Kannst du dir vorstellen er lebt noch
und wir müssen ihn aushalten
Mehr und mehr war er doch nur ein Tier
Dann lag er stundenlang auf dem Sofa
und schaute auf die Decke
Ich habe ganz die Kontrolle verloren über mich sagte er
es ist alles zerrissen in mir
dann sagte er Ende gut alles gut
das beruhigte ihn
zeigt auf das Sofa
Da lag er und ich sollte ihm das Märchen von den
Schwefelhölzchen vorlesen
und ich habe mich geweigert
wenn ich gewußt hätte daß er nur noch zwei Tage lebt
aber das habe ich nicht gewußt
ich habe gewußt er wird sterben
aber daß es schon in zwei Tagen ist
Nach dir hat er nicht verlangt zuletzt
Er fragte auch nicht wo ist unser Kind
Ich sagte du seist nach Katwijk gefahren
aber es interessierte ihn scheinbar gar nicht
obwohl er sehr oft nach Richard gerufen hat
flüstert
Nach unserem Greis
In der Frühe hat er hinausgehen wollen
aber er konnte ja gar nicht mehr gehen
ich habe gesagt nein nicht heute nicht
es tut mir leid
aber wie ich ihn da liegen gesehen habe
mit offenem Mund vollkommen abgemagert
sah er aus wie in dem Gasthaus
wie der Mann der mir zum erstenmal von seinem Gußwerk
erzählt hat
ich saß da und beobachtete ihn und haßte ihn
bald werde ich dieses Gesicht nicht mehr sehen müssen
diesen stumpfsinnigen Ausdruck habe ich gedacht
zieht einen Ring vom Finger
Komm her
Du sollst ihn haben
Du weißt er ist mein kostbarstes Stück

So komm schon
Du zögerst immer
Du mußt nicht zögern
Vielleicht gefällt er unserem dramatischen Schriftsteller
Komm her
Tochter geht zu ihr hin
Mutter steckt ihr den Ring an
Dein Vater hat ihn mir in Amsterdam gekauft
ich hatte ihn im Vorübergehen bei einem Juwelier gesehen
er zögerte gar nicht
nimmt die Hand der Tochter
Wie schön der Ring ist
ich habe vorgehabt
ihn dir in Katwijk zu geben
warum nicht jetzt
Wir werden einen schönen Sommer haben in Katwijk
wir haben dort immer einen schönen Sommer gehabt
auch die verregneten Sommer waren in Katwijk schön
Es ist doch gut daß wir zusammen sind
daß wir allein sind
ohne Eindringling
Keiner soll uns auseinanderbringen verstehst du
Tochter geht zum Rohrkoffer zurück
Wenn wir einen Menschen schildern
und wir denken wir schildern ihn so wie er ist
so haben wir ihn ganz falsch geschildert
er ist nicht so wie wir ihn schildern
Wir erzählen eine Geschichte
und es ist eine ganz andere Geschichte
Wir gehen auf einen Menschen zu
und es ist ein ganz anderer
Uns erschreckt worauf wir vertraut haben
Im Prinzip habe ich nichts gegen andere
wenn sie uns in Ruhe lassen
Wo hast du es besser
Du denkst an deine versäumten Möglichkeiten
alle haben sie immer alles versäumt
Ich denke wir sollten zufrieden sein
Und doch sind wir unter uns in Katwijk
Vielleicht ist der Violinvirtuose da
und sein Freund der Zauberkünstler

Das war doch sehr lustig die beiden anzuschauen
Aber wir dürfen sie nicht zu nahe kommen lassen
Die Leute verbrüdern sich und vernichten sich
Die Künstler sind die gefährlichsten
Aber ist denn ein dramatischer Schriftsteller ein Künstler
Du kannst ihn beobachten
es wird sich zeigen daß er für dich nichts ist

TOCHTER
Vielleicht für dich

MUTTER *erschrocken auflachend*
Für mich

TOCHTER
Ja für dich
Vielleicht ist er für dich

MUTTER
Wie kommst du auf die Idee
Das wäre absurd eine Frivolität

TOCHTER
Er hat d e i n e Einladung sofort angenommen
I c h habe ihn nicht eingeladen
I c h dachte nicht daran daß er mitkommt

MUTTER
Du hättest dich nicht getraut ihn einzuladen nicht wahr
nicht ohne meine Zustimmung
Ich habe gesagt kommen Sie mit uns nach Katwijk

TOCHTER
Er kann dir etwas vorlesen
und du kannst ihm zuhören
während ich spazierengehe

MUTTER
Du gehst spazieren
während er mir etwas vorliest
Du glaubst daran habe ich Interesse

TOCHTER
Es gefällt dir doch
Und du hast was du lange gesucht hast
die Abwechslung
noch dazu durch einen dramatischen Künstler
der sehr gut aussieht

MUTTER
Findest du daß er gut aussieht

Vielleicht hast du recht

TOCHTER

Mir liegt nicht soviel an einem dramatischen
Schriftsteller

MUTTER

Du sagst das mit einem solchen Hintergedanken

TOCHTER

Ich freue mich
wenn er dir eine Unterhaltung verschafft
Die meiste Zeit langweilen wir uns doch in Katwijk

MUTTER

Ist das wahr
Siehst du es so
ich habe mich in Katwijk nie gelangweilt
hier langweile ich mich
hier wo angeblich so viel Unterhaltungsmöglichkeit ist
Nein wenn ich mit mir zufrieden bin

TOCHTER *ruft aus*

Mit dir zufrieden

MUTTER

Du kannst dir das nicht vorstellen
Du kannst das nicht
du brauchst eine Züchtigung

TOCHTER

Vielleicht daß du recht hast

MUTTER

Da habe ich recht
Aber ich brauche das nicht
Ich unterhalte mich mit mir allein am besten
Ich bin nur gestört von den Andern
Ich mag keinen Eindringling
weil ich dann in meiner Unterhaltung gestört bin

TOCHTER

In deiner Selbstunterhaltung
Dreißig Jahre vierzig Jahre betreibst du nichts anderes

MUTTER

Ich war auch mit deinem Vater allein
Ich war ganz auf mich allein angewiesen
Er war nichts für mich das kann ich sagen
ich konnte mich nicht mit ihm unterhalten
er tat alles um langweilig zu sein

Alle seine Leute waren langweilig
Ich habe es jahrelang versucht
und dann aufgegeben
Aber ich habe mich nicht wie er vom Gußwerk vernichten lassen
dafür hatte ich kein Interesse
Ich unterhielt mich immer am besten mit mir allein
Das verstehen die Leute nicht
weil sie immer mehrere haben müssen um sich zu unterhalten
Ich bin mehrere das bin ich
In Katwijk bin ich so viele mein Kind
Tochter legt eine Bluse zusammen und legt sie in den Rohrkoffer
Da brauchst du mich gar nicht in Katwijk
Ich brauche dich das ist klar
ich habe dich immer gebraucht
aber das ist etwas anderes

TOCHTER
Was

MUTTER
Ich habe mich tödlich an dich gewöhnt tödlich ja

TOCHTER
Ich bediene dich
ich bin für dich da

MUTTER
Ja mein Kind langsam hast du gelernt
mir jeden Wunsch von den Augen abzulesen
oder von einer kleinen Handbewegung
Du hast viel gelernt in dieser Richtung
Dafür werden dir alle Wünsche erfüllt

TOCHTER *lacht auf*
Alle Wünsche

MUTTER
Dein Lachen kenne ich
es berührt mich nicht mehr

TOCHTER
Ja natürlich

MUTTER
Du lachst immer das gleiche Lachen
und doch immer mit einer anderen Nuancierung

TOCHTER
Ja

MUTTER

Wenn er ein Stück schreibt
in welchem dieses Lachen eine Rolle spielt
das könnte ich mir vorstellen
und er nennt sein Stück Das Lachen
Unglaublich
Und man hört immer wieder nur dieses Lachen
Aber Rette sich wer kann ist auch ein schöner Titel
Der Zynismus gefällt mir

TOCHTER

Du bist immer die gleiche

MUTTER

Alle sind immer gleich
sie bemühen sich
von sich wegzukommen
ein Anderer zu sein
vergeblich
sie setzen das Gesicht eines Andern auf
aber es schmilzt ihnen weg
Du hast nie versucht eine Andere zu sein
Das liegt dir nicht
du bist immer mehr du selbst
es ist ein Verhärtungsprozeß habe ich recht
Deine Natur ist sich zu verhärten
das zeigte sich schon wie du noch ein ganz kleines Kind warst
Ich dachte die bleibt immer sie selbst
aber immer noch härter verbissener
du wolltest nie heraus aus dir
du wolltest immer nur in dich hinein
Jetzt bist du in dir gefangen gänzlich
Du denkst nicht einmal an dein Entkommen
habe ich recht
In Katwijk gehe ich gleich zur Schneiderin
die Röcke gehören geändert
die Wäsche muß geflickt werden
auf dem Land ändern sie noch flicken sie noch
Allein deswegen müßte ich nach Katwijk
Tochter geht in die Küche und trinkt ein Glas Wasser
Bringst du mir auch ein Glas Wasser
Tochter kommt mit einem Glas Wasser herein
Mutter trinkt, dann

Zuerst hatten wir alles in Katwijk verändern wollen
jetzt bin ich froh darüber
daß nichts geschehen ist in Katwijk
Obwohl alles schon ganz kaputt ist
es ist alles in einem desolaten Zustand
gibt der Tochter das Glas
Aber das ist der Reiz
nie zu wissen
ob es hereinregnet
ob nicht alles zusammenstürzt über dem Kopf
Ein solches Haus kann ich lieben
Ob ihm Katwijk gefällt
Ich denke er schreibt so daß ich weiß
daß ihm Katwijk gefällt
Aber wenn ihm Katwijk gefällt
Tochter geht mit dem Glas in die Küche
Du hast ihn nur zweimal gesehen
einmal allein
und gestern nach der Vorstellung
ruft hinaus
Wie war es als du allein mit ihm gesprochen hast
Tochter kommt zurück, geht zum Rohrkoffer
Hattest du das Gefühl
ein aufrichtiger Mensch
Das hat man nie bei einem Künstler

TOCHTER
Es war nur ganz kurz

MUTTER
War er abweisend

TOCHTER
Nein nicht abweisend

MUTTER
Wie war es
Du kannst doch sagen wie es war
wenn es kurz war
wie war es
Hat er etwas gefragt
oder hat er nur von sich etwas gesagt

TOCHTER
Ich weiß es nicht

MUTTER

Diese Leute sagen immer nur von sich etwas
Einmal bin ich in Katwijk so erschrocken
plötzlich ist ein Mann in meinem Zimmer gestanden
Ein Fremder habe ich gedacht
aber es war dein Vater
Manchmal ist es unheimlich in Katwijk
Fürchtest du dich in Katwijk

TOCHTER

Nein

MUTTER

Das ist der Unterschied
ich fürchte mich
du fürchtest dich nicht
gerade umgekehrt müßte es sein
Hast du schon einmal darüber nachgedacht

TOCHTER

Über was

MUTTER

Daß du dich fürchten müßtest in Katwijk
nicht ich

TOCHTER

Nicht ich

MUTTER

Nein du
nicht ich
begreiflich ist es nicht

TOCHTER

Was

MUTTER

Daß du dich nicht fürchtest in Katwijk
daß ich mich fürchte

TOCHTER

Ich habe mich in Katwijk nie gefürchtet
weil du bei mir bist wenn wir in Katwijk sind

MUTTER

Weil ich bei dir bin
Dann bist du eine Zeitlang ganz fröhlich
du hast eine gute Gesichtsfarbe
wenn wir von Katwijk zurückkommen
Du bist schon sehr grau im Gesicht

das Alter kann es nicht sein
diese ganze Atmosphäre hier
Ich sehe ja auch nicht gut aus
Es läutet

TOCHTER
Er kommt

MUTTER *nachdem sie auf die Uhr geschaut hat*
Beinahe pünktlich beinahe
Tochter geht hinaus
Mutter zu sich
Wir werden ihn unter dem Dach einquartieren
oben ganz oben
natürlich ganz oben
Tochter kommt mit dem Schriftsteller herein
Wir sind schon beinahe fertig
mit dem Einpacken
Es ist gleich soweit
Setzen Sie sich bitte dahin
sie weist ihm einen Sessel an, er setzt sich
Tochter packt eine Weste in den Rohrkoffer
Sie haben auch nicht die beste Gesichtsfarbe
Alle sind sie grau hier
es ist Zeit daß wir nach Katwijk kommen
Es ist wie vor dreißig Jahren
wie vor vierzig Jahren
als mein Mann noch gelebt hat
wir haben den Abreiserhythmus nicht geändert
zur Tochter
nicht wahr mein Kind
zum Schriftsteller
Sie erinnert sich nicht mehr so genau
Es ist ja auch unwichtig
Wichtig ist daß wir gut nach Katwijk kommen
Wir nahmen schon vor vierzig Jahren den gleichen Zug
Fahren Sie denn gern mit der Eisenbahn

SCHRIFTSTELLER
Mit dem größten Vergnügen

MUTTER
Ich bin eine leidenschaftliche Eisenbahnreisende
Erste Klasse natürlich
und natürlich ein Fensterplatz

aber mit dem Rücken zur Fahrt
wegen der Zugluft
Es ist nirgendwo auf der Welt schöner
mit der Eisenbahn zu fahren als hier in Holland
finden Sie nicht

SCHRIFTSTELLER

Ja das ist schön
mit der Eisenbahn durch Holland zu fahren

MUTTER

Meine Tochter und ich
wir haben einen ganz bestimmten Rhythmus
in Katwijk
Sie sind der erste seit vielen Jahren
der diesen Rhythmus durchbricht
Wir waren immer nur allein in Katwijk
Kennen Sie Katwijk

SCHRIFTSTELLER

Leider nicht

MUTTER

Nun werden Sie ja bald sehen wie Katwijk ist
Es ist schon lange Zeit in der Familie
und merkwürdigerweise hat es sich in den
vielen Jahrzehnten dazwischen nicht verändert
wo die ganze Welt sich doch sehr verändert hat
Meine Tochter war begeistert von Ihrem Stück
Empfinden Sie es nicht als sehr gefährlich
einen so großen Erfolg zu haben
ist das keine Gefahr für Ihre Arbeit
sind Sie nicht erschrocken über die Reaktion
Ich denke der dramatische Schriftsteller wünscht den Erfolg
aber ist er dann wirklich da
und mit solcher Heftigkeit
erschrickt er doch nicht wahr

SCHRIFTSTELLER

Ja

MUTTER

Ich kann mir denken
daß es sehr gefährlich ist
einen solchen wie man sagt
durchschlagenden Erfolg zu haben
bei einem solchen unberechenbaren Publikum

bei einer solchen ja tatsächlich immer unberechenbaren Kritik
Ein dramatischer Schriftsteller
eine Natur die doch menschenscheu ist
plötzlich mit Beifall überschüttet
Auch das ist eine Rücksichtslosigkeit
Sie haben sicher die ganze Nacht gefeiert

SCHRIFTSTELLER
Nein nicht
ich bin geflüchtet
zuerst habe ich gedacht ich werde feiern
weil die Schauspieler gefeiert haben
alle haben gefeiert
aber dann bin ich geflüchtet
ich bin die halbe Nacht in der Stadt umhergeirrt
ich hatte gar nicht verstanden
was geschehen war

MUTTER
Erwarteten Sie denn keinen Erfolg

SCHRIFTSTELLER
Ich erhoffte

MUTTER
Was erhofften Sie

SCHRIFTSTELLER
Daß es gutgehen wird

MUTTER
Und es ist ja ganz ausgezeichnet gegangen
Mehr können Sie nicht wünschen
jetzt kann man sagen ein erfolgreicher dramatischer Schriftsteller
vielleicht einmal auch ein berühmter dramatischer Schriftsteller
Lassen Sie sich nicht behelligen von zuviel Beifall
aber freuen Sie sich ruhig darüber
In Katwijk haben Sie genug Zeit nachzudenken
wie es weitergehen soll
Da setzen Sie sich auf die Terrasse
und lassen erst einmal alles vorüberziehen
Und dann klärt es sich wieder
Man ist doch vollkommen umgeworfen von soviel Beifall nicht wahr
Es wird alles beklatscht
und zerstört

Dann braucht man lange bis man es wieder in Ordnung
gebracht hat

TOCHTER

Ich bin bis zum Ende im Theater gestanden
und habe geklatscht

MUTTER

Ich sagte immer wieder gehen wir doch
es ist genug
das ist alles übertrieben sagte ich
alles ist übertrieben
aber sie ließ sich von mir nicht beeindrucken

TOCHTER

Die Leute wollten gar nicht aus dem Theater hinausgehen
in der Halle standen sie und redeten
Ich glaube sie waren alle betroffen

MUTTER

Ja das ist schön
Tochter verschließt den Rohrkoffer und der Schriftsteller hilft ihr dabei
Meine Tochter ist sehr empfänglich
für die dramatische Literatur
Es war immer ihr Wunsch gewesen
auf die Opernbühne zu kommen
sie hat auch jahrelang Gesangunterricht genommen
aber dann reichte es nicht
Tochter und Schriftsteller drücken den Rohrkoffer fest zu und versperren ihn
Man muß damit rechnen
daß es nicht glückt
Ja so ist es mein Herr
zur Tochter
Du kannst die Mädchen rufen
wenn alles fertig ist
zum Schriftsteller, der seine Tasche nimmt
Das Theater ist eine von vielen Möglichkeiten
es auszuhalten nicht wahr
Tochter geht hinaus
Mutter zum Schriftsteller zu den Fenstern schauend
Immer wenn wir nach Katwijk fahren
verschlechtert sich das Wetter

Zweiter Teil

Am Meer
Am Abend desselben Tages
Großes ebenerdiges Zimmer mit Terrasse
Mutter und Tochter noch in den Reisekleidern, die Gepäckstücke auspackend

SCHRIFTSTELLER *auf einem harten Sessel*
Ich hätte diesen Weg gehen können
aber ich bin den andern gegangen
sie haben gesagt das ist eine Sackgasse
du gehst zugrunde
Ein Architekturstudium gnädige Frau
von meinem Vater vorherbestimmt
Lauter phantastische Zeichnungen
Phantasiekathedralen
Es hatte den Anschein als ob ich gehorchte
aber ich bin den anderen Weg gegangen
nach außen ging ich den Weg den sie mir vorherbestimmt hatten
aber ich ging durchaus den andern
den ich zu gehen hatte
Wenn ich auch nicht wissen hatte können
was das ist Schriftsteller
wenn ich auch nichts davon wußte was das ist
die dramatische Literatur

MUTTER
Sie getrauten sich also
in die entgegengesetzte Richtung zu gehen

SCHRIFTSTELLER
Ich getraute mich
und ich dachte entgegengesetzt
in allem dachte ich entgegengesetzt
mich interessierte das Entgegengesetzte

MUTTER
Und Ihrer Mutter vertrauten Sie sich an

SCHRIFTSTELLER
Nein naturgemäß auch nicht meiner Mutter
Ich durfte mich niemandem anvertrauen
ich hatte allein zu gehen
in aller Entschiedenheit und Heimlichkeit allein

MUTTER

In Ihr Abenteuer hinein

SCHRIFTSTELLER

In die Finsternis
ich richtete mich in der Finsternis ein

MUTTER

Da machten Sie es sich gemütlich
in der Finsternis

SCHRIFTSTELLER

Wenn Sie es so grotesk sagen wollen
ja
sie sagten ich solle meinen Rock ausbürsten
aber ich bürstete ihn nicht aus

MUTTER

So hatten Sie immer gedacht
und Ihre Leute hintergangen
die es gut gemeint haben mit Ihnen

SCHRIFTSTELLER

Die es gut gemeint haben
Aber ich habe es ja auch immer gut gemeint
aber anders

MUTTER

In welchem Sinn anders

SCHRIFTSTELLER

Ich habe es nicht s o gut gemeint wie sie

MUTTER

Das stärkte Sie
Sie verausgabten sich in die entgegengesetzte Richtung
Sie verletzten alle
Sie zerstörten alles
um sich durchzusetzen
Sie hatten keine Rücksicht zu nehmen
Sie vernichteten alles um sich herum
um tiefer einatmen zu können habe ich recht

SCHRIFTSTELLER

Ich fühlte mich mit mir selbst solidarisch
mit keinem Andern
Ich rettete mich aus den Andern heraus

MUTTER

Sie retteten sich auf Kosten der Ihrigen
Was waren das für Leute Ihre Eltern

SCHRIFTSTELLER
Es störte mich alles es irritierte mich alles
MUTTER
Es irritierte Sie alles
SCHRIFTSTELLER
Sie zogen mir eine Jacke an und sagten
so das ist die lebenslängliche Jacke für dich
und ich zog die Jacke wieder aus
MUTTER
Und sie zogen Ihnen die Jacke wieder an
SCHRIFTSTELLER
Ja
MUTTER
Und Sie zogen die Jacke wieder aus
SCHRIFTSTELLER
Sie zogen sie mir an
und ich zog sie wieder aus
immer so fort sie zogen sie mir an
ich zog sie wieder aus
MUTTER
Bis sie erschöpft waren
SCHRIFTSTELLER
Ja
MUTTER
Dann hatten Sie freie Bahn
SCHRIFTSTELLER
Ich ging weg ich machte mich selbständig
MUTTER
Wohin weg
SCHRIFTSTELLER
Ich wollte Paris sehen und ging nach Paris
Aber in Paris war es auch nicht so leicht
MUTTER
Warum nicht
SCHRIFTSTELLER
Ich konnte kein Französisch
und verstand die Leute nicht
MUTTER
Lernten Sie leicht Sprachen
SCHRIFTSTELLER
Ich lernte das Französische

in sechs oder in acht Wochen
denn ich hörte nichts als Französisch
und ich wollte nichts anderes
als das Französische sprechen
Aber als ich Französisch sprechen konnte
alles andere als perfekt natürlich
entdeckte ich
daß Paris nichts ist für mich
es erdrückte mich
Bevor es mich ganz erdrückte ging ich aus Paris weg

MUTTER
Und wo gingen Sie hin

SCHRIFTSTELLER
Nach England
denn Englisch hatte ich gelernt
und es machte mir keine Schwierigkeiten

MUTTER
Und von was lebten Sie

SCHRIFTSTELLER
Ich arbeitete im Hafen
die Häfen sind überall gleich

MUTTER
Weil Sie ja aus Rotterdam sind
Die Leute aus Rotterdam fühlen sich in England besser
als in Frankreich
das bestätigt sich immer wieder
Sie gehen aus Rotterdam nach Paris und scheitern

SCHRIFTSTELLER
Aber für meine Arbeit war diese Erfahrung notwendig
Ein Schriftsteller der in Paris gescheitert ist
ist im Vorteil

MUTTER
Das ist interessant

SCHRIFTSTELLER
Wir machen den Versuch
die Gesellschaft zu ändern
aber das gelingt natürlich nicht

MUTTER *fragend*
Nein

SCHRIFTSTELLER
Ja wir sehen doch

wohin alle diese Versuche geführt haben
an den Ausgangspunkt zurück
alles Gedachte ist immer wieder
an den Ausgangspunkt zurückgeworfen
Natürlich das ist schon ein Fortschritt

MUTTER
Wollen Sie die Gesellschaft ändern

SCHRIFTSTELLER
Die Gesellschaft kann nicht geändert werden

MUTTER
Sehen Sie

SCHRIFTSTELLER
Aber wir machen immer wieder den Versuch

MUTTER
Ja

SCHRIFTSTELLER
Auf den Versuch kommt es an

MUTTER
Sehr interessant
Sie schreiben obwohl Sie wissen
daß Sie damit die Gesellschaft nicht verändern können

SCHRIFTSTELLER
Ja
kein Schriftsteller hat jemals
die Gesellschaft verändert

MUTTER
Das ist erwiesen

SCHRIFTSTELLER
Das ist erwiesen
Wir haben nur Beweise für das Scheitern
der Schriftsteller
Alle Schriftsteller sind gescheitert
es hat immer nur gescheiterte Schriftsteller gegeben

MUTTER
Und Shakespeare

SCHRIFTSTELLER
Auch Shakespeare
ich sagte doch alle
sie gehen alle davon aus
daß sie scheitern
wenn sie etwas wert sind

Nur die Stumpfsinnigen die Minderwertigen
haben nicht einmal diesen Gedanken
Der Gedanke zu scheitern
ist der wesentliche Gedanke

MUTTER *zur Tochter*
Das ist alles sehr absurd
findest du nicht
Alles ist offen und alles scheitert
weil es scheitern muß

SCHRIFTSTELLER
Wir müssen zu diesem Bewußtsein kommen
daß wir scheitern
ob wir es wahrhaben wollen oder nicht

MUTTER
Ich mache mir darüber keine Gedanken
wenn es nur interessant genug ist
Der Schriftsteller lernt an sich selbst sagen Sie
indem er seine Lage studiert

SCHRIFTSTELLER
Indem er sich selbst studiert

MUTTER
Meine Tochter findet es ganz natürlich
daß ich Sie nach Katwijk eingeladen habe
Ich begreife es noch immer nicht
Wir kennen Sie ja gar nicht

SCHRIFTSTELLER
Also ist es ein Abenteuer

MUTTER
Daß ich dazu imstande bin
einen Menschen
den ich nur ein einziges Mal gesehen habe
und nur die allerkürzeste Zeit

TOCHTER
Du hast ihn zweimal gesehen

MUTTER
Zweimal gesehen habe
aber jedesmal die allerkürzeste Zeit
Diese Einladung hat für mich
etwas Revolutionäres
Wahrscheinlich habe ich gedacht
diesem erschöpften Menschen muß geholfen werden

wir fahren nach Katwijk
er soll mitfahren
das war der Gedanke

TOCHTER *zum Schriftsteller*
Ich finde Sie hätten sich keine besseren Schauspieler
wünschen können
ich kann mir gar nicht vorstellen
daß es andere gibt
die Ihr Stück so zur Geltung bringen

SCHRIFTSTELLER
Wenn wir das Glück haben
und kommen an die Besten von allen
aber nicht immer haben wir dieses Glück
dann ist alles schon abgestorben
bevor noch der Vorhang aufgeht

MUTTER
Sie haben Glück gehabt mein Herr
Wie dieser alte König
das Wort M o r a l i s t gesagt hat
w i e er es gesagt hat

TOCHTER
Und die Magd ihren Knicks
sie hat sonst gar nichts gemacht
aber dieser Knicks

MUTTER
Diese furchtbaren stummen Rollen
diese fortwährend schweigenden Charaktere
die gibt es ja auch in der Wirklichkeit
Der eine redet der andere schweigt
er hätte vielleicht vieles zu sagen
aber es ist ihm nicht erlaubt
er muß diese Überanstrengung durchhalten
Wir bürden dem Schweigenden alles auf

SCHRIFTSTELLER
Alles

MUTTER
Sie ziehen Ihren Figuren
auch eine entsetzliche Jacke an
Allen Ihren Figuren
Und sie können ihre Jacken nicht
ausziehen wie Sie

der Sie Ihre Jacke ausgezogen haben
Sie stecken alle Ihre Figuren
in entsetzliche Jacken

SCHRIFTSTELLER
Tatsächlich sind es Jacken
entsetzliche Jacken
in die ich meine Figuren hineinstecke
aber sie schlüpfen ja alle freiwillig hinein
es sind ja Schauspieler

MUTTER
Glauben Sie

SCHRIFTSTELLER
Der Schauspieler wünscht sich
eine entsetzliche Jacke
je entsetzlicher die Jacke ist
die ihm der Schriftsteller verpaßt hat
desto besser
Die entsetzlichste Jacke
für den größten Schauspieler

MUTTER
Wie wenn Sie diese Leute
alle verrückt machen wollten
wie wenn Sie Lust hätten
sie in den Wahnsinn zu treiben

SCHRIFTSTELLER
Ach nein
so ist es nicht
im letzten Moment entschlüpfen alle diese Figuren
ihrer Jacke
sie reißen sich die Jacke herunter
bevor sie ersticken
es ist noch kein Schauspieler
in der Jacke erstickt
die ihm der Schriftsteller angezogen hat
die tödliche Jacke nicht
nicht die tödliche Jacke gnädige Frau

MUTTER
Wie schön daß Sie da sind
Ich dachte Sie trinken mit uns eine Tasse Tee
setzt sich an den Tisch
Setzen Sie sich doch

machen Sie es sich gemütlich
schaut aufs Meer
Das haben Sie ja auf die wunderbarste Weise ausgedrückt
wie der dramatische Schriftsteller
sich Ebbe und Flut zu eigen macht
Ein Mädchen kommt herein und serviert Tee
Wir leben natürlich in einer ganz anderen Welt
meine Tochter und ich
Unser Mechanismus ist ein ganz anderer
Man kann sagen daß es eintönig ist
aber das ist es doch nur an der Oberfläche
zur Tochter
So komm doch setz dich zu uns
Ein heißer Tee
an der kalten Küste
schaut hinaus
Wenn wir hier ankommen regnet es
ein paar Tage regnet es
ich gewöhne mich an den Regen
dann paßt es mir gar nicht mehr
daß die Sonne aufgeht
Tochter setzt sich dazu
Ich war überrascht
daß Sie so jung aussehen
etwas erschöpft aber doch sehr jung
Mädchen geht hinaus
Früher haben mich nur die klassischen Stücke gereizt
dann habe ich mir plötzlich einen Vorwurf
gemacht aus dieser Gewohnheit
andererseits

TOCHTER
Eines Tages wird unser Schriftsteller
Klassiker sein

MUTTER
O Gott das Kind
zum Schriftsteller
sehen Sie jetzt sind Sie rot geworden
Dahin ist es doch ein sehr weiter Weg
andererseits
entweder man ist ein klassischer Schriftsteller von vornherein
oder man ist es nicht

Diese Frische von draußen
das ist Katwijk
Sie werden sehen es wird Ihnen guttun
Sie werden in jedem Fall profitieren
Sie werden mit einer guten Idee
von Katwijk weggehn
da bin ich ganz sicher

TOCHTER

Vielleicht ist es ihm zu ruhig hier
es geschieht nichts
tagelang nichts
wochenlang nichts

MUTTER

Vielleicht ist es gerade das
Wenn es an der Oberfläche ruhig ist
so ruhig wie hier in Katwijk
dann haben wir innen ganz sicher
einen hochdramatischen Vorgang
zum Schriftsteller
habe ich recht
Ich habe doch recht mit dieser Bemerkung
Schriftsteller schaut hinaus
Die Ruhe macht verrückter als alles andere
zum Schriftsteller
Sie suchen das Glück denke ich
trinkt
Wo ist es Ihr Glück
Mein Mann stand stundenlang da draußen
angelehnt an den Lampenmast
und schaute hinaus
Wenn ich ihn fragte was hast du gesehen
weil ich ihn haßte wenn er da an den Lampenmast gelehnt stand
fragte ich ihn immer was siehst du denn
immer wieder fragte ich was siehst du denn
ich wollte ihn peinigen
er wollte Ruhe haben
das wollte ich nicht
also peinigte ich ihn
ich fragte ihn immer von hinten
so wie jetzt saß ich da und starrte auf seinen Rücken und fragte
nun was siehst du

was siehst du da sag was du da siehst
Du siehst ja nichts sagte ich
er rührte sich nicht
du siehst nichts und starrst hinaus
Nun was siehst du da draußen
Ich wußte er wird mir nicht antworten
er drehte sich um und ging an mir vorbei
wortlos
er antwortete nicht
Jeder sieht etwas anderes wenn er da hinausschaut
jeder sieht das was er sehen will
zum Schriftsteller
Auch Sie über den wir nichts wissen
Wir fragen aber auch nicht

SCHRIFTSTELLER
Fragen Sie nur

MUTTER
Die einen befragen wir
und es ist ihnen lästig
und die andern befragen wir nicht einmal

SCHRIFTSTELLER
Vor ein paar Jahren hätte ich
mich nicht befragen lassen
Jetzt ist es mir gleichgültig

MUTTER
Vor ein paar Jahren
Tochter öffnet den Rohrkoffer und nimmt den ersten Mantel heraus

SCHRIFTSTELLER
Da bin ich den Fragen ausgewichen

MUTTER
Da sind Sie vor den Fragen davongelaufen

SCHRIFTSTELLER
Wenn der Mensch nichts ist

MUTTER
Aber jeder Mensch

SCHRIFTSTELLER
Ja aber es gibt Menschen
die darf man nicht fragen
oder wenigstens nicht bis zu einem bestimmten Zeitpunkt

MUTTER

Bis sie etwas geworden sind
dann getrauen sie sich zu antworten
Sie sind ja etwas geworden
man liest es in allen Zeitungen
Und weiß Gott was morgen
über Ihre Premiere geschrieben wird
Sie haben nichts zu fürchten

SCHRIFTSTELLER

Wer weiß

MUTTER

Ich fühle das
Sie haben Erfolg
so geht es eine Zeitlang

SCHRIFTSTELLER

Dann bricht es ab
mit einem Male

MUTTER

Kann sein
sicher ist daß Sie jetzt Erfolg haben
und Sie sollten diesen Erfolg ausnützen

SCHRIFTSTELLER

Aber meine Natur

MUTTER

Was

SCHRIFTSTELLER

Ich kann es nicht wie Sie sagen ausnützen

MUTTER

Ach ja indem Sie mit uns in Katwijk sind
und sich ein bißchen gehenlassen
und gut essen mit uns
und am Meer entlanglaufen

SCHRIFTSTELLER

Das sollte ich tun
dreht sich nach der Tochter um
Werden Sie mich begleiten

TOCHTER

Mit dem größten Vergnügen

SCHRIFTSTELLER

Das sagt sich so leicht
Wie es sich so leicht antworten läßt

Das Meer entlang und wieder zurück

MUTTER

Es gibt nichts Schöneres
Wenn ich besser beisammen wäre

TOCHTER

Mama

MUTTER

Auch wenn ich wollte ich könnte nicht

SCHRIFTSTELLER

Ungezwungen
ohne an die Zukunft zu denken

MUTTER

Das ist das Unglück
daß Sie fortwährend an die Zukunft denken
oder an die Vergangenheit
das ist gleich schlimm
An die Gegenwart sollten Sie denken
nachdenklich
Immer wenn wir den ersten Abend dasitzen
sind wir enttäuscht
es ist kalt und unheimelig
finden Sie nicht auch
wir reden uns ein daß es schön ist hier
was wir uns alles einreden
Daß die Luft besser ist hier
daß wir auf andere Gedanken kommen
daß

TOCHTER

Mama hat das ganze Jahr nur ein Ziel
nach Katwijk
und dann fröstelt es sie ich kenne sie nicht anders

SCHRIFTSTELLER

Aber ist es nicht so daß wir immer enttäuscht sind
wenn wir irgendwo ankommen

MUTTER

Ich hatte das Haus viel größer in Erinnerung
Und die Leute freundlicher
wie sie immer auf uns zugeeilt sind
das war heute ganz anders
Ja Enttäuschung ist das richtige Wort

SCHRIFTSTELLER
Sie müssen sich ausruhen gnädige Frau
Morgen sieht es ganz anders aus
MUTTER
Dann haben Sie gut geschlafen
und Sie haben einen Morgenlauf gemacht
dreht sich nach der Tochter
mit dir vielleicht
man muß die Tage nützen
wir glauben immer es sind unendlich viele
dabei sind es nurmehr noch ganz wenige
SCHRIFTSTELLER *sieht sich um*
Ein schönes Haus eine gelungene Architektur
MUTTER
Architektur studieren
das wäre doch auch etwas für Sie gewesen
SCHRIFTSTELLER
Zweifellos
in gewisser Weise ist es etwas Ähnliches
die dramatische Kunst
MUTTER
Vielleicht wären Sie heute ein bekannter Architekt
SCHRIFTSTELLER
Nein das kann ich mir nicht vorstellen
von Anfang an nicht
Das wollte ich nicht
ich fürchtete mich vor den Bauherren
man hat viel mit dem Staat zu tun
das deprimiert
das zerrüttet nach und nach einen Geist
MUTTER
Sie brauchen nur ein Blatt Papier und etwas zum Schreiben
sonst nichts
Sie bauen sich Ihre Stücke selbst
ohne daß Ihnen ein Anderer im Weg steht
SCHRIFTSTELLER
Ja so ist es die einzige Möglichkeit
TOCHTER *zieht einen Mantel aus dem Rohrkoffer*
So für sich allein Kunst machen
SCHRIFTSTELLER *ruft aus*
Kunst Kunst

für sich allein
was gibt es Schrecklicheres als allein zu sein
mit sich selbst

MUTTER
Aber Sie sagten doch
die beste Gesellschaft ist die eigene
die beste Unterhaltung die mit sich selbst
der beste Antrieb man selbst

SCHRIFTSTELLER
Das habe ich gesagt
aber in der Praxis

MUTTER
Schließlich sind alle allein
sie mögen sich zusammentun wie sie wollen
sie bleiben allein

SCHRIFTSTELLER
Aber ein Schriftsteller ist ganz besonders allein

MUTTER
Er will es so

SCHRIFTSTELLER
Ja er will es so
er verflucht es und will es so

TOCHTER
Es war schon immer mein Wunsch
einen Schriftsteller kennenzulernen

MUTTER
Einen dramatischen Schriftsteller
einen berühmten natürlich
der Erfolg ist der Reiz

SCHRIFTSTELLER *schaut hinaus*
Oder Maler
aber es ist schon alles gemalt
es ist schon alles geschrieben
es gibt schon alles
Wir wiederholen was es schon gibt
auf unsere Weise
wir ziehen der Tatsache unsere Jacke an
und gehen damit auf die Straße
so führen wir etwas Neues vor
Da diese merkwürdige Jacke sagen sie
da diese ausgefallene Hose

dabei sind wir nicht anders als die andern
als alle immer gewesen sind

MUTTER

Immer denke ich bevor wir herkommen
das Haus ist gar nicht so kalt
und dann ist es doch so kalt
wickelt sich in eine Decke ein
Wollen Sie keine Decke nehmen
Das fragte ich meinen Mann
willst du dir keine Decke nehmen
er weigerte sich weil ich ihn gefragt hatte
dann war er krank
drei Wochen unbeweglich
er rührte sich nicht vom Fleck
alles voller Schmerz
er haßte Katwijk
Er blühte auf wenn wir wieder in der Stadt waren
Mädchen kommt mit der Schriftstellertasche herein
Mutter zum Schriftsteller
Ihre Tasche
zum Mädchen
Wo war denn die Tasche

MÄDCHEN

In der Garage

MUTTER

In der Garage
das ist doch merkwürdig
wie kommt denn die Tasche in die Garage
Mädchen geht hinaus
Ausgerechnet Ihre Tasche
Schriftsteller will seine Tasche nehmen und gehen
Nein nicht
Sie bleiben noch da
Sie dürfen uns jetzt nicht allein lassen
Sie haben noch immer Zeit auszupacken
wenn wir ausgepackt haben
zur Tochter
Soll ich dir helfen mein Kind

TOCHTER

Neinnein Mama

MUTTER

Neinnein Mama
mein gutes Kind

SCHRIFTSTELLER

Es ist wie in den alten Romanen
wo die Leute immer mit soviel Gepäck gereist sind

MUTTER

Ja wie in den alten Romanen
wie bei Tolstoj wie bei Dostojewskij
ach wie ich diese Dichter liebe
stellen Sie sich vor
Krieg und Frieden habe ich hier in Katwijk gelesen
auf der Terrasse sitzend
in einem Tag und in einer Nacht
aufeinanderfolgend
Früher sind wir mit nur drei Koffern gereist
jetzt haben wir fünf
und die vielen Taschen
anstatt weniger haben wir mehr Gepäck
anstatt weniger Kleider haben wir mehr

SCHRIFTSTELLER

Das ist ganz gegen die Weltentwicklung

MUTTER

Das ist schön gesagt
zur Tochter
Da sagt er einen Satz und alles leuchtet auf
dabei ist es so einfach
Wegen des Wetterwechsels wissen Sie
an einem Tag regnet es und ist kalt
den andern Tag herrscht die große Hitze hier
und wir dürfen nicht vergessen wenn wir zurückfahren
ist es schon beinahe Winter
wir müssen für jede Gelegenheit etwas haben
Bei Ihnen ist das etwas anderes
Sie reisen mit einer Tasche
für ein zwei Tage

SCHRIFTSTELLER

Für ein zwei Tage

TOCHTER

Oder drei vier Tage

MUTTER

Wir werden ja sehen
wie lange wir es miteinander aushalten
zum Schriftsteller direkt
Wenn es Ihnen Freude macht
das könnte ja sein ohne weiteres
und wenn sich diese Freude
auf uns übertragen läßt

SCHRIFTSTELLER

Ja

TOCHTER

Vielleicht könnten wir zusammen nach Amsterdam fahren
zum Schriftsteller direkt
Vielleicht sind Sie dann noch da
nächste Woche

MUTTER

Die dramatischen Schriftsteller haben nicht soviel Ruhe und nicht soviel Zeit
Kaum ist die eine Idee verarbeitet

SCHRIFTSTELLER

Ja

MUTTER

Sie sind ja kein reproduzierender Künstler
das Schöpferische läßt weder Zeit noch Ruhe
Daran gehen sie alle zugrunde
Ich dachte ich werde wenn wir hierherkommen
mein Sommerkleid anziehen
und nun habe ich den Wintermantel an
und will ihn gar nicht mehr ausziehen
Wie gut daß wir die Wintermäntel angezogen haben
was die Kleider betrifft
darf man sich nicht nach dem Kalender richten
Es heißt wir steuern einer Eiszeit zu
wie denken Sie über diese These

SCHRIFTSTELLER

Ich weiß nicht

MUTTER

Es gibt so viele Anzeichen dafür
die Wissenschaft sagt es auch
Das waren ganz andere Sommer früher
Niemals habe ich im Sommer den Wintermantel angehabt

Der Golfstrom ist schon beinahe wirkungslos
zur Tochter
Komm her mein Kind
komm her
Tochter geht zur Mutter hin, die nimmt ihre Hand und küßt sie
Ich habe meinem Mann versprochen
auf dem Totenbett wissen Sie
daß ich für meine Tochter immer dasein werde
Mein Kind hat sich nicht zu fürchten
sie läßt die Hand der Tochter los
Sagen Sie
war Ihre Mutter ein fröhlicher Mensch
Sie müssen nicht antworten
Tochter geht zuerst zum Rohrkoffer zurück und öffnet dann die beiden Flügel der Terrassentür noch weiter als sie schon offen waren
Ich könnte mir vorstellen
daß Ihre Mutter ein fröhlicher Mensch gewesen ist
Es ist soviel Witz in Ihrem Stück
Was für ein Einfall Rette sich wer kann
was für ein herrlicher Titel
Erinnert an Shakespeare
Wie lange schreiben Sie an einem Stück
Vielleicht ist das indiskret
Schriftsteller hassen nichts mehr als wenn man sie über das Schreiben ausfragt
Nein ich will Sie nicht ausfragen
Wir wissen ja jetzt schon eine ganze Menge nicht wahr
Ob es sich davon leben läßt
das ist dumm gefragt nicht wahr
wie wenn man einen Sänger fragt warum singen Sie
Ein Glück daß aus der Karriere meiner Tochter
nichts geworden ist
stellen Sie sich vor sie wäre heute eine Soubrette
Daraus wurde nichts
aber das ist zwanzig Jahre her
daß sie so etwas wie eine Gesangskarriere im Kopf hatte
dann versagten die Stimmbänder
das war mein Glück
möglicherweise stünde ich jetzt allein da
so habe ich mein Kind

das mich beschützt und umgekehrt
Ich habe mein Kind an mich gefesselt wissen Sie
und umgekehrt
und wir ziehen an diesen Fesseln
immer für alle Zeit
Wir sind das Werk meines Mannes
plötzlich
Wissen Sie was ein Gußwerk ist
Natürlich nicht
Ich wußte es auch nicht
Ich traf
vor vielen Jahren einen Mann
der sagte er habe ein Gußwerk
das fand ich sehr komisch
und zu dem Gußwerk
habe er ein Haus am Meer
ach wissen Sie die Menschen kommen
in ganz merkwürdige Zufälligkeiten wie gesagt wird
Und das ganze Leben ändert sich
Sagen Sie warum haben Sie sofort eingewilligt

SCHRIFTSTELLER
Eingewilligt in was

MUTTER
Mit uns nach Katwijk zu reisen

SCHRIFTSTELLER
Eingewilligt
ich habe sofort eingewilligt
ich weiß es nicht vielleicht

MUTTER
Sagen Sie es nicht
es sind zu viele Möglichkeiten
derentwegen Sie eingewilligt haben
Wenn Sie nachdenken müssen
es ist nichts grundlos getan

SCHRIFTSTELLER
Ja vielleicht

MUTTER
Vielleicht waren Sie ganz einfach überdrüssig
der Stadt so wie wir
und wollten an die See
das ist verständlich

Die Unbeschwertheit lockte Sie
die frische Luft
Die Möglichkeit ein Abenteuer

SCHRIFTSTELLER

Ja

MUTTER

Wenn wir zuviel nachdenken
treten wir auf der Stelle
aber wenn wir uns dem Zufall überlassen

SCHRIFTSTELLER

Spontan augenblicklich

MUTTER

Wenn wir nicht fragen warum und wieso
schaut nach oben
Da oben werden Sie viele gute Ideen haben
Schriftsteller will aufstehen
Mutter hält ihn zurück
Bleiben Sie noch
bis Ihr Zimmer gerichtet ist
Wir hatten es immer sehr einfach hier
Wir haben es auch in der Stadt sehr einfach
Wir haben niemals etwas geändert
nicht in Katwijk und nicht in der Stadt
Weil wir die Moden nicht mitgemacht haben
Glauben Sie mir
wir sind glücklich daß Sie da sind
zur Tochter
Sind wir das nicht mein Kind

TOCHTER

Ja sehr
Ich und Mama auch

MUTTER

Wir beide
zur Tochter direkt
Dur sollst nur das Wichtigste auspacken
Die Schuhe packen die Mädchen aus
zum Schriftsteller
Man darf den Leuten aber nicht alles überlassen
die feinen Stoffe nicht
Deshalb packen wir ja auch lieber selbst ein
und selbst aus

An meine Wäsche lasse ich niemanden
zur Tochter
Du mußt nicht alles auspacken
wenn du keine Lust hast
zum Schriftsteller
Es ist alles so teuer und schlecht gearbeitet
Alle meine Sachen sind Jahrzehnte alt
Wir haben soviel mit
und ziehen doch immer dasselbe an
aber andererseits können wir nicht mit einem einzigen
Kleidungsstück hierherkommen
Plötzlich gab es
vor drei Jahren einen Ball
da sind wir hingegangen
Offiziere Kapitäne der sogenannte Hochseeball
Waren Sie denn überhaupt jemals auf einem Ball

SCHRIFTSTELLER
Nein nie

MUTTER
Das habe ich mir gedacht
Aber Sie beschreiben doch in Ihrem Drama einen Ball
und ganz ausgezeichnet
merkwürdig
man muß also nicht auf einem Ball gewesen sein
um einen Ball ganz ausgezeichnet beschreiben zu können
man muß nicht kennen was man beschreibt

SCHRIFTSTELLER
Ich war ja auch nie im Zuchthaus

MUTTER
Und Sie beschrieben es so
daß mir beinahe der Atem stockte
Sie haben ein gutes Einfühlungsvermögen
und Stil mein Herr
Aber ich verstehe davon nichts
Ich verstehe überhaupt nichts von Literatur
aber dieser Gedanke hat mich nie gequält
dafür habe ich gelernt
wie man addiert und subtrahiert
Aber das war absolut lebensnotwendig
Von einem bestimmten Zeitpunkt an sagten Sie
darf man bestimmte Menschen fragen

SCHRIFTSTELLER
So war es nicht gesagt ich sagte
dann reden sie wenn man sie dazu zwingt

MUTTER
Weil sie genug abgesichert sind

SCHRIFTSTELLER
Vielleicht

MUTTER
Aber wir leben nur wenn wir fragen
wir existieren nur wenn wir fragen
obwohl wir wissen
daß wir keine Antwort bekommen
wir bekommen keine Antwort
die von uns akzeptiert werden kann ist es so

SCHRIFTSTELLER
Möglicherweise ist es so

MUTTER
Am Lebensende stellen wir fest
daß wir das ganze Leben lauter Fragen gestellt
aber keine einzige Antwort bekommen haben

SCHRIFTSTELLER
Ja das ist deprimierend gnädige Frau

MUTTER
Aber wir machen uns doch immer wieder Illusionen
wir glauben nicht daß alles so hoffnungslos ist
daß alles so böse ist
Wir nehmen immer wieder an es ist alles nicht so böse
während es doch nur böse ist
Denken Sie alle sind noch gestorben daran
weil alles so böse ist
weil die Natur so böse ist

SCHRIFTSTELLER
Das sage ich in meinem Stück
die Menschen sterben weil alles so bös ist

MUTTER *zur Tochter*
Hast du gehört
das sind meine Gedanken
vielleicht hat mich deshalb Ihr Stück so fasziniert
weil Sie in ihm meine eigenen Gedanken aussprechen
alles in dem Stück könnte von mir sein
auch die Idee könnte von mir sein

jede Ihrer Figuren spricht wie ich spreche
andererseits ist es doch so daß alle Figuren
so sprechen wie Sie
jede Ihrer Figuren denkt wie Sie und spricht wie Sie
Wenn man es genau nimmt
sprechen alle aus dem einen
und einer spricht immer wie alle
dadurch bekommt das Ganze etwas Universelles

SCHRIFTSTELLER
Ganz recht

MUTTER
Wir denken das ist typisch dieser Mensch
und dabei sind w i r es
auch w i r
aber das ist beinahe spiritistisch
Ich glaube Sie werden sich mit meiner Tochter
sehr gut verstehen
Was Sie denken denkt auch sie
aber sie hat keine Gelegenheit
es öffentlich auszusprechen
Vielleicht geben Sie ihr diese Gelegenheit
Sie sagt es weil sie es denkt
und Sie veröffentlichen es
sie und der Schriftsteller lachen
Seit drei Jahren
haben wir ein altes Klavier im Nebenzimmer
Spielen Sie Klavier

SCHRIFTSTELLER
Ich spiele nicht Klavier

MUTTER
Beinahe alle spielen Klavier
zu meiner Zeit war es selbstverständlich
noch keine vier oder fünf Jahre alt
und wir mußten Klavier lernen
zur Tochter
Ist es unmöglich
oder spielst du uns etwas vor
Vielleicht entspannt es dich
Du mußt ja nicht alles auspacken heute
Tochter hängt einen Mantel auf
Irgendeine Etüde irgend etwas

zum Schriftsteller
Sie lieben doch Musik

SCHRIFTSTELLER
Achja

MUTTER
Das macht aber wenig Mut

SCHRIFTSTELLER
Ich höre sehr gern Musik

MUTTER
Klassische Musik

SCHRIFTSTELLER
Ja

MUTTER
Sie spielt Mozart sehr schön
Tochter geht hinaus
Es wirkt so entrückt von da draußen
Da lehne ich mich gern zurück und höre zu
Man hört die Tochter spielen
Ich glaube ich habe Sie belästigt
ich habe Fragen gestellt
unsinnige Fragen
auf solche Fragen ist es schwer
zu antworten
Eines Tages hatten wir beschlossen
ein altes Klavier zu kaufen
wir hatten es auf dem Flohmarkt gesehen
stellen Sie sich vor
ein vollkommen verstimmtes Instrument
aber der Klavierstimmer sagte
es sei ein ganz außerordentlich gelungenes Instrument
Sie dilettiert natürlich nur
aber wir dilettieren alle
Voriges Jahr
den Abend vor unserer Abreise
spielte sie dieses Stück
ich weiß nicht was es ist
gefällt es Ihnen

SCHRIFTSTELLER
Ja

MUTTER

Sie sagen es so wie wenn Sie gar nicht davon überzeugt wären
daß es Ihnen gefällt

SCHRIFTSTELLER

Doch es gefällt mir sehr

MUTTER

Die Welt ist kalt
und ihre Mittel sind grausam
vielleicht ist das eine Entschuldigung
für eine solche Entgleisung

SCHRIFTSTELLER

Was für eine Entgleisung

MUTTER

Diese Sentimentalität
lehnt sich zurück, mit geschlossenen Augen
die wir uns erlauben
indem sie sich an das Klavier setzt
in gewisser Weise
ist es sogar eine Perversität
aber so ist es genau ein Kennzeichen
unserer Zeit
Wir fliehen in ein abgelegenes Haus
und hören uns eine abgeschmackte Musik an
gewiß es ist Mozart aber abgeschmackt
wir kaufen ein altes Klavier auf dem Flohmarkt
und lassen es aufpolieren
Wir reisen mit alten Kleidern in ein altes Haus
in welchem einen ekeln müßte
wir nehmen unser ganzes Gepäck mit
und einen jungen dramatischen Schriftsteller
mein Herr wie verlogen das alles ist
wie verlogen
Das Klavierspiel hat aufgehört, die Tochter kommt herein
Mutter richtet sich auf und schaut auf die Zimmerdecke
zum Schriftsteller
Wenn Sie dann da oben sind
haben Sie einen weiten Blick auf das Meer hinaus
und sind völlig ungestört
zur Tochter
Du hast lange Zeit nicht geübt
das ganze Jahr hat kein Mensch auf dem Klavier gespielt

es ist schon wieder verstimmt
es ist besonders feucht hier
Eine Variation nicht wahr mein Kind

TOCHTER
Von Beethoven

MUTTER
Beethoven
im Grunde mag ich Beethoven nicht
Mozart ja aber Beethoven nein
Aber hierher paßt das
Eine Beethovenvariation

SCHRIFTSTELLER *zur Tochter*
Werden Sie einmal mit mir die Küste entlang gehen
Alle schauen auf die Tochter

MUTTER
In der Frühe ist das besonders schön
vor sechs

TOCHTER
Ich gehe immer gern die Küste entlang
mit Mama

MUTTER
Ob du mit unserem dramatischen Schriftsteller die Küste entlang gehst

TOCHTER
Aber ja natürlich
zum Schriftsteller
wenn Sie schon so früh aufstehn

MUTTER *zum Schriftsteller*
Um sechs hinaus

SCHRIFTSTELLER
Ich stehe sehr früh auf
ich stehe um vier Uhr auf
das glauben Sie nicht
aber ich stehe um vier Uhr auf
mein Großvater stand schon um drei Uhr auf

MUTTER
Aber er war kein dramatischer Schriftsteller

SCHRIFTSTELLER
Er war Philosoph gnädige Frau

MUTTER
Der Großvater Philosoph

der Enkel dramatischer Schriftsteller
das ist doch sehr komisch nicht wahr
während die Tochter den Rohrkoffer auspackt
Die Enkel haben alles von den Großvätern
mütterlicherseits
haben Sie das gewußt
Sie können hier stundenlang allein an der Küste entlang gehn
Sie treffen keinen Menschen
Und wissen Sie daß es im Winter hier am schönsten ist
es ist kalt und Sie fühlen sich ganz
den Elementen ausgesetzt
steht auf und holt sich eine Flasche Cognac
Ich habe überhaupt keine Widerstandskräfte
Wollen Sie nicht auch einen Schluck
sie nimmt zwei Gläser und schenkt sich und dem Schriftsteller ein
Gestern dachte ich ich vertrage nichts mehr
aber dann habe ich eine ganze Flasche ausgetrunken
und heute früh
Und jetzt habe ich wieder Lust
sie hebt ihr Glas und trinkt und der Schriftsteller trinkt auch
zur Tochter
Auf dein Wohl mein Kind
zum Schriftsteller
Und auf Ihr Wohl
steht auf und geht bis zur Terrasse vor und der Schriftsteller folgt ihr
Ich habe Sie gefragt
ob Sie mit uns mitkommen nach Katwijk
und es hat Sie nicht einmal verblüfft
Es hat mich mehr verblüfft als Sie
Hören Sie es noch
Hören Sie es noch

SCHRIFTSTELLER
Was

MUTTER
Das Beifallsklatschen den Applaus
Ich höre ihn ich höre ihn
Sie hören es nicht das Beifallsklatschen
den Applaus
Geben Sie zu Sie sind glücklich darüber

Auch wenn Sie sagen
der Applaus habe Ihnen alles zerstört
das dürfen Sie nicht sagen
Ich höre das Meer und es ist das Beifallsklatschen
Das Rauschen des Meeres ist der Beifall für Ihr Stück
Sie sind am Ziel mein Herr
sie nimmt seine Hand
Hören Sie denn die Ovation nicht
sie nimmt ihn noch fester an der Hand und führt ihn zum Tisch zurück
Sie sind der glücklichste Mensch
Sie müssen es nur begreifen
Sie müssen es zugeben
sie setzt sich, der Schriftsteller bleibt stehen
Sie müssen damit fertig werden
Das müssen Sie aushalten
Sie müssen Ihren Triumph aushalten
und damit fertig werden
Rette sich wer kann
zur Tochter
Großartig nicht wahr
das ist ganz in meinem Begriff
Rette sich wer kann
und kein Mensch kann sich retten
noch keiner hat sich gerettet
nicht ein einziger unter allen diesen Millionen und Milliarden
nicht ein einziger
und da nennen Sie Ihr Stück Rette sich wer kann
Sie sind ein kühner Mensch unverfroren
Das müssen Sie wissen
das müssen Sie sich sagen lassen
und das müssen Sie wissen
Jetzt sind Sie hier und haben dieses Bewußtsein
Sie müssen dieses Bewußtsein haben
Sagen Sie sich ich habe dieses Bewußtsein
zwingen Sie sich dazu Sie müssen sich dazu zwingen
trinkt
Ich verstehe Sie nicht
Sie stehen da und sagen nichts
Achja setzen Sie sich
Plötzlich habe Sie die Sprache verloren

Aber so sind alle heute die jung sind
Stehen da und haben die Sprache verloren
So setzen Sie sich doch
Schriftsteller setzt sich
Und trinken Sie mit mir
nehmen Sie sich ein Beispiel
Ein Beispiel ein Beispiel hören Sie ein Beispiel
trinkt und schenkt dem Schriftsteller ein
Was sind das für junge Leute heute
Mit zwanzig denken sie an die Pension
wie sie es sich das ganze Leben lang richten können
Eine langweilige Jugend ist das
sie wird geboren und langweilt sich bis sie stirbt
und sie stirbt schon in dem Augenblick
in dem sie geboren wird
Sie ist starr und steif und sprachlos
habe ich recht
Das ist doch auch Ihr Thema nicht wahr
das haben Sie ja auch in Rette sich wer kann verarbeitet
die Steife und die Starre der Jugend
die alles verloren hat bevor sie noch da ist
Ich traue meinen Augen nicht wenn ich die jungen Leute sehe
anstatt daß sie aufwachten und alles zertrümmerten
das sich ihnen in den Weg stellt
und die ganze Geschichte stellt sich dieser Jugend in den Weg
immer hat sich die ganze Geschichte der Jugend in den Weg gestellt
und immer hat die Jugend die Kraft gehabt
diese ganze faule und verderbte Geschichte wegzuräumen
mit aller Gewalt mit dem größten Vernichtungswillen
jede Jugend hat aufgeräumt mit ihren Mitteln
aber diese
es hat noch nie eine so kraftlose Jugend gegeben
Das sagen Sie ja auch in Ihrem Stück
Sie sagen es in Rette sich wer kann
Sie sagen es mit dem Zynismus der Ihnen eigen ist
das ist auch m e i n Zynismus
Dieser Jugend wird nichts gegeben obwohl man ihr alles gibt
ja gerade w e i l ihr alles gegeben wird
und sie läßt es anstehen anstehen läßt sie es
anstatt daß sie sich nimmt was ihr vorenthalten wird

Da waren wir doch ganz anders
wir haben die Geschichte die sich uns in den Weg gestellt hat
zertrümmert wir haben sie zertrümmert
und uns aus diesen Trümmern eine neue Geschichte gemacht
immer hat die Jugend die alte Geschichte zertrümmert
und sich eine neue Geschichte daraus gemacht
aber diese Jugend ist kraftlos
und läßt sich von der alten Geschichte erdrücken
schweigsam steht sie da untätig und sinnt nach
aber sie tut nichts
Sie selbst sind das beste Beispiel
Sie sinnen nach und tun nichts
Sie sehen das Elend aber Sie beseitigen es nicht
Sie sind der Beobachter dieser Fäulnis
aber Sie räumen nicht auf damit
trinkt
Verstehen Sie mich recht die Jugend hat ein Recht die
Geschichte zu vernichten
sie zu vernichten um sich aus dem Vernichteten
eine neue Geschichte herzustellen
sie hat die Verpflichtung
Aber sie darf nicht so lange warten bis es zu spät ist
und jetzt scheint es ist es zu spät
Das sagen Sie selbst in Ihrem Stück
daß es vielleicht zu spät ist
Aber Sie sagen es nur
Sie sagen es nur und beobachten wie man auf das was Sie
sagen reagiert
aber Sie tun nichts Sie schauen zu aber Sie tun nichts
Das ist der Fluch des dramatischen Schriftstellers

SCHRIFTSTELLER
Aber es ist doch etwas

MUTTER
Es ist zuwenig mein Herr
zuzuschauen und abzuwarten
das tun sie alle
alle schauen zu und warten ab
sie beobachten die Fäulnis und verfaulen mit

SCHRIFTSTELLER
Aber eines Tages

MUTTER

Nicht eines Tages
gleich jetzt
trinkt
Achja wenn ich dreißig Jahre jünger wäre
wenn ich nur zwanzig Jahre jünger wäre
Aber was rede ich das ist keine Entschuldigung
Aber es ist schon etwas daß Sie in Ihrem Stück sagen
daß der Zeitpunkt schon sehr weit fortgeschritten ist
Aber es genügt nicht daß ein paar junge Leute
ein paar alten den Kopf einschlagen das ist lächerlich
es gehört alles weggewischt alles über Nacht
nur nicht fackeln hätte mein Mann gesagt
Und stellen Sie sich vor da
sie zeigt es
auf der Terrasse stand er eines Tages
und überlegte wie er den Königspalast in die Luft jagen könnte
Es sah gar nicht danach aus daß er so etwas dachte
überhaupt traute ich ihm einen solchen Gedanken nicht zu
es war ein heller Sommerabend
ich hatte schon Angst vor dem Einpacken
wir mußten in die Stadt zurück
da war er lange Zeit auf der Terrasse gestanden
plötzlich machte er kehrt und kam herein
und ich fragte ganz spontan was hast du denn
die ganze Zeit auf der Terrasse gemacht
über was hast du denn auf der Terrasse nachgedacht
Da sagte er Ich habe gedacht wie ich es anstelle
den Königspalast in die Luft zu jagen
Ich hatte laut aufgelacht
ich habe ihn für verrückt gehalten
aber nach und nach dachte ich vielleicht meint er es ernst
und ich bin heute überzeugt daß er es ernst gemeint hatte
trinkt
Möglicherweise wäre aus ihm noch ein Anarchist geworden
lacht laut auf und der Schriftsteller lacht mit
Er hatte eine aufgeregte Phantasie mein Mann
Das Gußwerk lähmte ihn
ich ließ mich vom Gußwerk nicht lähmen
mich beflügelte das Gußwerk
aber ihn lähmte es das Familiengußwerk

Oft habe ich gedacht
möglicherweise bin ich an einen Anarchisten gekommen
er sagte mir zu oft Ende gut alles gut
Warum sagte er das immer wieder
Er muß etwas Fürchterliches im Kopf gehabt haben
im Kopf im Sinn
Denken Sie nicht manchmal daran
alles in die Luft zu sprengen
das ist doch der vordringlichste Gedanke des Schriftstellers
habe ich recht
Zuerst eine kleine Revolution zu machen im eigenen Kopf
dann eine größere Revolution
dann eine noch größere Revolution
und dann die Revolution aus dem eigenen Kopf
in die Welt setzen wie man ein Kind in die Welt setzt
und alles zur Explosion zu bringen
ein dramatischer Schriftsteller hat doch
nichts anderes zu denken
wie jage ich die ganze Welt in die Luft
wie mache ich dem ganzen Spuk ein Ende
Habe ich nicht recht
zur Tochter
Mein Kind ist ganz außer sich wenn ich so etwas sage
aber wenn ich es n i c h t sage
Die dramatischen Schriftsteller sagen es nicht
oder sie sagen es und tun es nicht
Vielleicht ist es auch gar nicht die Aufgabe des dramatischen
Schriftstellers
die Welt in die Luft zu jagen
vielleicht ist das ganze ein absurder Gedanke
Vielleicht bin ich von der Reise etwas erregt
Mich macht es wahnsinnig wenn ich denke
daß wir alle diese Sachen noch auspacken müssen
und wer weiß dann haben wir alles ausgepackt
und fahren doch gleich wieder in die Stadt zurück
weil wir es hier nicht aushalten
ruft aus
Katwijk im Grunde friert mich bei dem Gedanken
daß wir jetzt hier sind
Aber es war meine Idee
Jeden Sommer fahren wir an diesem Tag hierher

als ob sie friere
Es ist so kalt hier
aber man kann doch im Hochsommer nicht heizen
das wäre doch absurd
zum Schriftsteller
Aber gewöhnen Sie sich nur nicht an wenn es regnet
im Bett liegenzubleiben
das ist das verderblichste
Wenn Sie aufwachen müssen Sie heraus
und erfrischen Sie sich und laufen Sie hinaus
Wer im Bett liegenbleibt hat mein Vater gesagt
bleibt bald ganz im Bett liegen
Und habe ich recht
wenn wir in der Frühe im Bett liegenbleiben
weil wir wie gelähmt sind
ekelt uns vor der Welt
Es graust mich vor meinem Lebensmechanismus
Tochter will den Rohrkoffer mehr zum Fenster schieben und es gelingt ihr nicht
Ach helfen Sie doch meiner Tochter
die Arme kann es allein nicht
ein Unikum dieser Rohrkoffer
Schriftsteller springt auf und hilft der Tochter
Dieser Koffer hat eine ganz besondere Geschichte
im Grunde ist er unser Mittelpunkt
Der Koffer eines Spaßmachers
das sieht man ihm gar nicht an
Mein Großvater war Spaßmacher verstehen Sie
er war aus Maastricht gebürtig
und ist in ganz Europa herumgereist mit diesem Koffer
und hat seine Späße gemacht
Wenn es Sie interessiert
zeige ich Ihnen Bilder davon
ich habe Fotografien wo er abgebildet ist
wie er seine Späße zeigt
Eine Sensation zu der damaligen Zeit
Aber er war ein Säufer
mit zweiundvierzig starb er
in einem Wirtshaus in Kerkrade
also nicht weit von dem Ort
in welchem er geboren wurde

Ich sage oft zu meiner Tochter
wie leicht hätte ich den andern Weg gehen können
Ich bin den andern gegangen
trinkt
Habe ich Ihnen gesagt daß ich meinen Mann
in einem Wirtshaus kennengelernt habe
in der Nähe von Apeldoorn
ein versprengtes Kind
Und daß mich am meisten das Wort Gußwerk fasziniert hat
ich bin an dem Wort Gußwerk hängengeblieben
Tochter und Schriftsteller heben einen schweren Wintermantel aus dem Rohrkoffer
Eine Marotte
Wir fahren im Hochsommer nach Katwijk
und packen diesen schweren Winterkotzen ein
eine Gewohnheit
die Gewohnheit meines Mannes ihres Vaters
er hatte an den kalten Sommerabenden
wenn er auf die Terrasse gegangen ist
diesen Mantel getragen
ein Relikt aus einer anderen Zeit
Eine Verrücktheit
heben Sie ihn doch hoch hoch hoch
Schriftsteller und Tochter heben den Mantel hoch
Er ist schon ganz durchsichtig
aber nicht weil er so oft getragen worden wäre
nein
weil wir ihn immer wieder aus- und einpacken
das zersetzt das Gewebe schleift es ab
Tochter hängt den Mantel ans Fenster
Dann hängen wir ihn an den Haken dort
und wissen nicht was anfangen damit
Tochter packt weiter aus

SCHRIFTSTELLER
Ein schönes Stück
englisch natürlich

MUTTER
Naturgemäß englisch
Mein Mann hat nur englische Mäntel getragen
damals war das noch höchster Luxus
Und englische Schuhe natürlich

und die feinsten englischen Socken
Ich war ganz verblüfft als ich das sah
den üppigen Kleiderluxus des Mannes
Kommen Sie setzen Sie sich
Schriftsteller geht zum Tisch und setzt sich
Sie dürfen sich nicht wundern
Es ist hier immer alles verrückt gewesen
Beispielsweise trage ich hier sehen Sie
immer eine Spange
um meinen Mantel zu schließen
ich habe diese Spange schon an die dreißig Jahre
an dieser Stelle
es ist mir nie eingefallen
mir diesen Knopf anzunähen
Oder dieses Vorhangloch dort sehen Sie
zeigt es
das Loch gibt es schon fünfundzwanzig Jahre
ich weiß das so genau
weil es mein Mann gemacht hat
mit dem Regenschirm
Er kam von der Küste
und sein Regenschirm verspießte sich im Vorhang
eine komische Geschichte nicht wahr
Das ist u n s e r Schöpferisches mein Herr
daß wir Löcher in Vorhänge machen
und sie nicht zustopfen
daß wir Mäntel einpacken und auspacken
und niemals anziehen
und so mit Hunderten von anderen Sachen
Strümpfen Socken Blusen Westen etcetera
Auf irgendeine Weise hängt das alles sicher
mit dem Rohrkoffer meines Großvaters zusammen
auf eine ganz geheimnisvolle Weise finden Sie nicht
es klopft
Mädchen tritt ein
Mutter zum Schriftsteller
Ihr Zimmer ist fertig
Schriftsteller steht auf
Sie werden müde sein
Ihre Premiere denken Sie
und Ihr Triumph

Ihr einmaliger Triumph
da sehen Sie doch selbst
gibt ihm die Hand und der Schriftsteller küßt die Hand
Ach küssen Sie nicht meine Hand
das ist einfach lächerlich
Wo haben Sie das gesehen
in Österreich
Mein Gott
Und dann die Reise
und alles andere das auf Sie zugekommen ist
Schriftsteller nimmt seine Tasche und will gehen
Und erschrecken Sie nicht
wenn Sie in Ihrem Zimmer
lauter seltsame Gegenstände finden
diese alten Kleider und diese Gewehre
und diese vielen Hüte überall
das alles hat mein Mann sehr geliebt
Schriftsteller verneigt sich noch einmal kurz vor der Mutter und dann vor der Tochter und geht hinaus, das Mädchen folgt
Mutter nach einer Pause, nachdem sie getrunken hat
Die Frage ist gar nicht
ob es klug war ihn einzuladen
er ist da
plötzlich erregt
Jetzt brauche ich frische Luft
sie geht vor die Terrassentür
Die Tochter mit dem Sessel, auf dem der Schriftsteller gesessen ist, zu ihr
Mutter, nachdem sie sich auf den Sessel gesetzt hat
Ich fürchte
er wird länger als nur ein paar Tage bleiben

Vorhang

Der Schein trügt

KARL

Wir haben unsere Rente zu Recht
wir haben redlich gearbeitet
höchste Perfektion

Personen

KARL, *ein alter Artist*
ROBERT, *sein Bruder, ein alter Schauspieler*

Großstadt, Jahresende

Erster Akt

Dienstag
Bei Karl

Erste Szene

Alte Möbel, unbequem
Ein Damen- und ein Herrenkleiderkasten, darunter und davor ein Dutzend Paar Herrenschuhe
Ein Waschtisch, daneben ein Kanarienvogel in einem vergoldeten Käfig
Ein großer Tisch
Auf einem kleinen Tisch ein Haufen Damenkleider
Erinnerungsbilder an Karls Artistenzeit
Ein Foto seiner verstorbenen Lebensgefährtin
Ein alter Radioapparat, ein alter Plattenspieler

KARL

mit umgehängter Brille in Winterunterwäsche auf dem Boden kriechend, seine Nagelfeile suchend
Wir dürfen uns nicht umwerfen lassen
gerade jetzt nicht
in dieser scheußlichen Zeit
nach einer Pause
Vielleicht ist sie gar nicht so scheußlich
Auf die Virtuosität kommt es an
auf den Charakter
Wenn wir uns zum Narren machen lassen
sind wir verloren
Wie ich diese Dienstage hasse
Noch mehr hasse ich die Donnerstage
Dasselbe ist nicht das gleiche
Verlassenschaftsgericht
Gut daß wir keine Universität aufgesucht haben
Wie gut daß wir in Europa geblieben sind
Unsere Irrtümer haben uns nicht umgebracht
zum Kanarienvogel Maggi direkt
Die Lebenslust hat uns niemals verlassen

nicht einmal jetzt
Wenn wir auch unglücklich gewesen sind die meiste Zeit
Unsere Organe sind verödet
Mathilde hat uns verlassen
aber wir haben unsere Lebenslust
sucht die Feile unter dem Damenkleiderkasten
Keine Mätzchen gemacht
Zu oft erschrocken
das ist es
Launenhaftigkeit
ungebührliche
nach einer Pause
Das Wochenendhäuschen
Robert vermacht
nicht mir
der Schauspieler also verdiente es
nicht der Artist
der Hochstapler
nicht der Lebensgefährte
Soviel Schmutzwäsche
zerrissene Strümpfe
Wir nehmen eine Frau für die Ewigkeit
verpflichten uns ihr für immer
und sie verläßt uns im ungünstigsten Moment
sucht die Feile unter dem Herrenkleiderkasten
Ich führte den Taktstock
sie tanzte
zu Maggi direkt
Die Kapellmeister haben es sich
immer schwergemacht
die außerordentlichen
die überragenden
steckt den Kopf unter den Herrenkleiderkasten, dann
Ein böses Omen
Natürlich
die hinterlassene Lücke
mit einem Blick auf den Damenkleiderhaufen
Die Kleider werden nicht versteigert
die Kleider bleiben da
sucht die Feile unter dem Waschtisch
Diese widerwärtigen Ankleideprozeduren

Jetzt brauche ich auch zum Nägelschneiden
die Lesebrille
Durch dieselbe Brille durch welche ich Voltaire lese
sehe ich meine Zehennägel
steht mühselig auf
Wir sollten nicht solange leben
bis wir zum Zehennägelschneiden
die Brille brauchen
das ist deprimierend
Da wir im Gegenteil ja nicht klüger geworden sind
nur wehleidiger
schaut unter den Damenkleiderkasten
Und im ungünstigsten Moment
verlieren wir auch noch den Nächsten
zu Maggi direkt
Die Lebenswürze
meine Lebenswürze
ich hätte dich einfach Hans genannt oder Karl
Die Frauen suchen immer
das Großartige
das Außergewöhnliche
sucht die Feile unter dem Bücherregal
Die Katastrophe beginnt in dem Augenblick
in dem die Sehschärfe nachläßt
wenn wir
ungewollt
Wasser lassen
die Türklingel
nicht mehr hören
Wie mühselig ich gestern
die Treppe heraufgegangen bin
Nur eine Wurst und die Flasche Milch
im Netz
zu Maggi direkt
Nur eine Wurst und die Flasche Milch
schaut sich auf dem Zimmerboden um
Zuerst dachte ich
ich gehe täglich auf den Friedhof
aber ich bin seit letzten Freitag
nicht mehr auf den Friedhof gegangen
Es war kein Schwur

nur ein Vorhaben
Wir sollten den Ärzten nicht auf den Leim gehen
sie schneiden uns auf
und ruinieren uns
sie klopfen uns ab
und entdecken eine Todeskrankheit
sucht die Feile unter dem Waschtisch
Die Appetitlosigkeit
ist nur eine Folge
der Trauer
Nein nicht versteigert
ihre Kleider werden nicht versteigert
Ich werde Robert sagen
ihre Kleider werden nicht versteigert
nichts wird versteigert
steht auf und nimmt eines der Damenkleider und riecht daran
Im ungünstigsten Moment
legt das Kleid wieder auf den Haufen
zu Maggi
Sie kaufte dich
nicht ich
sucht die Feile unter dem Waschtisch
Wie ich diese Dienstage hasse
aber mehr noch die Donnerstage
Es ist bequemer
Robert kommt zu mir
Die Donnerstage sind beschwerlich
Kein Lift
diese abstoßenden Möbelstücke
diese geschmacklose Tapete
dieser widerliche Toilettengeruch in der Trappistenstraße
Ein typischer Junggeselle
Vor der Königin von England aufgetreten
lächerlich
Dachte nie daran
sich zu verehelichen
aus Geiz
aus Bequemlichkeit
Immer faul gewesen
Muttersohn
Lebenslänglicher S-Fehler

Den Lear spielen
lächerlich
Aber seinen Tasso habe ich geliebt
geliebt
das war großartig
Die Zehennägel durchbohren mir die Strümpfe
zwei Paar von den englischen
sucht die Feile unter dem Bett
Wer flickt sie jetzt
Ich trenne mich nicht von den Gegenständen
aber es war meine Idee
nicht Roberts Idee
Alles ins Leihhaus habe ich gesagt
im ersten Moment
im allerersten Moment
Nach und nach wird erst klar
daß sie endgültig weg ist
Alles schmerzt
mehr oder weniger
aber sie spielte zu schlecht Klavier
Mozart
an Mozart vergriffen
Daß sie daran dachte
Pianistin zu werden
sie versteifte sich
auf die klassischen Stücke
schulmeisterlich
Einmal dachte ich Ja
dann wieder Nein
dann wieder Ja
aber ich heiratete sie nicht
Ihr Spiel war laienhaft
Der Flügel wird nicht verkauft
steht auf und setzt sich erschöpft an den Tisch
Sonntags die Mozartsonate
jetzt fehlt es uns
das ließ ich sie
Eine Fürchterlichkeit müssen wir in Kauf nehmen
wenn wir einen Partner haben
Vor Gewittern hat sie sich gefürchtet
das war einfach lächerlich

mit angstverzerrtem Gesicht
in dieser Ecke
zeigt in die Ecke
Da
das stieß mich ab
schaut um sich
Niemand kochte so gut Kartoffelsuppe
kochte gut
nähte schlecht
In ihrem grauen Kleid
sah sie ganz gut aus
auf dem Totenbett
Letzte Wünsche erfüllen
Das graue Sonatenkleid tatsächlich angezogen
eine Überwindung
aber ich habe es getan
Den Smaragd habe ich ihr nicht mitgegeben
Die Leute
abgeschmackt
dummes Zeug redend
Begräbnisse sind
nicht so teuer
entdeckt die Feile unter dem Waschtisch, nimmt sie an sich, hebt sie in die Luft, als bewunderte er sie und setzt sich zum Zehennägelschneiden auf einen der Sessel
während er sich die Zehennägel schneidet
Musik verbat ich mir
nach einer Pause
Eine Seite Voltaire
oder eine Seite Pascal
das rettet uns
hält die Feile in die Luft
Gleichgültig wer wir sind
daß die Strümpfe nicht durchlöchert werden
ist wichtiger als alles andere
feilt weiter
Wir sind ein Wrack
und glauben
wir sind eine Geistesgröße
steht auf und geht zum Waschtisch und schneidet sich dort die Zehennägel weiter

Andererseits ist es wichtig
daß wir den Verkehr
nicht abbrechen
diese Dienstage sind wichtig
genau wie die Donnerstage
Manchmal sage ich Halb bruder
das verletzt ihn
So sehen wir uns regelmäßig
ist es uns auch lästig
Nicht aufgeben
schaut um sich
nicht aufgeben Maggi
Alle sterben sie weg
ich dachte ich sei der erste
aber nein
Die Reihen lichten sich
das ist kein Vorteil
schaut zum Fenster hinaus
Dieser Tiefpunkt
Wenn erst die Tage wieder länger werden
Ganz ordentlich gelebt
zweckentsprechend
nicht zu weit ausschweifend
nicht zügellos
aber auch nicht enthaltsam
Wir sollten nicht so alt werden
daß wir auf einmal nurmehr noch zum Friedhof
Kontakt haben
Wenn wir ehrlich sind
verwandt oder nicht
wir hatten keinen exemplarischen Kontakt zu ihnen
zu niemand
Erfüllte
unerfüllte Wünsche
Erst wenn sie tot sind
empfinden wir
daß sie überhaupt da waren
in die Länge gezogen
Mathilde
bläst die Feile ab
Leute

aber keine
die uns etwas gegeben haben
Wir machten uns ja auch
niemals etwas vor
nachdenklich
Es heißt
die Nägel wachsen
wie die Haare im Grab
weiter
eine Zeitlang
zu Maggi direkt
Wir übersiedeln nicht
du brauchst keine Angst zu haben
unsinniger Gedanke
an Übersiedlung
Wir geben das hier nicht auf
nein
das bedeutete unseren Tod
Ein Schluck kalte Milch
das erfrischt
schaut um sich
alles aufgeben
das Gewohnte
den idealen Blick
Mit Lift
nein
schaut zum Fenster
Ein altes Haus
ist ein Vorteil
man merkt nicht mehr
daß es sich abnützt
zu Maggi direkt
Wir waren nie unanständig
nicht wahr
Kleine Betrügereien
aber keine Unanständigkeit
Überleben
was das heißt
schaut auf seine Schuhe, sieht, daß sie nicht gerade stehen,
steht auf und stellt sie gerade
in Betrachtung der Schuhe

Pedant
setzt sich wieder und feilt seine Zehennägel weiter
Ich duldete naturgemäß
keine Widerrede
das verschärfte die Situation natürlich
Spargel
ihr Lieblingsgericht
Die Opernloge
Für Oper hatte ich nie etwas übrig
Schauspiel ja
Oper nein
Kleine Geschwätzigkeiten
hinter meinem Rücken
War sie allein
naschte sie
oder sie schrieb ihrer Schwester nach Oberolingen
Nein
wir müssen uns nicht mit allen verbrüdern
zu Maggi direkt
Kannst du dir vorstellen
daß ich einmal Trompete gespielt habe
so um zwanzig herum
geht zu Maggi hin, klopft an den Käfig
mein insgeheimer Beobachter

Zweite Szene

Zehn Minuten später

KARL
hängt die Damenkleider in den Kasten
Nichts wird versteigert
es geht auch nichts an die Fürsorge
Erinnerungsstücke
höchstpersönliche
Die Idee war abgeschmackt
Wenn sie auf ein Amt ging
war sie so aufgeregt

daß sie ihren eigenen Namen nicht schreiben konnte
ihr Geburtsdatum vergessen hat
Lektüre liebte sie nicht
Schachspiel
Philosophie überhaupt
Als Kind nichts zu lachen gehabt
abgebissene Fingernägel
das unglückliche Kind
das immer alles umgeworfen hat bei Tisch
sich fortwährend angepatzt hat
Keine schöne Stimme
schaut auf die Uhr
Halbsechs
Ich habe ihr Schönheit gezeigt Stil
nach und nach aus der Kleinbürgerlichkeit
herausgezogen
Als sie zu mir kam
sagte ich
woher hast du denn diese Narben auf dem Gesäß
riecht an einem Kleid
Schläge vom Vater täglich
die Mutter schweigsam
keine Ausflüge keine Festivität
Lebensmittelhändler
was für Leute
Trunkenbolde
Aber das Klavierspiel hat er sie lernen lassen
bei einem Scharlatan allerdings
kein fehlerfreier Satz
Synkopen hat sie nicht aussprechen können
lacht auf
Pianistin
eine gewisse Ähnlichkeit
mit unserer Schwester zweifellos
das Gefühlskind
schaut auf das Bett
Sie war überrascht
wie angenehm es in einem so großen Bett ist
auf einer schönen breiten Matratze
Ich mußte ihr alles beibringen
Sie kam völlig ahnungslos zu uns

aber doch wohl im richtigen Moment
Ich versprach ihr die Toscanareise
und dann reisten wir
Sie hatte immer Angst
ihr Vater könne sie mit mir ertappen
Ich las ihr Voltaire vor
wenn ich sie fragte
ob sie verstanden habe
sagte sie nein
tatsächlich nein
das entwaffnete mich
poliert seine Schuhe, zieht Strümpfe und Socken an
Schließlich war ich es
der sie Deutsch gelehrt hat
und ein wenig Französisch
gesellschaftsfähig gemacht habe ich sie erst
ich führte sie ins Theater
ich sagte Lessing zu ihr
sie hatte den Namen niemals gehört
Im Grunde hat alles nichts genützt
zu Maggi direkt
Sie wollte dich haben
ich bin gar nicht auf die Idee gekommen
Ich ermahnte sie immer wieder
die Haare zu bürsten täglich
Die Lebensmittelhändler sind introvertiert
ein Lustmolch der Vater
Das heißt ja nicht
daß wir jetzt auf das Wochenendhäuschen
verzichten müssen
aber es irritiert mich
daß sie es Robert vermacht hat
Ich erhole mich in ihm wie nirgends sonst
regeneriere mich
wie nirgends sonst
Parterre wollte sie wohnen
verstehst du das
Lebensmittelhändlerstochter
davon hat sie diese Beziehung zum Parterre
aber es wäre abgeschmackt
Wo wir den Lift haben

Im Grunde keinerlei Sprachbegabung
Verständnislosigkeit da
wo Verständnis erforderlich gewesen wäre
Ich dachte gar nicht
daß sie ein Testament gemacht hat
sie besitzt ja nichts
hatte ich gedacht
und das Wochenendhäuschen vergessen
Nicht mir
sondern Robert
Wenn ich geistig beschäftigt war
störte es sie
sie verbarg es
aber ich bemerkte es
schlecht geheuchelt
steht auf und hängt die restlichen Damenkleider in den Kasten
Der Schauspieler
der mehr durch seine Krankheiten
als durch seine Kunst
auf sich aufmerksam machte
Stundenlang kann ich Schönberg hören
ihn langweilt es zutiefst
in Wahrheit ist er der Antikünstler
wie Schauspieler überhaupt
Einundzwanzig Teller aufeinmal
und das vor ausverkauftem Olympiastadion
das war etwas
keinerlei Betrug
alles offensichtlich
Aber ich drängte mich nie in den Vordergrund
Es ist nicht meine Art
mich in Szene zu setzen
Andererseits ich liebte
seinen Tasso
in gewisser Weise
die Hilflosigkeit
plötzlich hatte er keine Luft
geht zum Fenster, schaut hinaus
Trompete gespielt
und nicht schlecht
immer eine Vorliebe für Blasinstrumente

Die Musik ist immer meine Rettung gewesen
Ich war der Musikalische
nicht Mathilde
zu Maggi direkt
Sie verbrauchte ihre Kräfte
in der Küche
Das Wort Gemeinwohl
sagte sie zu oft
Wenn sie dein Futter vergaß
jagte ich sie wieder in die Stadt zurück
Zur Strafe sagte ich
sie hatte in zwanzig Minuten zurück zu sein
Kein Pardon
Wir ließen ihr nichts durchgehen
dreht das Radio auf
Kommen Sie
nur noch bis einunddreißigsten
dreißig Prozent Nachlaß
kommen Sie rechtzeitig nur noch bis einunddreißigsten
dreißig Prozent Nachlaß
dreht das Radio ab
setzt sich auf einen der Sessel und streckt die Beine so weit als möglich aus
Am Neujahrstag durfte sie den Smaragd anstecken
den ich ihr in Grenoble gekauft habe
neunzehnhundertachtundfünfzig
mein Abschiedsauftritt
Berge Schnee
ein Alptraum
steht auf und kehrt mit der Kleiderbürste die abgeschnittenen Zehennägel vom Boden zusammen
In den Tuilerien
hatte ich zum erstenmal Magenschmerzen
wirft die zusammengekehrten Zehennägel in den Papierkorb
Schließlich reiste ich in der Jugend
überall hin
ich trat überall auf
im Lido
überall
Zirkus Renz
Baden-Baden

London
setzt sich erschöpft auf einen der Sessel
Manchester
Napoleon ging
die Bourbonen kamen zurück
nicht durch sondern an Napoleon
ist Europa zerbrochen
Europa hat sein Genie auf Elba verbannt
und sich damit erledigt
schaut auf die Uhr
Reisen interessiert mich nicht mehr
setzt sich an den Waschtisch und seift sein Gesicht ein
Geschichte gemacht
fragend
Habe ich
Geschichte gemacht
streckt die Zunge heraus, dann
Alle machen Geschichte
Ihr Todestag ist ein Dienstag
das ist mir noch gar nicht aufgefallen
Rendezvous
sagte sie auf diese komische Weise
sagte ich etwas Lateinisches
war sie böse
Ihr Hang zur Aristokratie
war in gewissem Sinne abstoßend
streckt die Zunge heraus
Instinkt hatte ich immer
mehr als Robert
Einundzwanzig Teller aufeinmal
das machte mir keiner nach
Über fünfzehntausendmal meine Kunst gezeigt
ich war einmalig
reckt den Kopf ganz vor den Spiegel, ruft aus
Artist Equilibrist
mit hoch erhobenem Kopf lachend
Tellerkünstler
zu Maggi direkt
Ich mußte niemandem dienen
außer mir selbst
ich beherrschte meine Kunst

In Lyon versagte ich
ein feines Publikum
ich wiederholte die Nummer
anstatt einundzwanzig
hatte ich dreiundzwanzig Teller in der Luft
mein größter Triumph
mein größter Applaus
aus der bittersten Niederlage
meinen Höhepunkt gemacht
innerhalb von drei Minuten
Dann Grenoble
und aus
auf dem Höhepunkt
ich wartete nicht wie Robert
auf eine karrierebeendende Halsentzündung etcetera
rasiert sich
Artist Welteroberer
Ich belehrte nie
ich zeigte was ich konnte
das war alles
das machte mir keiner nach
ich kam ganz ohne Klassiker aus
damit reiste ich durch ganz Europa
An meinem fünfzigsten Geburtstag Grenoble
ich leistete mir diesen Luxus
hörte ganz einfach auf
hatte mich abgesichert
war auf niemanden angewiesen
Und es ging mir auch nicht ab
später
ich machte nicht einmal mehr den Versuch
ich redete auch gar nicht mehr darüber
Mathilde hat mit dem Wort Tellerkünstler
nichts anfangen können
Nach Grenoble das weibliche Geschlecht sozusagen
Mathilde
Ich dachte natürlich nicht an Heirat
nie daran gedacht
eine Verbindung ja
eine Zweisamkeit
eine Schicksalsgemeinschaft

Ich nahm die gescheiterte Pianistin auf
ich kleidete sie ein
ich lehrte sie die deutsche Sprache
und weihte sie in die Kochkunst ein
ich machte ihr nichts vor
Am Sonntag ließ ich sie
die Mozartsonate spielen
so lebten wir angenehm
die ganzen Jahre
Eine enttäuschte Kindheit sozusagen
ein den Charakter schädigendes Elternhaus
ein stumpfsinniger Vater
eine rachitische Mutter
daraus befreite ich sie
wäscht sich das Gesicht, kühlt es mit einem vornehmen Rasierwasser
Nichts übertreiben
sagte ich
nichts übereilen
tätschelt sich die Wangen und streckt die Zunge heraus
Die Zeiten sind immer schlecht
wir müssen durch
schließlich haben wir
ein angenehmes unauffälliges Nest
habe ich gesagt
eine Oase
eine Geistesoase
zu Maggi direkt
nicht wahr Maggi
geht zum Fenster und setzt sich
Novembertage
auch wenn sie sich in die Länge ziehen
uns ist nicht langweilig
weil wir unsere großen Geister haben
geht und holt ein Buch vom Bücherregal und setzt sich wieder ans Fenster, nachdem er auf die Uhr geschaut hat
Selbstgesprächskünstler
blättert im Buch
Zeit für das andere Geschlecht
das war die eigentliche Überraschung
im Grunde zu spät

ich dachte natürlich nicht an Heirat
an Zusammensein
Rücksichtnahme
Von Kindheit an gekannt
Lebensmittelhändlersmentalität
schaut auf die Uhr, legt das Buch weg, steht auf, geht zum Herrenkleiderkasten und zieht sich die Hose an, schlüpft in die Hose, ruft aus
Instinkt
was für ein Wort
Lebenslust
Charakterstärke
zieht sich das Hemd an
schultert die Hosenträger
Von unten herauf
ist es immer die größte Schwierigkeit
schaut auf seine Schuhe
Ab und zu eine Delikatesse
poliert die Schuhe, während er sagt
Erfindungsreichtum
Gerngehabtes
steht stramm, schaut zum Fenster
Wir ziehen die Konsequenz
Wir übernachten hier auf der Welt
sozusagen
zu Maggi direkt
Um diese Zeit hat sie sich an den Flügel gesetzt
die Mozartsonate gespielt
Obwohl alles falsch gespielt war
Der Dilettant vergreift sich am Allerhöchsten
am Allerheiligsten
Das angebrannte Kotelett
erinnerst du dich
Am Ende fällt alles
der Lächerlichkeit anheim
öffnet die Tischlade und holt mehrere Tabletten aus einem Glas, schluckt sie und schiebt die Tischlade wieder zu
Das Testament verzeihe ich nicht
zu Maggi direkt
Das Wort Friedhofsdauer
hat mich immer angezogen gehabt

Kein Gesang
kein Lied
keine Ansprache
In zwölf Minuten war alles vorbei
nimmt das Foto von Mathilde und betrachtet es eine Weile
herausgeholt
heraufgeholt
aus dem Sumpf
zu mir heraufgezogen
stellt das Foto wieder auf den Tisch
Vergleichswahn
schaut auf die Uhr, zieht den Rock an, knöpft sich das Hemd zu und schaut auf die Schuhe unter dem Herrenkleiderkasten
Schuhfetischist
Krankhaft
schaut auf die Uhr
Niemals gestattete Unpünktlichkeit
wir gestatten sie nicht
wir können sie nicht gestatten
setzt sich zum Fenster
Jeden Dienstag dieselbe Ungeheuerlichkeit
der Mime der nicht erscheint
Wie ich diese Dienstage hasse
Dieser Antischauspieler
im Grunde hat er den S-Fehler immer gehabt
Opportunismus
schaut auf die Straße hinunter
Infantilismus
Größenwahn
schaut sich im Zimmer um
Das klare U
niemals gelungen
das offene O
wie er stirbt sagt
Redewendung
Diese großen Rollen
die er gespielt hat
Das Widerwärtige ist
daß wir nur Zeit verlieren
wenn wir warten
Weil wir dabei nichts Vernünftiges tun können

im Voltaire weiterlesen
im Rabelais
Kaum schlage ich das Buch auf
kommt er
Halb bruder
zweifellos verletzend
Auf dem Burgtheater aufgetreten
was sagt das schon
In miserablen Übersetzungen
Shakespeare heruntergeleiert
Es ärgert mich
daß sie das Wochenendhäuschen ihm vermacht hat
Am Lebensende
noch eine Panne
wenn nicht eine Gemeinheit
Der hohen Kunst
dem Angehimmelten
der Lebensgefährte sollte leer ausgehen
scharf
Ich bin der Hilfebedürftige
ich war immer der Bedrohte
ich
niemals wehleidig
zuviel in mir verschlossen vielleicht
mit dem Blick auf Maggi
Frauen machen katastrophale Testamente
schamlos
steht auf und stellt zwei Gläser auf den Tisch
heimtückisch
ungerecht
Das Schwärmerische an ihnen
hat mich immer schon abgestoßen
rückt die Gläser zurecht
Zum Schauspieler blicken sie auf
nicht zum Artisten
setzt sich an den Tisch und streckt die Beine aus
Ich hätte es beiseite schaffen können
das Testament
Einen Menschen umhegt und umpflegt
und er vererbt das Wochenendhäuschen
einem andern

Heuchelei war uns immer zuwider
nimmt das Buch und blättert darin
Untreue
haßten wir
Verschlagenheit
Übervorteilung
legt das Buch weg und steht auf und geht zum Fenster
Wir regenerieren uns nicht so schnell
nicht so schnell wie wir glaubten
setzt sich und schaut auf die Straße

Dritte Szene

Fünfzehn Minuten später

KARL
auf dem Bett sitzend, bindet sich eine Krawatte um
Elektrisches Licht
Gas
alles bezahlt
schaut um sich
Ausgemalt wird nicht
Wenn wir die Möbelstücke überziehen lassen
muß es ein Fauteuilkünstler sein
erster Klasse
Heruntergekommenes Handwerk
Kennzeichen dieser Zeit
Es muß nicht alles neu sein
Aber wir sollen auch nicht durchfallen
wenn wir uns hinsetzen
auf dem Bett auf- und abwiegend
Vierzig Jahre alte Federn
allerdings Handarbeit
Sauber muß es sein
nicht zu sauber
Wir verkommen bald
wenn wir uns gehen lassen
Nicht gehen lassen

Philosoph war einmal das Ziel
Schriftsteller
extravaganter Veröffentlicher
Bücherschreiber
keine Romane
Philosophie
keine Beschreibungen
im Gehirn Festgestelltes
wiegt auf dem Bett auf und ab
Alles orthodox
generell
unbestechlich
steht auf und geht zum Fenster, schaut hinaus
ein hoher Geistlicher
nicht Mönch
Kathedralist
geistliche Berühmtheit
Zur Verwandtschaft
keinen Kontakt
Geistesverwandtschaft ja
Neffen und Nichten
vom Leib gehalten
Mit dieser Rente können zwei existieren
habe ich zu ihr gesagt
das Vermögen verschwiegen
absolut
Dabei hatte ich mir vorgenommen
allein zu bleiben
Dieser S-Fehler
den er immer gehabt hat
ist von der Mutterseite
Manierismus sozusagen
auf die Spitze getrieben
In gewisser Weise sind die Schauspieler Dummköpfe
auch die größten
auch die berühmtesten
laufen ihrer Mittelmäßigkeit davon
und werden von der Mittelmäßigkeit eingeholt
ausnahmslos
Machen es sich zu leicht
Brillant sagen die Leute brillant

aber es ist doch nur der Dilettantismus
In ihrer Nähe ist alles abgeschmackt
Vorgegebenes
Oberflächliches
selbst das Erhabenste fängt an zu stinken
Andererseits bewunderungswürdig
diese endlosen Sätze auswendig gelernt
die er im Grunde gar nicht verstanden hat
habe ich ihn blitzartig gefragt
was das sei
das er gerade aufgesagt habe
aufgesagt
war er nicht fähig gewesen zu antworten
sie wissen nicht was sie sagen
weder was sie sagen
noch was sie spielen
Natürlich ich bin nicht angenehm
Konsequentismus
Dieser hundertunddreißigste Satz von Goethe
was bedeutet er in bezug auf den sechsundvierzigsten vorher
das brachte ihn arg in Bedrängnis
ausgewichen ist das richtige Wort
ausgekniffen
Ich hatte dreiundzwanzig Teller aufeinmal in der Luft
und jeder konnte das sehen
das war doch etwas ganz anderes
wenn ich ehrlich bin
der Lyoneffekt
Weder Mutter-
noch Vatersohn
schaut auf die Uhr, setzt sich
Ich könnte halbtot sein
er käme nicht
Mindestens handelt es sich
um Intoleranz
Über meine Gebrechen habe ich
nie geredet
Meine Kunst im Hintergrund entwickelt
auf die verschwiegene Art
nicht jeden Schnupfen zur Tragödie gemacht
Ich war nie der Bevorzugte

bückt sich, schaut auf seine Schuhe, steht auf, holt einen Lappen und poliert sie
Wir haben unsere Rente zu Recht
wir haben redlich gearbeitet
höchste Perfektion
geht mit dem Lappen zum kleinen Tisch, legt den Lappen ab
Kommt er
setzt er sich nicht auf den Sessel
den ich ihm anbiete
nimmt den andern
verrückt ihn
Wenn wir kein Verhältnis zur Geometrie haben
haben wir kein Weltverständnis
nach meinem Verstande
Geschmacksverirrung
Wenn uns die Mutter vorgelesen hat
ist er eingeschlafen
sie war verliebt
in das ungezogene Kind
nicht in das folgsame
ich nahm alles
begierig auf
schon von frühester Kindheit an
Literatur Dichtung Aphorismus
Er ist steckengeblieben
Ich war immer der Frühaufsteher
um halbzehn noch im Bett
das ist kein Weg
Mathilde war in ihn vernarrt
Schauspieler haben keinerlei Phantasie
schwachen Geruchssinn
alles mußte man ihm einbleuen
Schauspielerköpfe
ekelhaft hohl
Andererseits habe ich Robert immer geliebt
zu Tränen gerührt alle Augenblicke über ihn
mich lebenslänglich ihm anzunähern versucht
in dieser Vergeblichkeit beinahe erstickt
schaut auf die Uhr, geht zum Fenster, setzt sich
Egoist
schaut auf die Straße hinunter

Egozentrismus
Unpünktlichkeit
Faulheit leistete ich mir nie
zu Maggi direkt
Wir brauchen Menschen Maggi
wir gehen ein wenn wir lange allein sind
wir bilden uns ein allein sein zu können
Irrtum
wir scheitern
öffnet sich den Rock, steht auf, setzt sich wieder
Unpünktlichkeit ist unzulässig
schaut auf die Straße hinunter
In Metz
hatte ich einen großen Tag
schreiben Sie
sagte ich zu diesem Direktor
den Scheck über zweiundzwanzigtausend aus
und fragen Sie nicht
ereifern Sie sich nicht
er schrieb ihn aus
Mut
dann die Gelassenheit
zieht sein Notizbuch aus der Rocktasche, schlägt es auf
Mathildes Pelz
unserer Nichte
Nein
steckt das Notizbuch wieder ein
Mit siebzehn Baudelaire gelesen
mit neunzehn Racine
ich nicht er
zur Abwechslung
Ich sah ein Mädchen in der Nähe des Ostbahnhofs
auf seine Schultern legte ich den Nerz
schaut auf die Uhr
Am Ende brauchen wir beinahe gar nichts mehr
Zwei Röcke
zwei Hosen
zwei Paar Schuhe
nicht einmal mehr eine Zahnbürste
schaut im Zimmer umher
Wir überlegen

ob eine Anschaffung noch einen Sinn hat
Am liebsten würden wir gar nicht mehr aufstehen
das ist die Wahrheit
schaut auf den Boden
aber wir bringen uns auch nicht um
kurios
steht auf und holt sich das Buch vom Tisch, setzt sich wieder ans Fenster, schlägt das Buch auf, es läutet, er springt auf

Vierte Szene

Zehn Minuten später
Karl und Robert am großen Tisch
Robert in einem dicken Wintermantel

KARL
Sie fehlt
Immerhin dreißig Jahre
alles mit ihr geteilt
Cardiomyopathie
merkwürdige Bezeichnung
Sekundenherzschlag
Gedacht ich komme
die Stiege nicht herauf
mit der Wurst und der Flasche Milch
Es geht weniger um mich
als um Maggi
Extemporieren
zu Robert direkt
Willst du nicht wenigstens den Mantel ausziehen
es irritiert mich
hilft Robert aus dem Mantel
Dieses schöne Großvaterstück
Kleidungsstücke haben
ihre Geschichte
hängt den Mantel an die Tür, kommt zurück, setzt sich
Schottische Wolle
von den Hebriden

Wir lieben sie
bis sie uns vom Leib fallen
nachdenklich
Geometrie hat mich interessiert
von Anfang an
überhaupt Mathematik
daher mein Interesse
für Musik
Der Schneider ist angeblich wahnsinnig geworden
der unserem Großvater diesen Mantel
geschneidert hat
plötzlich
Hast du mir die Times mitgebracht
Robert zieht die Times aus der Rocktasche
Karl nimmt die Times, schlägt sie auf

KARL
Kein Tag
ohne die Times
Ich abonniere sie
seit Jahren nicht
aber da du sie abonniert hast
nach einer Pause
Nun steigt er nicht mehr

ROBERT
Der Goldpreis

KARL
Ja der Goldpreis
blättert
Willst du nicht wenigstens
einen Tee trinken
oder Mineralwasser
wegen der Niere
legt die Times auf den Tisch
Was sagt der Arzt
Warst du bei ihm

ROBERT
Keine beängstigenden Werte

KARL
Die Leber auch nicht

ROBERT
Einwandfreie Leber

KARL

Du beherrschst dich doch
bezüglich Schnaps etcetera

ROBERT

Kein Schluck
seit Mathilde tot ist
keinerlei Bedürfnis
ich sitze den ganzen Tag da
und starre auf den Boden
hier
zeigt es
tut es weh

KARL

Wahrscheinlich die Galle
die alte Geschichte
steht auf und holt eine Flasche Mineralwasser und zwei Gläser, schenkt ein

ROBERT

Ich habe es wieder versucht
mit dem Lear
aber ich vergesse den Text
ich behalte nichts mehr
die Wörter fallen ganz einfach
aus meinem Kopf
Im Park hin- und hergegangen
zwecklos
Mathildes Grab besucht
alles verwelkt
ein anderer Gärtner wäre
wahrscheinlich besser
aber es ist schwer
um diese Zeit
etwas das blüht
zu bekommen
Stillschweigend meine Tabletten gekauft
das Notwendigste nachhause getragen
kein Wort mit niemand
Post aus Amerika
zerrissen weggeworfen
die Leute schreiben
aus Langeweile

aus keinem andern Grund
Der Arzt meint
Arosa wäre etwas
aber ich gehe nicht in die Schweiz
Zweitausendmeterhöhe empfiehlt er
Die Lunge
die Niere
die Milz
jetzt auch noch die Galle
macht einen Schluck
Brahms gehört
auf dem Bett liegend
angezogen
mit geschlossenen Augen
nachgedacht
Karl macht einen Schluck, nimmt die Times, blättert

ROBERT

Mit fünfzig Schluß machen
aber nein
inkonsequent
die Fünfzig überschritten
die Sechzig überschritten
die Siebzig überschritten
alles falsch

KARL

Die Menschheit ändert sich nicht
hast du niemals etwas für Reiten
übrig gehabt
ich meine für Pferderennen
Das hätte ich gern getan
weißt du was das ist ein Oxer
die irischen Offiziere
sind die besten
Reiter müssen eine gute Figur haben
brechen sich das Genick
blättert um
reiche Leute vornehmlich
elegant
auserlesenes Publikum
Reiter müssen nicht unbedingt intelligent sein
Pferde sind dumm

Die Schweine sind die intelligentesten
deshalb lassen sich die Schweine auch so schwer dressieren
Dressurolympiasiegerin
nun ja
Eine große Schweinenummer
das wäre etwas gewesen
aber das ist niemals gelungen
ein Schwein auf dem Seil
hoch oben
das einen Kopfstand macht
blättert um

ROBERT

Mathilde hatte recht
e i n e n Arzt
nicht mehrere
einen der einen ruiniert
nicht mehrere
Tomatensuppe tut mir gut
grüner Salat
gehacktes Fleisch
kleingehacktes

KARL

Mode hat mich immer interessiert
Herrenmode
gewiß ich war immer gern
gut angezogen
man hat es mir oft vorgehalten
daß ich das Elegante gesucht habe
die teure Robe
aber ich habe mich niemals um die Meinung
der Leute gekümmert
blättert um
Mexiko
Abscheu vor der Atlantiküberquerung vielleicht
Ozeanriesenangst
an Deck und nicht an Land können
wann es mir beliebt
blättert um

ROBERT

Sie behauptete
Maggi sei auf einem Auge blind

ganz im Ernst
sie hätte das festgestellt

KARL

Ein dreijähriges Kind aus Modena
hat soviel Orangenmarmelade gegessen
bis es tot umgefallen ist
legt die Times weg
Blind
an einem Auge
Maggi
eine Verrücktheit
In gewisser Hinsicht
war sie verrückt
zeitlebens
Mathilde mein gutes Kind
Maggi auf einem Auge blind

ROBERT

Auf dem linken
sie hatte den Beweis
sie machte die Probe

KARL

Die Probe

ROBERT

sie sagte
sie habe die Probe gemacht

KARL

Wie denn

ROBERT

Sie hatte sich etwas ausgeklügelt

KARL

ausgeklügelt
verrückt
die Probe
nimmt die Times und blättert darin
Stierkampf
immer gehaßt
Spanien geliebt
Die Katholische Kirche
hat immer geheuchelt
Ich bin schon dreiundvierzig ausgetreten
du nicht

ich hatte den Mut
nicht wegen der Steuer
Geld hat hier
keine Rolle gespielt
Weltanschauung
Weltdurchschauung
ekelhafte Figur der Papst
zu Robert direkt
Hast du die neue Staatsanleihe gezeichnet

ROBERT
Nein

KARL
Auch vor Aktien warne ich dich
blättert um
Weißt du noch
wie wir auf dem Attersee
die Nonne gerettet haben
und sie hat sich nicht einmal bedankt

ROBERT
Vielleicht fahre ich
nach Zermatt
Hast du Lust mitzufahren

KARL
Nicht unbedingt

ROBERT
Einquartierung in einem erstklassigen Hotel
im besten Zimmer dieses Hotels
das beste Essen
Ausgewähltes
Spaziergänge
reizt dich das nicht

KARL
Nein
nicht unbedingt

ROBERT
Oder nach Bodenmais
wo wir mit Mathilde gewesen sind

KARL
Du weißt
ich hasse den Bayrischen Wald
wo die Ziegen gute Nacht sagen

legt die Zeitung hin; schaut sich im Zimmer um
Was hier fehlt
ist ein Korbsessel
leicht
bequem
Flechtwerk verstehst du
wie in alter Zeit
Flechtwerk
in dem es sich bequem sitzt
ich finde nicht daß es sich in diesen Sesseln
bequem sitzt
findest du
ich finde es nicht
Aber wo bekomme ich
einen solchen Korbsessel
möglicherweise gehörten zwei hierher
damit wir beide bequem sitzen
Schwarzwald oder Bayrischer Wald
das ist nichts
auch die Schweiz ist nichts
Ich kann nicht sagen
daß ich in diesen Sesseln
bequem sitze
Unsere Großmutter hat sie in die Ehe mitgebracht
schaut den Sessel an
slowakische Handarbeit
sogenanntes Gebogenes Holz
eine ungeheuere Neuigkeit damals
blättert wieder in der Times

ROBERT

Montag Röntgen
Neuerlich Labor
Nach Kopenhagen einen Brief geschrieben
ich schreibe ja Briefe
ab und zu
eine Gewohnheit
keine Selbstverständlichkeit
Damit die Abende nicht so lang sind
Ob Edith das Geschäft aufgelassen hat
wollte ich wissen
wahrscheinlich ist sie gar nicht mehr in Kopenhagen

Malmö
das ist auch nichts
Zwei Tage vor ihrem Tod
mit Mathilde chinesisch gegessen
den Magen verdorben
das chinesische Essen ist mir verhaßt
verpickt den Darm
ihr machte es eine Freude
Wußtest du
daß sie in Kanada
einen Bruder hatte
unehelich
nahe Ottawa

KARL
Ja wußte ich

ROBERT
Sie hat nie
darüber gesprochen
mit mir nicht
sonst wußte ich alles
beinahe alles
Hat sich umgebracht
von einem Hochhaus heruntergestürzt
mit vierundsechzig
siebenunddreißig ausgewandert
mit Holz gehandelt
verheiratet zwei Kinder
unglückliche Ehe naturgemäß
macht einen Schluck
Alaskaexpedition gemacht
sie schrieben sich ab und zu
wußtest du das

KARL
Ja

ROBERT
Du hast nie etwas gesagt darüber

KARL
Nein

ROBERT
Fürchtete sich
vor Hauskatzen

Katzenangst
merkwürdig
In Rom hat sie mir gesagt
daß sie dich schon immer geliebt hat
auf der Spanischen Treppe
damals
wie wir im Hotel de la Ville gewohnt haben
neben deinem geliebten Hassler
Die Papstaudienz
die sie haben wollte
lebenslänglich katholisch geblieben
selbst unter deinem Einfluß
Zu Maggi hatte sie
ein seltsames Verhältnis
und zu russischen Novellen
Du hast ihr alles Wesentliche
beigebracht
sie war gelehrig
aber du wolltest noch mehr aus ihr machen
das ist deine Art
jeden in die Höhe zwingen
koste es was es wolle
Perfektionszwang
auf allen Gebieten
Unmenschlichkeit vielleicht

KARL

die Times aufgeschlagen
Rassehunde hasse ich
Die Leute verlieren ihren Partner
und schaffen sich einen Hund an
Geliebtenersatz
Der Hund bestimmt dann den Tagesablauf
nach dem Hund richten sie sich vollkommen
Sie wollen an die Riviera
aber der Hund sagt nein
sie wollen nach Indien
aber der Hund sagt nein
sie wollen nach London
aber der Hund sagt nein
sie wollen ein Dampfbad nehmen
der Hund verbietet es

Dem Hund kochen sie so gut auf
wie sie sich selbst nie aufgekocht haben
Ein Professor in Oxford
soll vor jeder Vorlesung seinen Hund gefragt haben
ob er die Vorlesung auch halten solle
hat der Hund zugestimmt
hat er die Vorlesung gehalten
hat der Hund verneint
hat er sie nicht gehalten
Ich habe einen Züchter gekannt
der hat seine Hündin
in Nordirland decken lassen
vor fünfundvierzig Jahren
als das noch sehr kompliziert gewesen ist
blättert um

ROBERT
Vielleicht hätte ich
vor zehn oder vor fünfzehn Jahren schon
den Lear spielen sollen
noch früher
und wenn ich es heute könnte
es ginge nicht
weil mir schon alle
die ich gekannt habe
und die tatsächlich Einfluß gehabt haben
weggestorben sind
alle Schauspielhausdirektoren
weggestorben
Wenigstens habe ich den Tasso gespielt
den mochtest du doch

KARL
Ja sehr

ROBERT
Am Ende
hat sich der Schriftsteller selbst
in den Käfig gesperrt
das gefiel mir
Wir haben den Tasso
über hundertmal gespielt
vor ausverkauftem Haus
bis ich mir das Bein gebrochen habe

KARL

blättert um
Sozialheuchelei
Friedensgeschwätz
plötzlich
Sieh mal die Möwe
zeigt Robert die Times
Der Flug der Möwe
nimmt die Times wieder an sich
Den Flug der Möwe habe ich immer geliebt
überhaupt das Meer
die Weite
Englische Art zu photographieren
aber eine solche Möwe
blättert um

ROBERT

Das Wochenendhäuschen
werden wir uns noch wohnlicher machen
ein paar Bäume pflanzen
andere umschneiden
Viel Gras um alles
möglicherweise winterfest machen

KARL

Möglicherweise
möglicherweise

ROBERT

Einen Brunnen graben möglicherweise

KARL

Möglicherweise

ROBERT

Ich kann mir vorstellen
daß es beheizbar
angenehm ist
für uns beide

KARL

Ja
möglicherweise
legt die Times auf den Tisch, beide machen einen Schluck
Die Mutter hätte nicht sterben müssen
Familienopfer
typisch

aufgeopfert
Familienmorast
streckt die Beine aus
Das Wort Galanteriewaren
sagt es dir etwas
es müßte dir etwas sagen
steht auf und tritt ans Fenster und schaut auf die Straße hinunter
Was ich an dir
wenn überhaupt etwas
immer gehaßt habe
ist deine Unpünktlichkeit
Ich mache dir keinen Vorwurf
in aller Liebe
aber es ist interessant zu beobachten
Das Wort Disziplin
war das Lieblingswort unseres Großvaters mütterlicherseits
geht zum Damenkleiderkasten, nimmt einen Pelz heraus und hängt ihn sich um
stellt sich in Pose damit
In Venedig
gleich um die Ecke am Gritti
habe ich ihr diesen Pelz gekauft
sie hat ihn nur zweimal getragen
geht zum Fenster und wieder zurück, schreitet mehr, als daß er geht
dreht sich nach Robert um
Die Begierde nach Luxus
i c h habe sie gehabt
nicht sie
sie war
höchst einfach

Fünfte Szene

Eine Viertelstunde später
Karl am Tisch

Robert spielt im Musikzimmer die Mozartsonate, die Mathilde immer gespielt hat

KARL

mit ausgestreckten Beinen für sich
Geschichte hat mich immer interessiert
Napoleonische Zeit
das neunzehnte Jahrhundert zweifellos mehr
als das zwanzigste
sozusagen das intelligente
gegenüber dem brutalen
Weltsklaverei
politisch alles verfahren
zweifellos
Intelligenzwelt Teufelswelt
als ob er jetzt erst dem Klavierspiel Roberts zuhörte
Zu wenig Pedal
zu gewissenhaft
temperamentlos andererseits
musikalischer Schwachsinn
Versuch
ruft in das Musikzimmer hinein
Genug
genug damit
ich kann diese Musik nicht mehr hören
dreißig Jahre habe ich sie mir angehört
genug
eine Perversität
Robert hört auf zu spielen

KARL

Wo wir so großartige
Interpreten haben
Schallplatten zur Genüge
mit großartigen Interpreten
Ich hätte mir dreißig Jahre
die Ohren zustopfen sollen
aber ich habe sie mir nicht zugestopft
aus Rücksicht auf Mathilde
überhaupt aus Menschenrücksicht
Güte vielleicht
Mitleid möglicherweise
Dreißig Jahre unterdrückt

was ich hätte aussprechen sollen
Robert klappt deutlich hörbar den Klavierdeckel zu und kommt heraus

KARL
Mit Rücksicht auf meine Ohren
auf meine Empfindlichkeit
Ich trauere ja noch
Robert setzt sich an den Tisch

KARL
Kompositionslehre einmal
dann nichts mehr
schließlich verstehe ich etwas von Musik
bin ich auch kein ausübender Musikkünstler
aber ich verstehe mehr davon
als die meisten Ausübenden
Ich weiß was ich höre
Was diese Ohren in dreißig Jahren anhören haben müssen
Jetzt ist Schluß damit
Wenn wir rekapitulieren
ist es beängstigend
was wir erduldet haben zeitlebens

ROBERT
Es war nur ein Versuch
eine kleine Erinnerung
ich kann es ja nicht
ich kann es noch weniger als Mathilde

KARL
Im Gegenteil
du spielst es viel besser
das ist es ja gerade
das mich so erregt
dreißig Jahre diesen Dilettantismus anhören
dreißig Jahre falsche Noten

ROBERT
Klavierspiel erfordert tagtägliche Übung
ich habe jahrelang nicht mehr gespielt

KARL
Du brauchst es auch nicht
es klingt gar nicht gut
es ist demoralisierend
Die Lebensgefährtin erduldete ich

Mathilde ja
aber d u mußt nicht spielen
wenigstens nicht die Mozartsonate
bitte nicht

ROBERT

Das Klavier ist ziemlich verstimmt

KARL

Das außerdem
nach einer Pause
trotzdem
es wird nicht versteigert
nichts wird versteigert
alles bleibt wie es ist
wo es liegt und steht
Die Leute zahlen auch nichts für Gebrauchtes
Nein
stehengelassen liegengelassen alles
Profitmachen
das liegt lange zurück

ROBERT

Plötzlich wäre alles leer hier

KARL

Leer leer
Wenigstens erinnert es an Mathilde
an ihr Wesen

ROBERT

Brahms liebte sie auch

KARL

Ja natürlich
Das war es ja

ROBERT

Eine durchaus klassisch-
romantische Veranlagung

KARL

Ja
und so unmusikalisch
Kein Gehör
während ich doch das absolute habe

ROBERT

Und du bist außerdem musikalisch gebildet
sozusagen ein Musikphilosoph

KARL
Ja
wenn du es sagst
Musik war für mich immer das Höchste
Equilibristik vielleicht sogar
nur eine Verlegenheit
vielleicht
Ich hätte es als Musiker immerhin
zu einer gewissen Höhe gebracht
aber ich entschied mich für die Artistik
Ich bin Artist
Während du musisch veranlagt bist
Schauspielerei ist Musisches
Artistik ist etwas anderes
Neulich habe ich einen Artikel
über die notwendige Gefühlskälte der Schauspieler gelesen
sehr interessant
über diese Zusammenhänge müßte mehr nachgedacht werden
mich haben die Schauspieler
immer interessiert
die bedeutenden
Allein über den Begriff des Vorhangs
könnte ein Philosoph alt werden
ruft aus
Ätzend
jetzt habe ich das Wort
das ich die ganze Zeit gesucht habe
springt auf und geht zum Fenster, schaut ins Zimmer zurück
Möglicherweise hätte ich
auch ohne Artistik
existieren können
eine Art von Künstler
Antimusischer Künstler sozusagen
In jedem Fall hätte ich etwas erreicht
wäre ich groß geworden
Was mich vor allem fasziniert hat
berühmtsein
aufsehenmachen
der einzige sein
geht zum Bett und setzt sich darauf
Auf dem Trampolin

hatte ich die Idee
ich war keine dreizehn
Tellerkünstler
zu Robert direkt
Der Schauspieler in dir
war schon von Anfang an da

ROBERT
Keine klare Vorstellung
etwas Interpretierendes

KARL
Das Podium
sich produzieren
sich entäußern
zum Juristen bestimmt
zum Schauspieler geboren
In Bad Cannstatt spieltest du mit einundzwanzig
einen Achtzigjährigen

ROBERT
In einer Komödie

KARL
Richtig

ROBERT
Englischer Schriftsteller
neunzehntes Jahrhundert

KARL
Victorianisches Versmaß
katastrophal übersetzt

ROBERT
Der Unglückliche stürzte sich
in die Themse
weil ihn seine Lebensgefährtin betrogen hatte
Im Alter habe ich die Alten
nicht mehr so gut gespielt
Die Alten sind mir alle gelungen
bis fünfunddreißig
Jahrelang nur Neffen gespielt
nachdenklich
Leidenschaft ist es nie gewesen
In Zürich den Faust

KARL
An der Seite eines debilen Mephisto
indiskutabel

ROBERT

Acht Monate Arbeit
und ein einziger Verriß
Leidenschaft ist es nie gewesen

KARL

Was mich betrifft ja
immer
das muß ich sagen
es war immer das gleiche
nie dasselbe
jedesmal völlig anders
Ich war nicht so auf das Allerhöchste aus
auf das Höchste ja
nicht auf das Allerhöchste
Echo ja
aber es machte mich immer mißtrauisch
Arena ist nicht die Bühne
Varieté ist nicht Burgtheater

ROBERT

Mir ist nichts in den Schoß gefallen

KARL

Uns allen nicht

ROBERT

Das Theater war eine Möglichkeit
ich hatte keine andere

KARL

Mehr oder weniger
glauben wir
Wenn wir nur einen Weg sehen
ist es auch immer nur eine Sackgasse

ROBERT

Weniger die Kunst
mehr die Möglichkeit
unter Menschen zu sein regelmäßig
aus Angst
allein aufzugeben
zu verkommen

KARL

Eine vollkommen
amusische Familie
Gelehrt

aber amusisch
unkünstlerisch durch und durch

ROBERT

Kunst
eine Zwangsvorstellung
Zuerst Jurist hat er gesagt
dann die Bühne
aber ich habe mir den Umweg erspart
mit dem Vater gebrochen
lebenslänglich
In gewisser Weise auch mit der Mutter
aber sie glaubte an mich

KARL

Wenn das wahr wäre
wäre es schön
Die Eltern wollten uns festhalten
und ersticken

ROBERT

Ich hätte mich umgebracht
Jetzt sagt es sich so leicht
aber ich war jeden Tag daran
mich umzubringen
Mich durch Lektüre abzulenken versucht
Minderwertiges Romanartiges
Ich war zu feig dazu

KARL

Schwach wehleidig

ROBERT

Allerdings
Privatunterricht
was das heißt
keinen Groschen von zuhause
keinerlei Rückhalt

KARL

schaut um sich
Es ist nicht eigentlich kalt
und doch friert mich
Zwei große Korbsessel
vielleicht auch einen neuen Tisch
andererseits
ich möchte nichts verändern
hier nicht

Sechste Szene

Eine Viertelstunde später
Robert am Tisch, ein Buch lesend

KARL
am Käfig, Maggi anstarrend, ruft plötzlich aus
Nestwärme
habe ich nie gehabt
zu Robert
Du vielleicht
Ausgestoßen
das war es
an den Rand getrieben
aber ich wehrte mich
gegen Verkümmerung
gegen Eingehen
wehrte ich mich immer
Aufderhutsein
das war es
hat mich stark gemacht
Selbständigkeit

ROBERT
Mich liebten sie ja nur
wegen meiner Gebrechen

KARL
ausrufend
Gebrechen
Eingebildetes
Hypochondriertes

ROBERT
Wir hatten immer
ein zwiespältiges Verhältnis
brüderlich
aber zwiespältig
Ich zog es vor
mich zu ducken
duckte mich zwanzig Jahre
dreißig Jahre
löste mich nur langsam

Ich wurde später bestraft
Wir hatten beide
die Nestwärme nicht

KARL

Eine Durchschnittsfamilie
mit durchaus katastrophalen Auswirkungen
auf die Erzeugten
bückt sich und richtet die Schuhe auf dem Boden gerade
In gewisser Hinsicht
hat jeder verdient
was ihn ereilt hat
Von den Erziehern aufs schmählichste
alleingelassen
Spielzeug hergestellt
keine Menschen
Unsere Schwester hat sich
im günstigsten Moment
aus dem Staub gemacht
Zuerst war es doch das zarte Geschlecht
das mich entfernte
daran stärkte ich mich
es gab mir Selbstbewußtsein
zu Robert direkt
Davor hattest du immer Angst
nach einer Pause
bis heute

ROBERT

Krankheiten

KARL

Fortwährende Unpäßlichkeiten
Eingebildetes

ROBERT

Früh die Lunge
die Niere dann

KARL

Ja ja die Niere
zuerst die Lunge
dann die Niere
steht mit dem Paar Schuhe auf
Habe ich in Bad Homburg gekauft
handgemacht

fünfunddreißig Jahre alt
und wie neu
Robert schaut die Schuhe an

KARL

Ja
das waren noch Zeiten
stellt die Schuhe wieder auf den Boden zurück
Wenn ich bedenke
wo wir hergekommen sind
bürgerlicher Anfang
schwergehabt
verständnislose Eltern
die uns zu ihren tatsächlichen Nachfolgern
hatten machen wollen
setzt sich erschöpft an den Tisch
in gewisser Weise
war es auch was mich betrifft
die Kunst
durchaus Künstlerisches
das mich gerettet hat
Artistik
möglicherweise sogar
höher zu stellen
als Schauspielerei
so betrachtete i c h es immer
Alle wollten
daß ich es mache
wie es immer gemacht worden ist
aber ich machte es so
wie i c h wollte
wie i c h es für richtig hielt
darin lag zweifellos mein Erfolg
dieser allerhöchste Erfolg zweifellos
steht auf und holt eine Fotografie, auf welcher er während seiner Tellernummer in Paris abgebildet ist, betrachtet die Fotografie
Paris
das war Ungewohntes
einmaliges Terrain
Ich steckte sie alle ein
letzten Endes

ROBERT

in Betrachtung der Fotografie

Im Lido

KARL

Im Lido ja

ROBERT

Das machte dich erst berühmt

KARL

Berühmtgemacht in Paris
zweifellos
im Lido
legt die Fotografie auf den Tisch
Die Eltern waren entsetzt
über mich gleicherweise
wie über dich
über dich mehr noch
ihr geliebtes Kind
das sie für die Beamtenlaufbahn bestimmt hatten
Nachfolgebestimmung
Es kam anders
In den Tuilerien
machte ich mir so meine Gedanken
damals
Nachkriegszeit
tolle Animationen

ROBERT

ohne von seiner Lektüre aufzublicken

Ich spielte den Tasso
ungeniert
das brachte mir den Erfolg
das machte mir Flügel

KARL

Es hungerte sie alle
nach Kunst
Kultur
Artistik insgesamt et cetera

ROBERT

Möglicherweise war der Krieg
die Rettung

KARL

Kann sein

ROBERT

Größte Begeisterung
hingerissene Kritik

KARL

nach einer Pause
Mathilde fehlt doch sehr
Ein rührendes Geschöpf
in gewisser Weise
Die Abende verbringe ich
dasitzend
an sie denkend
völlig bewegungslos
Dann gehe ich gegen ein Uhr ins Bett
und kann nicht einschlafen
ich denke nur an Mathilde
Das dachte ich nicht
plötzlich zu Robert
Das täte dir gut
täglich in den Zoologischen Garten
und wieder zurück
oder zur Kathedrale
und wieder zurück
Jede kleinste Unpäßlichkeit
stilisierst du zur Todeskrankheit
direkt zu ihm
Mehr abmagern
gehen
kaum etwas zu dir nehmen
längere Zeit

ROBERT

Ich esse fast nichts
seit Mathilde tot ist

KARL

Du überlebst mich
ich sehe dich
wie du an meinem Grab stehst
Der Zurückgebliebene tatsächlich
der Hilflose
Alleingelassene
nach einer Pause
Zu nichts Lust

das ist es
steht auf, geht zu Maggi, starrt Maggi an
Blind sagst du
auf einem Auge blind

ROBERT
klappt das Buch zu
Auf einem Auge
ja

KARL
Wie beweist sich das

ROBERT
Sie hatte den Beweis

KARL
Sie hatte den Beweis
Welchen Beweis

ROBERT
Auf dem linken Auge

KARL
steckt den Kopf an den Käfig
Auf dem linken Auge
auf dem linken Auge blind
Ich sehe nichts
klopft an den Käfig, geht damit zum Tisch, stellt den Käfig auf den Tisch, setzt sich
Er erschrickt
das ist ganz natürlich
Auf dem linken Auge blind
dreht sich zu Robert um, schaut zum Fenster hin, steht auf, geht mit dem Käfig zum Waschtisch zurück und deckt den Käfig zu
Wie spät ist es

ROBERT
nimmt die Times, liest darin
Halb acht

KARL
Um diese Zeit hat sie uns
immer
diesen schönen Petersfisch gemacht

Zweiter Akt

Donnerstag
Bei Robert

Erste Szene

Bequeme Möbel
Ein Foto mit Robert als Tasso an der Wand
Ein Plattenspieler

ROBERT
in einem warmen Schlafrock im Fauteuil sitzend,
zu Boden starrend
Bis ins hohe Alter
gespielt
Nichts ausgelassen
Irreparabel
Schönheitsfanatiker
Die tote Taube
auf dem Markusplatz
mit dem linken Schuh berührt
Natürlich die Ausnahmen
Mit fünfundsechzig
auf dem Gipfel
Verlassenschaftsverhandlung
Das Wort größenwahnsinnig gesagt
unmittelbar danach
Die Leute gingen schnell
nachhause
Unzufriedenheit mit sich selbst
Alleinexzeß
Ich dachte
ich werde
den Lear spielen
groß herauskommen
Zuerst die Lunge
dann die Niere
Rederei Ärztegeschwätz

Trampolinmoment
Wie ich diese Donnerstage hasse
Selbst im Park
keinen Augenblick schmerzfrei
Chichester ist umgebettet worden
der Segler
das allein interessierte ihn
Das Wochenendhäuschen
Musikfanatiker
wir bezichtigen zuviel
vor allem uns selbst
Selbstbezichtiger
steht auf und nimmt aus einer Kommode Tabletten und schluckt sie, schaut zum Fenster hinaus
Spezialklinik in Basel
Der achtzehnte November
ist es
nicht vergessen
ein Paket englischer Strümpfe
wünscht er sich
setzt sich wieder in den Fauteuil
Abonniert die Times nicht
schlechtes Licht
Geiz
Verhängnisvolle Beziehung
zum Vater
Die Mutter gemein behandelt oft
verräterische Geschwisterliebe
Löschte das Licht aus als Kind
und lutschte heimlich
War nicht imstande
ihr sein Vermögen zu verraten
ging so weit
ihr Vorschriften zu machen
in bezug auf ihre Kleidung
Handelte achttausend herunter
den Pelz betreffend
Mathilde warnte mich
vor Basel
Schauspieler wehleidig verrückt
das Theater eine Schandgrube

Verdiente nicht
daß ich ihm den Mantel trug
damals auf dem Bahnhof
Schwächezustand
er lachte
Ich gehe drei Schritte
und habe keine Luft
ich
Hypochondrie
er
Krankheitsschwärmer
Platonisch sagte er
meistens abwesend
nicht geistesabwesend
abwesend
was viel schlimmer ist
Desinteresse
was mich betrifft
In der Eisenbahn der erste
der in das Abteil tritt
und sich hinsetzt
fragt nicht
wo ich sitzen will
lang hingezogen
Lebensüberdrüssig
vielleicht
In kleinen Dosen Philosophie
Extravagantes des Geistes
Die erste Lebenshälfte melodramatisch
er
die zweite
Konfusion
Hotelfetischismus
Schuhfetischismus
Kopffetischismus
Inkommensurabel
Lieblingswort
Es muß ja nicht die Theaterkunst sein
wo wir doch Hunderte vorzüglicher Romane haben
er
die wir lesen können

ohne uns genieren zu müssen
Haßt Tanz merkwürdigerweise
überlebt alles
Du hast dich in den Lear verrannt
und dich dadurch unglücklich gemacht
dich und deine Umgebung
von dir geht diese Leardepression aus
Redete kein Wort beim Begräbnis
sprach den Namen Mathilde
nicht ein einzigesmal aus
Der Umgang mit dir ist verfinsternd
Du hast aufgegeben
Es wird finster
Vergangenheit
zählt am Ende
nicht
Zwischen dir und mir ist
der Eiserne Vorhang
Er ging schnell in das Restaurant hinein
gleich an der Friedhofsmauer
unterdrückte den Appetit
Redete über Schaljapin
In der Stadt
aufeinmal die Bemerkung
Mathilde gab mir
die kalten Umschläge
allein kann ich mir diese kalten Umschläge
nicht machen
Hilflos Robert hilflos
Ging sofort nachhause
Haßt Leute
die einen Stock brauchen
überhaupt Verkrüppeltes
spricht unterbrechungslos
bricht abrupt ab
Große Lust
wieder aufzutreten
er
Wie nachlässig heute
Theater gespielt wird
er

Unverschämtheiten auf der Bühne
theatralischer Analphabetismus
Im Park plötzlich
es hätte ja auch sein können
daß wir auf den Hund gekommen wären
steht auf und macht Licht, setzt sich wieder
Flucht in die Religion
verabscheuungswürdig
Zu Mathilde hat er immer gesagt
er habe nichts
wir hätten nichts
sie mußte sparsam sein
wir können uns nichts leisten
hat er gesagt
Keinerlei Vermögen
Zahlungsrückstände
In diesem Gedanken starb sie
Existenzchoreographie
seine Erfindung
es läutet, er steht auf und geht zur Tür
Karl tritt ein

ROBERT
der ihm sofort aus dem Mantel hilft
Gedanken gemacht
über dich

KARL
Es ist naß
und kalt
Immer wenn ich zu dir komme
ist es kalt und naß
Ich setze mich gleich
setzt sich

ROBERT
hat Karls Mantel aufgehängt, fragt
Tee

KARL
Nein danke
Die Tuilerien weißt du
ein ungeheures Erlebnis
Metternich verkannt
absolut verkannt

streckt die Beine aus
Ich dachte im Hergehen
Lohengrin
vielleicht Lohengrin
dann dachte ich
das ist doch nichts für uns
möglicherweise hätte es uns abgelenkt
Zuviel Trauer macht unglücklich
deprimiert auf die Dauer
Ich habe es mir überlegt
Oper muß es nicht sein
nein Oper nicht
Wagner nicht nein
nicht Wagner
schaut sich um
Freundlicher
als ich dachte
wenigstens keine ungeistige Atmosphäre hier
davor hatte ich ein wenig Angst
ein bißchen
Ich weiß nicht
ob es richtig ist
jeden Donnerstag und Dienstag
vielleicht Freitag und Montag
oder Sonntag und Mittwoch
nein nein
bleiben wir dabei
Gewohnheit muß sein
Metternich wird mir erst nach und nach
klar
verkannt
angefeindet
warum fragte ich mich
ich bin auf der Spur
bald ist es kein Geheimnis mehr
Robert setzt sich

KARL

Diese schrecklichen Gesichter
auf dem Weg hierher
immer das gleiche
das Geistlose

das Hilflose
Lebensunkenntnis
Wahrscheinlich stellen wir
zu hohe Ansprüche
es sagt uns nicht zu
es stößt uns ab
schaut auf seinen Anzug
Den Anzug habe ich mir
wie sie noch krank gewesen ist
machen lassen
schwarz naturgemäß
trauerentsprechend
wie es schon abzusehen gewesen war
daß sie sterben wird
mehr oder weniger
ich hatte das Bedürfnis mit einem neuen schwarzen Anzug
auf das Begräbnis zu gehn
ich wollte es mich etwas kosten lassen
steht auf,
stellt sich in Pose
Aber der Anzug ist erst acht Tage
nach Mathildes Begräbnis fertig geworden
ich wollte einen locker sitzenden
für alle Zwecke mehr oder weniger
findest du daß ich gut aussehe
in diesem Anzug
erstklassige Verarbeitung
und so daß es nicht nur für den Trauerzweck ist
festliche Gelegenheiten
habe ich gedacht
möglicherweise für eine Gala
findest du nicht
daß er für eine Gala richtig ist
beispielsweise für die Operneröffnung
natürlich gehe ich nicht
zur Operneröffnung
für den Silvesterball
natürlich gehe ich nicht
auf den Silvesterball
für etwas Außerordentliches
für eine Gala

betrachtet den Anzug von allen Seiten
Robert ist aufgestanden und betrachtet den Anzug auch

KARL
Ich sagte
es müsse ein Anzug sein
für verschiedene Zwecke
für Trauer naturgemäß
aber doch auch für Festlichkeiten

ROBERT
Mathilde hätte ihre Freude daran gehabt

KARL
Findest du

ROBERT
Finde ich
ja finde ich
ihre Freude gehabt

KARL
Naturgemäß
Immer habe ich mich geweigert
mir einen neuen Rock machen zu lassen
ich wehrte mich dagegen
gegen Mathildes fortwährendes Verlangen
jetzt habe ich einen solchen Galaanzug
stellt sich in Pose
Ich habe noch nie
ein so elegantes Kleidungsstück gehabt
exzellent
nicht wahr

ROBERT
Exzellent
zweifellos exzellent

KARL
Zweifellos
bückt sich
Ob sie nicht etwas zu lang ist
die Hose
für mein Gefühl ist sie etwas zu lang
kürzen lassen
kürzen lassen

ROBERT
Die Hose ist nicht zu lang

KARL

Nicht zu lang
Zu lang
zu lang

ROBERT

Die Hose ist nicht zu lang
nicht zu lang

KARL

Nicht zu lang
Die Hose ist zu lang
eine zu lange Hose

ROBERT

Die Hose ist nicht zu lang

KARL

Ich werde sie kürzen lassen
dachte ich

ROBERT

Nein
die Hose ist nicht zu lang
Karl stellt sich wieder gerade, richtet sich ganz auf

ROBERT

Die Hose ist nicht zu lang

KARL

sich wieder bückend
Nicht zu lang

ROBERT

Keinesfalls
ist die Hose zu lang
Karl stellt sich wieder gerade, richtet sich auf
Ich dachte
ich werde sie kürzen lassen
kürzen lassen
kürzen lassen
beugt sich wieder vor
Eine Spur

ROBERT

Die Hose ist nicht zu lang

KARL

richtet sich ganz auf
Sie ist nicht zu lang
du sagst sie ist nicht zu lang

läßt sich erschöpft in den Fauteuil fallen
Robert setzt sich

KARL

Heiraten
in solchem Anzug
daran habe ich nie gedacht
niemals
streckt die Beine aus, mit geschlossenen Augen
niemals
nach einer Pause
Sehr bequem sehr bequem
Bei mir ist es nicht so bequem
nach einer Pause
Wenigstens dreißig Jahre
mit Mathilde zusammengelebt
Du hast nie an Heirat gedacht
nicht einmal
dich zu binden
nicht einmal
dich zu binden
nach einer Pause
Möglicherweise hättest du dir
alle diese Krankheiten erspart
wenn du geheiratet hättest
Naturgemäß lieben wir den Bruder
naturgemäß
Sage ich H a l b bruder
verletzt es dich
Teuerster Import der Stoff
leichtestes Material

ROBERT

berührt den Anzug
Ich hatte einmal eine Jacke
aus demselben Material
englisch

KARL

Wir werden ganz von selbst elegant
in solcher Kleidung

ROBERT

Ein Gesellschaftsanzug
wie du ihn immer gehaßt hast

KARL

mit geschlossenen Augen

Habe ich das

ROBERT

Ja
immer gehaßt
diese Art von Anzügen

KARL

Diese Art von Anzügen

ROBERT

Du hast dich immer geweigert
einen solchen Anzug anzuziehen

KARL

Habe ich das

ROBERT

Das hast du

KARL

möglicherweise daß ich das habe
Gehaßt gehaßt
wegen Mathilde
nicht wegen der Leute
nur wegen Mathilde
plötzlich aufblickend
Zu gern hörte ich
jetzt Musik
Ich will nicht sprechen
nichts mehr
steht auf, geht zum Plattenspieler, legt den Anfang von Moses und Aaron auf und setzt sich wieder
Ich weiß
du liebst Brahms über alles
schließt die Augen und streckt die Beine aus

Zweite Szene

Eine Stunde später
Beide Mineralwasser trinkend

ROBERT
ratend
Dostojewskij

KARL
Nein

ROBERT
Turgenjew

KARL
Nein

ROBERT
nach einer Pause
Tolstoi

KARL
triumphierend
Nein

ROBERT
Lermontow

KARL
Natürlich nicht
ruft aus
Lermontow
was für ein Unsinn

ROBERT
Stendhal

KARL
Neinnein

ROBERT
Flaubert

KARL
Nichts da

ROBERT
Voltaire

KARL
Natürlich Voltaire
Es ist doch ganz unmöglich zu glauben

ein russischer Schriftsteller
habe diesen Satz geschrieben
ganz unmöglich
das hättest du f ü h l e n müssen
naturgemäß
nichts russisches
nichts aus einem Roman naturgemäß

ROBERT

Ich war vollkommen überzeugt
daß es sich um einen russischen Schriftsteller handelt

KARL

Französisch natürlich
Voltaire natürlich
streckt die Beine ganz aus
nachdenklich
Früher haben wir es
mit Mühle versucht mit Dame
Etwas Philosophisches
nichts aus einem Roman
Frauenangst
das Wort fällt mir wieder ein
dieser Begriff
du littest immer darunter
in nichts eingelassen
du hast immer darauf gehofft
aber das Ideale kommt nicht
gibt es nicht
Dann ist es eines Tages zu spät
Wir stellen zu große Ansprüche
wo wir uns mit ganz einfachen
hätten zufriedengeben müssen
Sehr früh Kinder
zahlreich
ohne zu denken
das ist es
Aber das Glück ist es auch nicht
Ausflüchte in den Größenwahn
das hatte diese katastrophale Verzögerung bewirkt
Der Umstände machende Mensch
er scheitert
der zuviel Denkende

der Grübler
setzt sich in einen andern Fauteuil

ROBERT

Übrigens habe ich
die Parte bezahlt

KARL

Ja hast du

ROBERT

In aller Stille
hatte ich drei Zeilen darunter setzen lassen
ich weiß nicht
ob dir das aufgefallen ist
diese grauenhafte Verwandtschaft
Sie verübelten uns
daß wir uns gleich verabschiedet haben
In Mathildes Sinn
hatte ich gesagt
sie gingen in die BLAUE GANS

KARL

Bei diesem naßkalten Wetter
hatte ich den Mantel anziehen können
meinen alten Anzug
das war mein Glück

ROBERT

Übersiedeln
habe ich gedacht
nein
wäre Unsinn
diese angenehme Wohnung aufgeben
wo ich nur ein paar Schritte
in den Park habe
zum Gemüsehändler
zur Milchfrau
das ist wichtig
das wird unterschätzt
wenn man jung ist
Die Krankheit macht hellhörig
In der Frühe ein paar Seiten im Lear
vor dem Fenster auf-
und abgehend
Gehend prägt es sich

besser ein
Die englische Unterhaltung mit dem Trafikanten
tut mir gut
auf beiden Augen blind
das stärkt die Sinne
steht auf und holt von einem Tisch eine Fotografie,
zeigt sie Karl
Mit MINETTI
dem großen Schauspieler

KARL
Minetti
ja

ROBERT
In Berlin
zweiundsiebzig
Pension Tschitschikoff
erinnerst du dich
auf dem Kurfürstendamm
wo ich in der Frühe aufgewacht bin
und da standen Leute
in meinem Zimmer
und kauften die ganze Zimmereinrichtung auf
drei Mark sagte die Besitzerin
und deutete auf den Sessel
achtzehn Mark
deutete sie auf mein Bett
wie sie alles notiert hatten
verschwanden sie wieder
ich dachte ich habe geträumt
ich hatte nicht geträumt
Ich spielte einen Radrennfahrer

KARL
Kurios

ROBERT
Ich hatte schon Schmerzen
in den Beinen
erste Anzeichen

KARL
erste Anzeichen von was

ROBERT
Meiner Nierengeschichte

KARL

Ja

ROBERT

nimmt die Fotografie an sich

Plötzlich die Idee
zu kündigen
mit der Fotografie zur Kommode zurück
Lateinamerika
war die Parole
legt das Foto auf die Kommode
Aber die militaristischen Regime dort
stießen mich ab
kommt zurück, setzt sich wieder

KARL

In andere Länder
in andere Erdteile
das schwächt nur
richtet zugrunde
Weißt du
daß ich einmal die Idee hatte
mir eine kleine Insel zu kaufen
eine Robinsonade sozusagen
nicht aufzugeben
nur eine Robinsonade
Lektüre
ein paar hundert Schritte hin
und wieder zurück
essen schlafen
um mich das Meerwasser
Eine Verrücktheit natürlich
darauf kam ich in dieser äußersten Anspannung
wie ich in Rom gewesen bin
wenn ich mich von Mathilde getrennt hätte
aber das wollte ich nicht
das war damals schon unmöglich
das Kind war an mich gebunden
starkes Gefühl
Seelenbindung
ganz ohne Berechnung glaube ich
Zuerst das Artistische
dann das Philosophische

macht sich
macht sich sozusagen
zum Philosophen
zum Philosophierenden
Philosoph nicht
Philosophierender
quasi philosophisch etüdenhaft gelebt

ROBERT
Etüdenhaft

KARL
Wir enden philosophisch gewissermaßen

ROBERT
Krankhafter Prozeß auch

KARL
Naturgemäß krankhafter Prozeß
plötzlich
Große Zimmer
so daß ich lange Zeit in der einen
und dann in der andern Richtung gehen kann
immer unter Dach
und durchaus kultiviert verstehst du
mit einem einzigen Gedanken
diesen Gedanken einmal aufnehmend
und behalten und verarbeiten
bis er nicht mehr da ist
so alle Gedanken behandeln
alles b e h a n d e l n verstehst du
Robert schenkt ihnen beiden ein

KARL
Taktisch vorgehen
ungeniert was den Kopf betrifft
aber auch alles andere Äußere
um die übrige Welt sich überhaupt nicht kümmern
das Universum sozusagen
allein auf dem Kopf tragen und zerbrechen
pulverisieren
trinkt
Allerdings
nur ein Gedanke
wie alle andern flüchtig
nach einer Pause

Mathildes Briefe geordnet
Schönfärberei
das haßte ich immer
gegen die eigene Überzeugung äußern
gesprochene geschriebene Heuchelei

ROBERT

Also wird nichts versteigert
von Mathilde

KARL

Nein
jetzt nicht
wahrscheinlich überhaupt nichts
schließlich es sind nicht nur ihre
es sind auch meine Sachen
ich habe ja alles gekauft
angeschafft
Das Klavier erst vor einem halben Jahr
stimmen lassen
Diese Luftfeuchtigkeit
ist ihm schädlich
ein Klavier ist empfindlich
wie der menschliche Körper
Robert hustet

KARL

Diese hohe Luftfeuchtigkeit
schadet ihm
Wenn ich die Versteigerung durchführe
ist ja alles leer in der Wohnung
so habe ich wenigstens den Geruch
an diese glückliche Zeit
noch
nach einer Pause
Einäschern
das wollte sie nicht
Robert hustet

KARL

Finanziell sind wir abgesichert
wenn du nur auf mich hörst
nichts unternimmst
von dem ich nichts weiß
schaut sich im Zimmer um

Wenn es so alt geworden ist
diese Risse hat
gefällt es mir
Fortwährend denken wir an Erneuerung
und lassen sie doch nicht zu
unser Ästhetizismus verbietet es
Wie bequem es hier ist
viel bequemer als bei mir
aber ich habe es immer
so haben wollen
mehr oder weniger unbequem
merkwürdige Veranlagung
hat damit zu tun
daß ich mich in die großen Geister
verrannt habe
mehr oder weniger verrannt
unsinnigerweise
Die Italienreise
die ich mit Mathilde nicht gemacht habe
könnte ich ja mit dir machen
sozusagen eine Trauerreise
zu ihrem Gedenken
Florenz Pisa
vielleicht auch Rom
Spanische Treppe
Aber dann unbedingt das Hassler
Wenn wir einen guten Platz finden
für Maggi
es wird schwer sein

ROBERT

Alle Fotografien geordnet
Kollegen
Zwei Tage nicht außerhaus
An unsere Schwester gedacht
die so früh hatte
sterben müssen
Bücheranschaffungen
kein Lesebedürfnis
nach einer Pause
Was dann
andererseits

Dachte daran
doch in die Schweiz zu gehn
Mathilde warnte mich
Keine Post
Wir verlernen es ganz
das Briefschreiben
Wenn der Tag wieder länger wird
Unausgesetzte Rückenschmerzen
unverhältnismäßig lange geträumt
gehe ganz gesund durch die Stadt
keinerlei Beschwerden
treffe viele von früher
die ich jahrelang nicht mehr gesehen habe
nach einer Pause
Ich bewunderte deine Art
Menschenumgang immer
Kranksein lehntest du immer ab
Kein Arztvertrauen
Kein Selbstvertrauen
steht auf und geht zur Kommode, um Tabletten einzunehmen, und kommt wieder zurück
Freiwillige Selbstbeschränkung
Bis heute nicht auf den Kopf gefallen

KARL
Oder an die Riviera
Robert setzt sich wieder

KARL
Keine Widerstandskraft
Alles zu laut

ROBERT
Immer an dich gedacht
vertraut
nachgeeifert

KARL
Mathilde
ja
jetzt fehlt sie
nach einer Pause
Daß sie das Wochenendhäuschen
dir vermacht hat
irritiert mich

ROBERT
Mir
KARL
langgezogen
Mathilde dir
ROBERT
Mir
KARL
Von Mathilde
dir
ROBERT
Das irritiert dich
KARL
Ja
irritiert mich
ROBERT
Irritiert dich
KARL
Irritiert mich
nach einer Pause
irritiert

Uraufführungsdaten

Vor dem Ruhestand
Uraufführung: Staatstheater Stuttgart, 29. 6. 1979
Regie: Claus Peymann

Der Weltverbesserer
Uraufführung: Schauspielhaus Bochum, 6. 9. 1980
Regie: Claus Peymann

Über allen Gipfeln ist Ruh
Uraufführung: Ludwigsburger Festspiele (Schauspielhaus Bochum), 25. 6. 1982
Regie: Alfred Kirchner

Am Ziel
Uraufführung: Salzburger Festspiele (Landestheater Salzburg), 18. 8. 1981
Regie: Claus Peymann

Der Schein trügt
Uraufführung: Schauspielhaus Bochum, 21. 1. 1984
Regie: Claus Peymann

Copyrightangaben

Thomas Bernhard
Sein Werk im Suhrkamp Verlag

Alte Meister. Komödie. Leinen und st 1553
Amras. Erzählung. BS 489 und st 1506
Am Ziel. BS 767
Auslöschung. Ein Zerfall. Leinen und st 1563
Ave Vergil. Gedicht. BS 769
Beton. Erzählung. Leinen, BS 857 und st 1488
Die Billigesser. st 1489
Einfach kompliziert. BS 910
Elisabeth II. Keine Komödie. BS 964
Erzählungen. st 1564
Ein Fest für Boris. es 440
Frost. st 47
Gehen. st 5
Holzfällen. Eine Erregung. Leinen, BS 927 und st 1523
Der Ignorant und der Wahnsinnige. BS 317
Immanuel Kant. Komödie. BS 556
In hora mortis. IB 1035
Ja. BS 600 und st 1507
Das Kalkwerk. Roman. st 128
Korrektur. Roman. Leinen, Sonderausgabe und st 1533
Der Kulterer. Eine Filmgeschichte. st 306
Die Macht der Gewohnheit. Komödie. BS 415
Midland in Stilfs. 3 Erzählungen. BS 272
Prosa. es 213
Ritter, Dene, Voss. BS 888
Der Schein trügt. BS 818
Der Stimmenimitator. Leinen, BS 770 und st 1473
Die Stücke. 1969-1981. Gebunden
Stücke 1. Ein Fest für Boris. Der Ignorant und der Wahnsinnige. Die Jagdgesellschaft. Die Macht der Gewohnheit. st 1524
Stücke 2. Der Präsident. Die Berühmten. Minetti. Immanuel Kant. st 1534
Stücke 3. Vor dem Ruhestand. Über allen Gipfeln ist Ruh. Der Weltverbesserer. Am Ziel. Der Schein trügt. st 1544
Stücke 4. Theatermacher. Ritter, Dene, Voss. Einfach kompliziert. Elisabeth II. st 1554
Der Theatermacher. BS 870
Über allen Gipfeln ist Ruh. Ein deutscher Dichtertag um 1980. Komödie. BS 728
Ungenach. Erzählung. st 1543
Der Untergeher. Leinen, BS 899 und st 1497

22/1/11.87

Thomas Bernhard
Sein Werk im Suhrkamp Verlag

Verstörung. BS 229 und st 1480
Watten. Ein Nachlaß. st 1498
Der Weltverbesserer. BS 646
Wittgensteins Neffe. Eine Freundschaft. BS 788 und st 1465

Zu Bernhard
Thomas Bernhard. Werkgeschichte. stm 2002

22/2/11.87

suhrkamp taschenbücher materialien

Herbert Achternbusch. Herausgegeben von Jörg Drews. st 2015
Apokalypse. Weltuntergangsvisionen in der Literatur des 20. Jahrhunderts. Herausgegeben von Gunter E. Grimm, Werner Faulstich und Peter Kuon. st 2067
Samuel Beckett. Herausgegeben von Hartmut Engelhardt. st 2044
Thomas Bernhard. Werkgeschichte. Herausgegeben von Jens Dittmar. st 2002
Arbeitsbuch Thomas Brasch. Herausgegeben von Margarete Häßel und Richard Weber. st 2076
Brasilianische Literatur. Herausgegeben von Michi Strausfeld. st 2024
Brechts ›Aufhaltsamer Aufstieg des Arturo Ui‹. Herausgegeben von Raimund Gerz. st 2029
Brechts ›Dreigroschenoper‹. Herausgegeben von Werner Hecht. st 2056
Brechts ›Gewehre der Frau Carrar‹. Herausgegeben von Klaus Bohnen. st 2017
Brechts ›Guter Mensch von Sezuan‹. Herausgegeben von Jan Knopf. st 2021
Brechts ›Heilige Johanna der Schlachthöfe‹. Herausgegeben von Jan Knopf. st 2049
Brechts ›Herr Puntila und sein Knecht Matti‹. Herausgegeben von Hans Peter Neureuter. st 2064
Brechts ›Kaukasischer Kreidekreis‹. Herausgegeben von Werner Hecht. st 2054
Brechts ›Leben des Galilei‹. Herausgegeben von Werner Hecht. st 2001
Brechts ›Mann ist Mann‹. Herausgegeben von Carl Wege. st 2023
Brechts ›Mutter Courage und ihre Kinder‹. Herausgegeben von Klaus-Detlef Müller. st 2016
Brechts Romane. Herausgegeben von Wolfgang Jeske. st 2042
Brechts ›Tage der Commune‹. Herausgegeben von Wolf Siegert. st 2031
Brechts Theaterarbeit. Seine Inszenierung des ›Kaukasischen Kreidekreises‹ 1954. Herausgegeben von Werner Hecht. st 2062
Brechts Theorie des Theaters. Herausgegeben von Werner Hecht. st 2074
Hermann Broch. Herausgegeben von Paul Michael Lützeler. st 2065
Brochs theoretisches Werk. Herausgegeben von Paul Michael Lützeler und Michael Kessler. st 2090
Brochs ›Tod des Vergil‹. Herausgegeben von Paul Michael Lützeler. st 2095
Brochs ›Verzauberung‹. Herausgegeben von Paul Michael Lützeler. st 2039

8/1/2.88

suhrkamp taschenbücher materialien

8/2/2.88

suhrkamp taschenbücher materialien

Juden in der deutschen Literatur. Ein deutsch-israelisches Symposion. Herausgegeben von Stéphane Moses und Albrecht Schöne. st 2063

Der junge Kafka. Herausgegeben von Gerhard Kurz. st 2035

Kafka. Der Schaffensprozeß. Von Hartmut Binder. st 2026

Marie Luise Kaschnitz. Herausgegeben von Uwe Schweikert. st 2047

Alexander Kluge. Herausgegeben von Thomas Böhm-Christl. st 2033

Wolfgang Koeppen. Herausgegeben von Eckart Oehlenschläger. st 2079

Franz Xaver Kroetz. Herausgegeben von Otto Riewoldt. st 2034

Landschaft. Herausgegeben von Manfred Smuda. st 2069

Lateinamerikanische Literatur. Herausgegeben von Michi Strausfeld. st 2041

Einladung, Hermann Lenz zu lesen. Herausgegeben von Rainer Moritz. st 2099

Literarische Utopie-Entwürfe. Herausgegeben von Hiltrud Gnüg. st 2012

Literarische Klassik. Herausgegeben von Hans-Joachim Simm. st 2084

Friederike Mayröcker. Herausgegeben von Siegfried J. Schmidt. st 2043

Karl May. Herausgegeben von Helmut Schmiedt. st 2025

E. Y. Meyer. Herausgegeben von Beatrice von Matt. st 2022

Moderne chinesische Literatur. Herausgegeben von Wolfgang Kubin. st 2045

Adolf Muschg. Herausgegeben von Manfred Dierks. st 2086

Paul Nizon. Herausgegeben von Martin Kilchmann. st 2058

Die Parabel. Parabolische Formen in der deutschen Dichtung des 20. Jahrhunderts. Herausgegeben von Theo Elm und Hans H. Hiebel. st 2060

Plenzdorfs ›Neue Leiden des jungen W.‹. Herausgegeben von Peter J. Brenner. st 2013

Rilkes ›Aufzeichnungen des Malte Laurids Brigge‹. Herausgegeben von Hartmut Engelhardt. st 2051

Rilkes ›Duineser Elegien‹. Band 1: Selbstzeugnisse. Herausgegeben von Ulrich Fülleborn und Manfred Engel. st 2009

Rilkes ›Duineser Elegien‹. Band 2: Forschungsgeschichte. Herausgegeben von Ulrich Fülleborn und Manfred Engel. st 2010

Rilkes ›Duineser Elegien‹. Band 3: Rezeptionsgeschichte. Herausgegeben von Ulrich Fülleborn und Manfred Engel. st 2011

Rilkes ›Duineser Elegien‹. Drei Bände in Kassette. Herausgegeben von Ulrich Fülleborn und Manfred Engel. st 2009-2011

Schillers ›Briefe über die ästhetische Erziehung‹. Herausgegeben von Jürgen Bolten. st 2037

8/3/2.88

suhrkamp taschenbücher materialien

Die Strindberg-Fehde. Herausgegeben von Klaus von See. st 2008

Karin Struck. Herausgegeben von Hans Adler und Hans Joachim Schrimpf. st 2038

Über das Klassische. Herausgegeben von Rudolf Bockholdt. st 2077

Martin Walser. Herausgegeben von Klaus Siblewski. st 2003

Weimars Ende. Prognosen und Diagnosen in der deutschen Literatur und politischen Publizistik 1930-1933. Herausgegeben von Thomas Koebner. st 2018

Ernst Weiß. Herausgegeben von Peter Engel. st 2020

Peter Weiss. Herausgegeben von Rainer Gerlach. st 2036

Peter Weiss' ›Die Ästhetik des Widerstands‹. Herausgegeben von Alexander Stephan. st 2032

8/4/2.88

suhrkamp taschenbücher
Eine Auswahl

Abish: Wie deutsch ist es 1135
Achternbusch: Alexanderschlacht 1232
– Die Atlantikschwimmer 1233
– Die Olympiasiegerin 1031
– 1969 1231
Adorno: Erziehung zur Mündigkeit 11
– Studien zum autoritären Charakter 107
Aitmatow: Der weiße Dampfer 51
Alain: Die Pflicht, glücklich zu sein 859
Alberti: Der verlorene Hain 1171
Alegría: Die hungrigen Hunde 447
Anders: Erzählungen. Fröhliche Philosophie 432
Ansprüche. Verständigungstexte von Frauen 887
Ansprüche. Verständigungstexte von Männern 1173
Antonioni: Zabriskie Point 1212
Arendt: Die verborgene Tradition 303
Armstrong: Kiss Daddy Goodnight 995
Artmann: The Best of H. C. Artmann 275
– Gedichte über die Liebe 1033
Augustin: Eastend 1176
Ba Jin: Die Familie 1147
Bachmann: Malina 641
Ball: Hermann Hesse 385
Ballard: Billenium 896
– Die Dürre 975
– Hallo Amerika! 895
– Das Katastrophengebiet 924
– Mythen der nahen Zukunft 1167
– Der tote Astronaut 940
Barnet: Das Lied der Rachel 966
Baur: Überleben 1098
Beach: Shakespeare and Company 823
Beck: Krankheit als Selbstheilung 1126
Becker, Jürgen: Die Abwesenden 882
Becker, Jurek: Aller Welt Freund 1151
– Irreführung der Behörden 271
– Jakob der Lügner 774
Beckett: Der Ausgestoßene 1006
– Endspiel 171
– Glückliche Tage 248
– Malone stirbt 407
– Der Namenlose 546
– Warten auf Godot 1
– Wie es ist 1262
Behrens: Die weiße Frau 655
Beig: Hochzeitslose 1163
– Rabenkrächzen 911
Bender: Der Hund von Torcello 1075
Benjamin: Deutsche Menschen 970
– Illuminationen 345
Benjamin/Scholem: Briefwechsel 1211
Berkéwicz: Josef stirbt 1125
Bernhard: Frost 47
– Gehen 5
– Der Kulterer 306
Bertaux: Hölderlin 686
Beti: Perpétue und die Gewöhnung ans Unglück 677
Bierce: Das Spukhaus 365
Bioy Casares: Die fremde Dienerin 962
– Morels Erfindung 939

2/1/8.86

– Der Traum des Helden 1185
Blatter: Kein schöner Land 1250
– Love me tender 883
Bloch: Freiheit und Ordnung 1264
Böni: Die Fronfastenkinder 1219
Bohrer: Ein bißchen Lust am Untergang 745
Brandão: Null 777
Brasch: Kargo 541
– Der schöne 27. September 903
Braun, J. u. G.: Conviva Ludibundus 748
– Der Fehlfaktor 687
– Die unhörbaren Töne 983
Braun, Volker: Gedichte 499
– Das ungezwungene Leben Kasts 546
Brecht: Gedichte für Städtebewohner 640
– Gedichte über die Liebe 1001
– Geschichten vom Herrn Keuner 16
Brecht-Liederbuch 1216
Bertolt Brechts Dreigroschenbuch 87
Brentano: Theodor Chindler 892
Broch, Hermann: Gedichte 572
– Massenwahntheorie 502
– Schlafwandler 472
– Die Schuldlosen 209
– Der Tod des Vergil 296
– Die Verzauberung 350
Brod: Der Prager Kreis 547
Buch: Die Hochzeit von Port-au-Prince 1260
– Karibische Kaltluft 1140
Cain: Serenade in Mexiko 1164
Campbell: Der Heros in tausend Gestalten 424
Carossa: Der Arzt Gion 821
Carpentier: Explosion in der Kathedrale 370
– Krieg der Zeit 552
Celan: Atemwende 850
Christo: Der Reichstag 960
Cioran: Vom Nachteil geboren zu sein 549
– Syllogismen der Bitterkeit 607
Çortázar: Album für Manuel 936
– Das Feuer aller Feuer 298
Dahrendorf: Die neue Freiheit 623
Dorst: Merlin oder das wüste Land 1076
Dorst/Fallada: Kleiner Mann – was nun? 127
Duras: Ganze Tage in den Bäumen 1157
– Moderato cantabile 1178
– Die Verzückung der Lol V. Stein 1079
– Der Vize-Konsul 1017
Eich: Fünfzehn Hörspiele 120
Eliade: Kosmos und Geschichte 1273
– Yoga 1127
Eliot: Die Dramen 191
Enzensberger: Der kurze Sommer der Anarchie 395
– Politische Brosamen 1132
– Der Untergang der Titanic 681
Erikson: Lebensgeschichte und historischer Augenblick 824
Eschenburg: Über Autorität 178
Fanon: Die Verdammten dieser Erde 668
Federspiel: Die Märchentante 1234
– Der Mann, der Glück brachte 891
– Massaker im Mond 1286
Feldenkrais: Bewußtheit durch Bewegung 429
Fleißer: Abenteuer aus dem Englischen Garten 925
– Ein Pfund Orangen 991
– Eine Zierde für den Verein 294

Franke: Der Atem der Sonne 1265
– Die Kälte des Weltraums 990
– Keine Spur von Leben 741
– Schule für Übermenschen 730
– Tod eines Unsterblichen 772
– Zone Null 585
Freund: Drei Tage mit J. Joyce 929
Fries: Das nackte Mädchen auf der Straße 577
Frisch: Andorra 277
– Dienstbüchlein 205
– Gesammelte Werke Bd. 1-7 1401-1407
– Homo faber 354
– Mein Name sei Gantenbein 286
– Der Mensch erscheint im Holozän 734
– Montauk 700
– Stiller 105
– Tagebuch 1946–1949 1148
– Tagebuch 1966–1971 256
– Wilhelm Tell für die Schule 2
Fromm/Suzuki/de Martino: Zen-Buddhismus und Psychoanalyse 37
Fuentes: Nichts als das Leben 343
Fühmann: 22 Tage oder die Hälfte des Lebens 463
Gabeira: Die Guerilleros sind müde 737
Gandhi: Mein Leben 953
García Lorca: Dichtung vom Cante Jondo 1007
– Das Publikum 1207
Ginzburg: Caro Michele 863
– Mein Familienlexikon 912
Goetz: Irre 1224
Goytisolo: Identitätszeichen 1133
– Rückforderung des Conde don Julián 1278
– Spanien und die Spanier 861
Griaule: Schwarze Genesis 624
Gründgens' Faust 838
Gulyga: Immanuel Kant 1093
Handke: Als das Wünschen noch geholfen hat 208
– Die Angst des Tormanns beim Elfmeter 27
– Ich bin ein Bewohner des Elfenbeinturms 56
– Kindergeschichte 1071
– Der kurze Brief 172
– Langsame Heimkehr 1069
– Die Lehre der Sainte-Victoire 1070
– Die linkshändige Frau 560
– Die Stunde der wahren Empfindung 452
– Über die Dörfer 1072
– Wunschloses Unglück 146
Hesse: Aus Indien 562
– Berthold 1198
– Casanovas Bekehrung 1196
– Demian 206
– Emil Kolb 1202
– Gertrud 890
– Das Glasperlenspiel 79
– Die Heimkehr 1201
– Heumond 1194
– Karl Eugen Eiselein 1192
– Kinderseele 1203
– Klein und Wagner 116
– Klingsors letzter Sommer 1195
– Die Kunst des Müßiggangs 100
– Kurgast 383
– Ladidel 1200
– Der Lateinschüler 1193
– Lektüre für Minuten 7
– Die Morgenlandfahrt 750
– Narziß und Goldmund 274
– Die Nürnberger Reise 227
– Peter Camenzind 161
– Roßhalde 312
– Siddhartha 182
– Der Steppenwolf 175
– Unterm Rad 52
– Walter Kömpf 1199

2/3/8.86

– Der Weltverbesserer 1197
Hildesheimer: Marbot 1009
– Mitteilungen an Max 1276
– Mozart 598
Höllerer: Die Elephantenuhr 266
Hohl: Die Notizen 1000
Horváth: Ein Kind unserer Zeit 1064
– Geschichten aus dem Wiener Wald 1054
– Italienische Nacht 1053
– Jugend ohne Gott 1063
Hrabal: Erzählungen 805
Huchel: Gezählte Tage 1097
Hürlimann: Die Tessinerin 985
Hughes: Ein Sturmwind auf Jamaica 980
Im Jahrhundert der Frau 1011
Innerhofer: Die großen Wörter 563
– Schöne Tage 349
Inoue: Die Eiswand 551
– Der Stierkampf 944
Janker: Zwischen zwei Feuern 1251
Jens: Republikanische Reden 512
Johnen/Zech: Allgemeine Musiklehre 1218
Johnson: Das dritte Buch über Achim 169
– Mutmassungen über Jakob 147
Jonas: Das Prinzip Verantwortung 1085
Joyce, James: Anna Livia Plurabelle 751
– Giacomo Joyce 1003
Joyce, Stanislaus: Das Dubliner Tagebuch 1046
Kästner: Der Hund in der Sonne 270
Kaminski: Die Gärten des Mullay Abdallah 930
– Herzflattern 1080
Kasack: Fälschungen 264
Kaschnitz: Der alte Garten 387
– Jennifers Träume 1022
– Tage, Tage, Jahre 1141
Kawerin: Das Ende einer Bande 992
Kenkô: Betrachtungen aus der Stille 1227
Kirchhoff: Einsamkeit der Haut 919
Koch, Werner: Jenseits des Sees 718
– See-Leben I 132
– Wechseljahre oder See-Leben II 412
Koeppen: Amerikafahrt 802
– Die Mauer schwankt 1249
– Romanisches Café 71
– Tauben im Gras 601
– Der Tod in Rom 241
– Das Treibhaus 78
Koestler: Der Yogi und der Kommissar 158
Kohl: Entzauberter Blick 1272
Komm: Der Idiot des Hauses 728
Konrád: Der Besucher 492
– Der Komplize 1220
Kracauer: Das Ornament der Masse 371
Kraus: Aphorismen 1318
– Die letzten Tage der Menschheit 1320
Kreuder: Die Gesellschaft vom Dachboden 1280
Kroetz: Der Mondscheinknecht 1039
– Der Mondscheinknecht. Fortsetzung 1241
Krolow: Das andere Leben 874
– Ein Gedicht entsteht 95
Kühn: Der Himalaya im Wintergarten 1026
– Josephine 587
– Die Präsidentin 858
– Stanislaw der Schweiger 496

2/4/8.86

Kundera: Abschiedswalzer 591
– Das Buch vom Lachen und Vergessen 868
– Das Leben ist anderswo 377
Laederach: Sigmund 1235
Lao She: Die Stadt der Katzen 1154
le Fort: Die Tochter Jephthas und andere Erzählungen 351
Lem: Also sprach GOLEM 1266
– Altruizin 1215
– Der futurologische Kongreß 534
– Imaginäre Größe 658
– Mondnacht 729
– Nacht und Schimmel 356
– Robotermärchen 856
– Die Stimme des Herrn 907
– Terminus 740
– Wie die Welt noch einmal davonkam 1181
Lenz, Hermann: Andere Tage 461
– Die Augen eines Dieners 348
– Die Begegnung 828
– Tagebuch vom Überleben 659
Leutenegger: Ninive 685
– Vorabend 642
Lezama Lima: Paradiso 1005
Link: Tage des schönen Schrekkens 763
Lipuš: Der Zögling Tjaž 993
Loerke: Die Gedichte 1049
– Tagebücher 1903-1939 1242
Lovecraft: Berge des Wahnsinns 220
– Cthulhu 29
– Das Ding an der Schwelle 357
Majakowski: Her mit dem schönen Leben 766
Malson: Die wilden Kinder 55
Mao Dun: Shanghai im Zwielicht 920
Maupassant: Die Totenhand 1040
Mayer: Außenseiter 736
Mayröcker. Ein Lesebuch 548
Meier: Der schnurgerade Kanal 760
Meyer: Eine entfernte Ähnlichkeit 242
– Ein Reisender in Sachen Umsturz 927
Miller: Am Anfang war Erziehung 951
– Das Drama des begabten Kindes 950
– Du sollst nicht merken 952
Miłosz: Verführtes Denken 278
Mitscherlich: Ein Leben für die Psychoanalyse 1010
– Massenpsychologie ohne Ressentiment 76
Molière: Drei Stücke 486
Mommsen: Hofmannsthal und Fontane 1228
Morante: Lüge und Zauberei 701
Moser: Familienkrieg 1169
– Grammatik der Gefühle 897
– Lehrjahre auf der Couch 352
Muschg: Fremdkörper 964
– Gegenzauber 665
– Liebesgeschichten 164
– Mitgespielt 1083
Museum der modernen Poesie 476
Neruda: Liebesbriefe an Albertina Rosa 829
Nizon: Canto 319
Nossack: Das kennt man 336
– Der jüngere Bruder 133
– Um es kurz zu machen 255
O'Brien: Irischer Lebenslauf 986
Offenbach: Sonja 688
Onetti: Das kurze Leben 661
Oz, Im Lande Israel 1066
Paz: Essay I/II 1036
Pedretti: Heiliger Sebastian 769

2/5/8.86

- Die Zertrümmerung von dem Karl 1156

Penzoldts schönste Erzählungen 216

Phantastische Aussichten 1188

Phantastische Träume 954

Phantastische Welten 1068

Plenzdorf: Die Legende vom Glück ohne Ende 722
- Die neuen Leiden des jungen W. 300
- Gutenachtgeschichte 958

Plessner: Die Frage nach der Conditio humana 361

Poe: Der Fall des Hauses Ascher 517

Portmann: Biologie und Geist 124

Proust: Die Entflohene 918
- Die Gefangene 886
- Im Schatten junger Mädchenblüte. 2 Bde. 702
- In Swanns Welt 644
- Sodom und Gomorra. 2 Bde. 822

Puig: Die Engel von Hollywood 1165
- Der Kuß der Spinnenfrau 869

Ramos: Karges Leben 667

Regler: Das große Beispiel 439

Reinshagen: Das Frühlingsfest 637

Ribeiro: Maíra 809

Rochefort: Frühling für Anfänger 532
- Die Welt ist wie zwei Pferde 1244
- Zum Glück gehts dem Sommer entgegen 523

Rodoreda: Auf der Plaça del Diamant 977

Roumain: Herr über den Tau 675

Russell: Eroberung des Glücks 389

Sanzara: Die glückliche Hand 1184

Schertenleib: Die Ferienlandschaft 1277

Schimmang: Das Ende der Berührbarkeit 739

Schivelbusch: Intellektuellendämmerung 1121

Schleef: Gertrud 942

Schneider: Der Balkon 455
- Der Friede der Welt 1048
- Die Hohenzollern 590

Schröder: Fülle des Daseins 1029

Scorza: Trommelwirbel für Rancas 584

Semprun: Die große Reise 744
- Yves Montand: Das Leben geht weiter 1279

Sender: Der Verschollene 1037

Shaw: Der Aufstand gegen die Ehe 328
- Mensch und Übermensch 987
- Der Sozialismus und die Natur des Menschen 121
- Unreif 1226

Soriano: Das Autogramm 1252
- Traurig, Einsam und Endgültig 928

Spectaculum 1-15 900

Spectaculum 16-25 1050

Sperr: Bayrische Trilogie 28

Steiner: Ein Messer für den ehrlichen Finder 583
- Schnee bis in die Niederungen 935

Sternberger: Drei Wurzeln der Politik 1032
- Die Politik und der Friede 1237
- Die Stadt als Urbild 1166

Stierlin: Delegation und Familie 831

Stolze: Innenansicht 721
- Nachkriegsjahre 1094

2/6/8.86

Strätz: Frosch im Hals 938
Strindberg: Ein Lesebuch für die niederen Stände 402
Struck: Die Mutter 489
Strugatzki, A. u. B.: Der ferne Regenbogen 956
– Fluchtversuch 872
– Die gierigen Dinge des Jahrhunderts 827
Das Suhrkamp Taschenbuch 1100
Tango 1087
Tendrjakow: Die Abrechnung 965
Terlecki: Ruh aus nach dem Lauf 1030
Timmermans: Der Heilige der kleinen Dinge 611
Unseld: Der Autor und sein Verleger 1204
– Begegnungen mit Hermann Hesse 218
– Hermann Hesse. Werk- und Wirkungsgeschichte 1257
– Peter Suhrkamp 260
Vargas Llosa: Gespräch in der Kathedrale 1015
– Der Hauptmann und sein Frauenbataillon 959
Vogt: Schnee fällt auf Thorn 755
Waggerl: Brot 299
– Das Jahr des Herrn 836
Walser, Martin: Die Anselm Kristlein Trilogie. 3 Bde. 684
– Ehen in Philippsburg 1209
– Ein fliehendes Pferd 600
– Jenseits der Liebe 525
– Liebeserklärungen 1259
– Das Schwanenhaus 800
– Seelenarbeit 901
Walser, Robert: Bedenkliche Geschichten 1115
– Der Gehülfe 1110
– Geschwister Tanner 1109
– Jakob von Gunten 1111
– Poetenleben 1106
– Der Räuber 1112
– Wenn Schwache sich für stark halten 1117
– Zarte Zeilen 1118
Watts: Der Lauf des Wassers 878
– Vom Geist des Zen 1288
Weber-Kellermann: Die deutsche Familie 185
Weiß, Ernst: Der Aristokrat 792
– Der arme Verschwender 795
– Der Augenzeuge 797
– Die Feuerprobe 789
– Die Galeere 784
– Der Gefängnisarzt 794
– Georg Letham 793
– Mensch gegen Mensch 786
Weiss, Peter: Das Duell 41
Wilhelm: Die Wandlung 1146
Winkler: Das wilde Kärnten. 3 Bde. 1042–1044
Zeemann: Einübung in Katastrophen 565
– Das heimliche Fest 1285
Zweig: Brasilien 984

2/7/8.86